LA VIE QUOTIDIENNE

DES CATHARES

DU LANGUEDOC
AU XIIIe SIECLE

DU MÊME AUTEUR

L'AMOUR ET LES MYTHES DU CŒUR. Hachette, 1952 *(épuisé)*.

LE LANGUEDOC ET LE COMTÉ DE FOIX : LE ROUSSILLON. Gallimard, 1958.

LES TROUBADOURS (2 vol.), en collaboration avec René Lavaud. Desclée de Brouwer, 1966.

L'ÉROTIQUE DES TROUBADOURS. Privat, 1966 *(épuisé)*.

FLAMENCA, UN ART D'AIMER OCCITANIEN. Institut d'études occitanes, Toulouse, 1966.

LE MUSÉE DU CATHARISME. Privat, 1967.

ÉCRITURES CATHARES (nouvelle édition). Planète, 1968.

LE PHÉNOMÈNE CATHARE. Privat — P.U.F., 1968.

DICTIONNAIRE DES HÉRÉSIES MÉRIDIONALES. Privat, 1968.

Couverture : Fra Angelico.
Prédèlle du couronnement de la Vierge
le Miracle de Fanjeaux.
Musée du Louvre. (Photo Hachette.)

RENÉ NELLI

LA VIE QUOTIDIENNE

DES CATHARES

DU LANGUEDOC
AU XIIIᵉ SIECLE

HACHETTE

QUATRIÈME ÉDITION

AVANT-PROPOS

Il y a eu des cathares en France, en Catalogne, en Italie, en Allemagne, et même, semble-t-il, en Angleterre. Mais c'est surtout dans le Midi de la France, de la fin du XIIᵉ siècle à l'année 1209, où fut déclenchée la Croisade, que le Catharisme put s'organiser en Église et, par l'intermédiaire des grands seigneurs gagnés à sa cause, exercer une influence sociale et politique sur l'ensemble du pays. Dans le même temps, grâce aux prédications de ses ministres, il parvenait à modifier quelque peu l'esprit général des Languedociens et, partant, leur vie quotidienne. Les habitudes morales qu'il avait imposées à l'époque où il était triomphant se maintinrent dans une certaine mesure, après qu'il fut devenu clandestin dans les villes et à la campagne et, jusqu'au début du XIVᵉ siècle, dans presque toutes les couches de la société.

On trouvera ici une sorte de film de la vie des cathares languedociens, telle qu'elle s'est déroulée, de 1200 environ à 1350, dans les comtés de Toulouse et de Foix et dans les quatre vicomtés des Trencavel : Carcassonne, Béziers, Albi et Nîmes. Dans ces régions, qui furent, avec quelques cités périphériques de Provence ou de Bigorre — dont il ne sera parlé qu'incidemment — le théâtre principal de la « Croisade contre les Albigeois », on saisit le mieux, dans leur continuité historique, l'existence et la survie tragique du Catharisme. Il n'était pas possible de donner une image fidèle des Parfaits et des Croyants, sans les suivre aussi, quelquefois, en Catalogne et en Lombardie, où ils durent s'exiler à différentes époques et surtout après la chute de Montségur (1244).

Le Catharisme s'inscrit dans le mouvement général de rénovation évangélique qui s'est manifesté dans toute la Chrétienté aux XIIe et XIIIe siècles. Les Parfaits se donnaient pour les successeurs authentiques des Apôtres, croyaient que leur Christianisme était le seul véritable et que celui de Rome n'en était que la contrefaçon diabolique : ils se voulaient chrétiens.

Mais les catholiques romains se refusaient à les considérer comme de simples réformateurs analogues, par exemple, aux vaudois : non sans raison, ils dénonçaient dans le Catharisme une résurgence évidente de l'ancien Manichéisme. Soit qu'il procède, en effet, de la doctrine de Manès par filiation directe ou par l'intermédiaire des pauliciens déportés en Thrace au Xe siècle par les empereurs byzantins, puis des Bogomiles bulgares des Xe et XIe siècles; soit qu'il en ait simplement retrouvé les données fondamentales à partir de l'examen critique des textes scripturaires (Ancien Testament, Évangile de Jean), le Catharisme professe l'existence de deux principes antagonistes, inégaux en valeur mais *également éternels*. Le Mal est une réalité avec laquelle le vrai Dieu doit compter.

Sans doute, tous les cathares ne croyaient pas à l'éternité du mauvais principe. Il y avait des dualistes « mitigés » qui, à la façon des catholiques, enseignaient que le mal avait commencé : un ange originellement bon, créé par Dieu, l'avait inventé en commettant par libre arbitre le péché d'orgueil. Mais les dualistes absolus et les dualistes mitigés s'accordaient tous pour attribuer la Création de ce monde-ci à un démiurge mauvais, Satan principiel ou ange rebelle. Cette croyance surtout épouvantait la Chrétienté (car pour les autres propositions, que le lecteur peut négliger comme secondaires, il n'en est pas une seule qui n'ait été également soutenue, à diverses époques, par quelque docteur de l'Église, et reçue pour orthodoxe). C'est l'idée que *le monde est du Diable* qui a spécifié le plus nettement la mentalité des Occitans du XIIIe siècle par rapport à celle des autres chrétiens.

Nous n'avons pas fait de distinction, dans cet ouvrage, entre dualistes absolus et dualistes mitigés. Les cathares languedociens, compte tenu de ce que les frontières idéologiques manquent de précision sur ce point, *ont été presque tous dualistes absolus.* Les uns et les autres avaient à peu près les mêmes rites et les mêmes obligations religieuses. La morale cathare se déduit de la nature maligne de la Manifestation : le Bien, la Vertu, le Salut consistent à se détacher absolument de la Matière créée par le Démon, en prenant pour modèle la vie de Jésus-Christ descendu sur la terre en *corps spirituel*, non point pour se « sacrifier » mais pour montrer à l'homme la Voie de Rédemption. Au demeurant, ce qui était péché pour les catholiques l'était aussi pour les cathares. Cependant, nos hérétiques ont fait scandale à leur époque en condamnant le serment, l'homicide sous toutes ses formes, la guerre, la justice humaine (celle des rois, des seigneurs, des évêques) et même le meurtre des animaux. Les principes de cette morale qu'on pouvait croire réservée à des saints n'ont pas été sans exercer quelque influence sur le comportement journalier des Occitans.

Le souci de situer clairement la vie quotidienne dans le cadre précis de l'époque nous a fait une obligation de commencer ce livre par une étude rapide de la société méridionale aux XIIe et XIIIe siècles, précédée d'une sorte d'examen de l'âme et des mentalités. Nous avons préféré faire figurer dans ce premier chapitre tout ce qu'il faut savoir pour comprendre la vie des cathares, plutôt que d'alourdir le « film » en y revenant ensuite à tout propos. Il n'était pas question, d'ailleurs, de commenter la métaphysique savante des cathares, mais simplement d'examiner ce qu'en révèlent les conduites instinctives et les façons de prendre la vie et la mort : toutes réactions spontanées, d'autant plus contraignantes qu'elles sont plus inconscientes et « vitales ».

Nous ne ferons pas non plus l'histoire des événements politiques et militaires qui se sont déroulés en Languedoc de 1209 à 1226-1229 (traité de Meaux) et après cette date : soulèvement de Trencavel en 1240, coalition ourdie en 1242 contre le roi de France par le comte de Toulouse, le comte de Foix, le vicomte Trencavel, le roi d'Angleterre et le comte de la Marche. Mais pour que le lecteur puisse se reconnaître dans les nombreuses péripéties de ce drame, qui s'étend sur un siècle et demi, nous en rappellerons succinctement le décours, et son incidence sur la vie journalière du peuple d'Oc.

Il reste que, par la nature même de son objet, le présent ouvrage est un peu différent, sinon dans son esprit, du moins par sa méthode d'exposition, des autres livres de la collection. Il offre, en apparence, beaucoup moins d'unité. Non seulement l'ampleur de la période considérée (1190 environ-1350) nous imposait de traiter évolutivement la vie quotidienne des cathares, mais, surtout, la coupure assez nette qui sépare le Catharisme triomphant du Catharisme persécuté, nous obligeait à prévoir deux parties : l'une allant de 1200 à 1226, ou, si l'on préfère, à l'établissement de l'Inquisition (1233), l'autre de 1233 à 1350.

D'autre part, il est de fait que la vie quotidienne du cathare est loin de coïncider avec celle de l' « homme quelconque » du Moyen Âge, à la même époque. Si les Bonshommes, les Parfaits, coloraient de mysticité leur existence entière, les « Croyants », eux, n'en consacraient qu'une faible partie aux préoccupations religieuses. Dans la plupart de leurs démarches journalières, ils ne se distinguaient guère des catholiques et des athées (car il y en avait déjà au XIIIe siècle). Nous ne parlerons donc de l'habitation que dans le cas, assez rare, où, habilement truquée, elle facilitait, le cas échéant, la fuite d'un Parfait; nous ne décrirons les costumes, celui des Ordonnés, par exemple, que lorsqu'ils sont conformes à une Règle, ou lorsque, trop luxueux, ils font tomber ceux qui les portent, dames et seigneurs, sous le coup des lois somptuaires de l'Inquisition. Enfin, la nourriture ne nous intéresse que dans la mesure où, pour les Parfaits, elle était spéciale et végétarienne.

La masse des Croyants ne présente aucune homogénéité, si l'on fait abstraction de l'atmosphère générale que le Catharisme a répandue sur le siècle. Au risque de donner à notre essai un tour trop analytique, il nous a bien fallu étudier à part les nobles, les bourgeois, les paysans, les artisans, et même le monde féminin, car les femmes ont montré, dans toutes les classes de la société, un comportement religieux très différent de celui des hommes. L'intérêt que les diverses classes ont porté à l'hérésie ne s'explique pas par les mêmes causes, et il s'exprime, en définitive, par des démarches objectives et des sacrifices distincts en essence, qu'il fallait présenter sous leur jour particulier.

Nous avons donc essayé de reconstituer la vie religieuse de quelques individus types. Nous aurions voulu que ce fût dans une imagerie complète et continue, mais cela n'a pas été possible. Les *Registres d'Inquisition* ont beau nous fournir un très grand nombre de faits significatifs et d'anecdotes révélatrices, ils ne permettent pas de composer l'image « générique » absolument exacte du Parfait et du Croyant. Le portrait n'est qu'approximatif.

Nous avons cependant choisi, parmi ces images, celles qui nous ont paru présenter une signification généralisable, exemplaire ou « éclairante », c'est-à-dire symbolisant ou résumant un grand nombre de comportements analogues. La trame qui les réunit n'est là que pour combler des lacunes et raconter ce qui n'a pu être visualisé.

Naturellement, ces faits, nous ne les avons pas inventés. Nous les avons pris où ils sont, et ils figurent déjà dans de nombreux livres, anciens et modernes. Beaucoup cependant

sont inédits et ont été traduits directement de l'original
latin ou provençal. Nous donnons en bibliographie la liste
des textes qui nous ont été utiles et aussi, à l'intention des
lecteurs qui voudraient poursuivre l'étude du Catharisme,
les titres des principaux ouvrages qui traitent de sa métaphysique et de ses dogmes. Un index des noms situe les
principaux personnages dans leur temps.

PREMIÈRE PARTIE

LE CATHARISME TRIOMPHANT

CHAPITRE PREMIER

ASPECT RELIGIEUX ET SOCIAL DU LANGUEDOC AU DÉBUT DU XIIIe SIÈCLE

L'âme, le corps et l'esprit

Sous forme de comportements instinctifs, de réactions irraisonnées, d'habitudes morales, les conceptions religieuses d'une époque s'impriment dans les mentalités et les modifient d'autant plus profondément qu'elles sont plus douloureusement vécues. L'homme du XIIIe siècle ne ressemblait pas tout à fait à l'homme d'aujourd'hui, ni dans sa sensibilité ni dans la façon, surtout, dont il se situait, comme un fantôme, entre le monde du péché et celui du salut. Vers 1200, une métaphysique qu'ils ne savaient point penser, mais qui s'imposait à leur cœur, convainquait les hommes et les femmes que la personne humaine n'était pas fondée en unité et qu'entre les trois parties dont elle est composée : l'âme, le corps et l'esprit, il n'existait aucun lien substantiel. Le corps était un étranger : il appartenait à la création diabolique. C'était à la fois un néant et une machine. On se sentait installé en lui comme aujourd'hui un voyageur dans sa voiture. Les uns ressentaient avec angoisse le fait d'y être emprisonnés — *Ayez pitié*, dit le *Rituel cathare*, *de l'âme mise en prison!* — les autres s'accommodaient de la chair comme d'une « tunique », méprisable et négligeable; les péchés qu'elle faisait nécessairement commettre ne les concernaient pas.

Au-dessus de ce nœud matériel de déterminismes, planait l'esprit, inconnu et impeccable, résidant toujours en Dieu comme une essence éternelle, et si peu uni à l'âme que celle-ci aurait pu complètement déchoir sans qu'il en fût altéré. A lui seul il assurait le salut de l'homme; et, pour être sauvée à son tour, l'âme devait se tourner vers lui, se joindre à lui. Parfois, il était conçu comme impersonnel, et le même pour toutes les consciences.

L'individu, c'était l'âme. Une âme, suspendue entre deux abîmes : celui de l'Esprit divin et celui du néant satanique; privée de ses facultés les plus hautes — l'intelligence faisait alors partie de l'esprit — et réduite pratiquement à la sensibilité et à l'affectivité soumise à tous les caprices du corps, l'âme n'était que désirs. Il en résultait une émotivité, une versatilité que tous les historiens ont remarquées chez l'homme du Moyen Âge, toujours en proie à des sentiments excessifs, capable de passer en un instant de la cruauté à la pitié, de la colère à la clémence; tantôt s'exaltant dans son âme, et n'aspirant qu'à trouver en Dieu la mort libératrice, tantôt s'enfonçant dans son corps, et s'abandonnant à toutes les voluptés. Il était chaos — les éléments matériels étant en lui désaccordés — et « mélange » — le corps étant capable de troubler l'âme. Il faudra attendre saint Thomas, et la notion de composé substantiel, qui n'a d'autre mérite, d'ailleurs, que de donner un nom à l'évolution ou à la mutation subie alors par l'espèce humaine, pour que prenne fin cette tragique dislocation, ce déchirement de l'essence. Au temps du Catharisme, le Croyant sincère ne se préoccupait que de son âme féminisée, sorte d'ange déchu, toujours en péril, toujours angoissée, toujours à sauver : la brebis perdue dont parle l'Évangile.

Était-il plus optimiste ou plus pessimiste que nous ne le sommes? La question a-t-elle un sens? Ce serait verser dans

un mauvais romantisme que de se représenter l'homme du
XIIIe siècle comme toujours enténébré et désespéré. Le Catharisme est plus « optimiste » qu'aucune autre religion en ce
qui concerne l'avenir de l'Esprit, et même le sort définitif
de l'âme, puisqu'elle aussi doit être sauvée un jour. Il n'est
pessimiste que dans le temporel, et seulement en ce qui
regarde ce monde matériel, enfoncé dans le Mal, où les corps
sont l'œuvre du démon, et où la hiérarchie féodale, elle-
même d'essence maligne, ne se compose que d'âmes encore
égarées. Cette terre-ci est l'enfer : la justice elle-même y est
injuste.

Ajoutons que l'homme vivait alors peu d'années, trente
ans en moyenne [1]. Encore sa vie était-elle toujours menacée
par la famine, la guerre, les routiers, l'Inquisition, les mala-
dies que l'on ne savait pas soigner. Aux premières atteintes
d'un mal inconnu, l'être humain se couchait, se résignait,
attendait la mort, comme font les animaux. Cela explique
la pratique de l'*Endura*, qui, en certains cas, a pu être quasi
instinctive, comme elle l'est encore chez les primitifs. Car,
dès que l'homme vieillissait ou se sentait sur le point de
mourir, il était déjà dans l'autre vie : il ne pensait qu'à
sauver son âme. Tant qu'il crut que le Catholicisme était la
voie de vérité qui menait au Salut, il lui resta fidèle. Dès
qu'il se fut persuadé que les seuls vrais chrétiens étaient les
Parfaits; qu'eux seuls, comme de bons médecins, pouvaient
vraiment guérir les âmes, c'est entre leurs mains qu'il plaça
sa confiance et tous ses espoirs. « Dieu vous mène à bonne
fin! » lui disaient les Bonshommes. Ce souci de faire une
bonne fin, l'angoisse d'avoir à affronter la réincarnation
sans s'être préparé à renaître meilleur ont obsédé la plupart
des hommes et des femmes du XIIIe siècle.

---

1. La mortalité infantile intervient, il est vrai, dans l'établissement de cette
moyenne.

La croyance en la réincarnation

On n'insistera jamais assez sur l'importance de la croyance aux réincarnations qui a marqué, plus que toute autre, les mentalités et les comportements de l'époque. Antérieure peut-être à la diffusion du Catharisme, auquel elle a d'ailleurs survécu, elle se trahissait à tout moment, dans la vie quotidienne, par des « cris du cœur », des réactions incontrôlées. Elle contribuait à mettre moins de familiarité encore entre l'âme et le corps; elle eût peut-être affaibli les tabous de l'inceste, s'ils n'avaient pas été si fortement enracinés dans les consciences et les liens familiaux, si les Bonshommes n'avaient pas maintenu leur légitimité relative. Mais, à coup sûr, elle neutralisait les différences intersexuelles; l'homme ayant été une femme, et la femme un homme elle les rapprochait aussi l'un de l'autre, annulant les inégalités postulées par la misogynie masculine. Elle enlevait, par ailleurs, toute supériorité de naissance au baron, qui avait pu être un vilain dans une autre vie, et elle le discréditait moralement : une âme qui habite le corps d'un seigneur ou d'un inquisiteur ne peut pas être engagée dans la voie du Salut.

Vers la fin du XIIIe siècle, la croyance en l'éternité du monde se répand de plus en plus, même dans le bas peuple. Elle fait partie de la sagesse populaire. C'est là encore une de ces propositions métaphysiques, ressortissant beaucoup plus à la caractérologie de l'époque qu'à la réflexion philosophique de chacun, et que l'on est surpris de voir s'installer dans les esprits comme autant d'évidences. La certitude que les deux ordres, les deux natures coexisteraient toujours, correspond à une vision des enchaînements cosmiques, compatible d'ailleurs avec les réincarnations, qui rassure les uns et terrifie les autres. Le monde de la volupté, des illusions charnelles et matérielles n'aura jamais de fin : l'univers satanique sera toujours ouvert, toujours tentateur. Le monde spirituel sera toujours là, lui aussi, toujours prêt à accueillir

l'âme... « Il faut choisir, certes, mais on a tout le temps... »
Au fur et à mesure que le Catharisme accentuera sa décadence, l'abîme qui sépare le « pur » du simple Croyant ira
s'approfondissant. On entend des passionnés déclarer : « Si
je n'obtiens point de Dieu ce que je veux, je l'obtiendrai du
Diable! » D'où, parfois, la tentation qu'ils éprouvent de
parier pour Satan, de s'adonner à la sorcellerie. D'où, aussi,
le matérialisme vulgaire, très répandu à la fin du XIIIe siècle :
le règne de l'éternité et de l'esprit pur nous est inaccessible,
et la matière, avec ses lois et sa fatalité, se suffit à elle-
même. Un clerc des premières années du XIVe siècle, Bernard
Franca, se fait l'écho de ce « spinozisme », prématuré et
naïf, qui était passé en proverbes dans le Sabarthès [1] : *Ce
qui arrive de bon et de mauvais arrive nécessairement. Les
choses ne peuvent être que ce qu'elles sont.* « Cela est, cela ira
comme cela ira : *Aquo ira com ira!* » L'un des derniers hérétiques brûlés dans le comté de Foix est un matérialiste
décidé qui n'espère plus en la survie individuelle. On croit
de moins en moins à la liberté humaine. On s'en remet à la
grâce de Dieu, à la toute-bonté de Dieu. De sorte que l'éternité du monde, la négation du libre arbitre, la confiance en
l'Être suprême, en la Grâce, constituent maintenant les trois
fondements idéologiques du Catharisme des simples, comme
de celui des bourgeois.

Il est probable que beaucoup de « Croyants », mettant
à la fois leurs espoirs dans l'éternité du monde qui devait
assurer leur purification d'une façon mécanique et nécessaire,
et dans la toute-puissance de Dieu, vivaient heureux et
comme délivrés. La notion de péché s'étant affaiblie, ils se
sentaient innocentés. D'autres, plus immergés dans le monde
invisible, prenaient plus vivement conscience du désarroi
de leur âme, craignaient l'aventure surnaturelle, aspiraient
de toutes leurs forces à atteindre le salut et la libération.
Parmi les Croyants, ces derniers étaient les plus nombreux.

---

1. Petit pays de l'ancien comté de Foix, situé près de Saverdun en Ariège.

La société languedocienne dans ses rapports avec le Catharisme

En dépit du caractère attardé de son agriculture, des ravages que les routiers causaient dans les campagnes, des leudes et des péages trop nombreux et trop lourds qui, comme partout au Moyen Âge, gênaient le commerce; en dépit de l'insécurité et du mauvais état des routes, le comté de Toulouse était, au début du XIIIᵉ siècle, en pleine prospérité économique et peut-être en expansion. Le Catharisme s'était juxtaposé sans difficulté à cette société féodale et bourgeoise qu'il n'avait guère eu le pouvoir de modifier. Mais, comme il répondait aux aspirations nouvelles d'une partie des petits nobles ruinés, des artisans et des marchands, il paraissait devancer une évolution sociale qu'il se bornait, en fait, à traduire en termes mythiques.

Les clercs prétendaient répartir tous les membres de la société en trois ordres : les *oratores* (ceux qui prient), les *bellatores* (ceux qui combattent), les *laboratores* (ceux qui travaillent). Cette division tripartite n'est pas absurde, mais elle est trop générale pour correspondre à la véritable situation sociologique : sous la pression des faits et des circonstances, elle éclatait de toutes parts. Le Catharisme et, de façon plus générale, la pensée hétérodoxe, ont contribué à faire apparaître en pleine lumière la réalité de cet éclatement en le transposant en crise morale, sans permettre, toutefois, aux deux grandes classes en présence : celle des féodaux et celle des marchands, de comprendre tout de suite combien leurs intérêts étaient opposés, ni, encore moins, la nature de leur antagonisme. Les hommes de cette époque, très individualistes, et transférant par surcroît aux petits groupes leur égoïsme étroit, limitaient souvent leur horizon social aux communautés de voisinage, s'absorbaient dans des querelles opposant le bourg à la ville, le quartier au quartier, la corporation à la corporation. N'ayant pas la notion, toute moderne, de classe, ils s'associaient au nom de valeurs sentimentales, traditionnelles et quasi folkloriques, alors que tout les divisait; et ils se combattaient furieusement, quand tout leur commandait de conjuguer leurs efforts.

Cependant, à partir d'une vision pessimiste, et critique, du monde physique et social, le Catharisme a été amené à préciser, à élargir les antagonismes fondamentaux.

Que le Catharisme ait été, par sa nature, opposé à la Féodalité, cela ressort de ses mythes et de ses théories morales. Il enseignait, par exemple, que pour séduire les anges, le Diable leur avait proposé de les faire descendre dans ce monde-ci, où chacun s'enivrerait de l'orgueil de commander à l'autre : l'empereur au roi, le roi au comte, le comte au baron, le mari à sa femme, et où il serait permis « avec une bête d'en capturer une autre ». Le vrai chef de la hiérarchie féodale, c'était Satan lui-même, prince de ce monde.

La théorie cathare des réincarnations ruinait la notion d'hérédité selon laquelle le père transmettait à son fils, non seulement ses vertus, mais aussi le droit « naturel » d'asservir d'autres hommes et de posséder seul la terre. Le « Bonhomme » qui révélait à la comtesse de Toulouse que, dans une autre existence, elle avait été une pauvre paysanne, affaiblissait la confiance qu'elle avait mise jusque-là en l'excellence et en la continuité de sa race.

Les féodaux étaient des guerriers, des *bellatores*. Leur *ordo* formait une hiérarchie de barons et de chevaliers subordonnés les uns aux autres qui, à l'origine surtout, n'avait de signification que dans son rapport avec la guerre et l'organisation de la défense mutuelle : le seigneur devait protection à son vassal; le vassal devait le « service » à son seigneur. Si, en condamnant absolument la guerre, le Catharisme n'a pas réussi à la supprimer — elle est aujourd'hui encore en pleine vigueur —, il a, du moins, discrédité sa mythologie qui, à l'aide de multiples poétisations, en associant, par exemple, le courage à la générosité, à la Merci ou à l'Amour, l'avait valorisée excessivement comme jeu et comme épreuve virile. Ajoutons que la dignité des *bellatores* tenait à ce qu'ils étaient rattachés, au moins en droit, à « ceux qui prient », leur suprême raison d'exister étant de se consacrer à la plus noble des causes, celle de Dieu, et de combattre pour elle en participant aux Croisades. Mais, pour les cathares, il n'y avait ni belle, ni juste, ni bonne guerre, et aux environs de 1250, ils eurent l'audace de le dire. Le plus profond peut-être des penseurs occitans, Peire Cardenal, avance l'idée révolutionnaire que la Croisade n'est qu'un moyen pour les clercs d'exploiter les guerriers. *Pourvu qu'un clerc le leur commande*, s'écrie-t-il ironiquement, *les chevaliers iront saccager Tudelle, Le Puy ou Montferrand! En vérité, les clercs les jettent en plein massacre : après leur avoir donné le pain et le fromage, ils les envoient dans la mêlée, où ils sont criblés de dards.* Que restait-il, après cela, de la fable de la guerre et de la mort héroïque? Et de la légitimité des droits féodaux, quand ni l'hérédité, qui est seulement celle des corps, ni la grâce de Dieu, puisque le vrai Dieu n'est pas l'auteur de cette société injuste, ne la fondent? En rejetant également comme inique toute justice humaine, c'est-à-dire les tribunaux seigneuriaux et ecclésiastiques; en suggérant de leur substituer un arbitrage pacifique exercé par les Parfaits — arbitrage qui, dans les villes et sous l'autorité des Consuls, commençait à être de règle dans les conflits entre artisans et marchands, comme entre les divers corps de métiers — le Catharisme tendait, idéalement, à supprimer l'une des prérogatives essentielles de la grande et de la petite féodalité qui, l'une et l'autre, sous couvert de justice, multipliaient les exactions et se créaient des revenus abusifs. Sauf au début du siècle, vers 1200, où le seul châtiment que les Parfaits infligèrent, un jour, à un baron homicide fut de l'obliger à entrer dans leurs Ordres, c'est-à-dire à devenir un saint; sauf, peut-être, à Montségur dans les années 1240-1244, les cathares n'eurent jamais le pouvoir de mettre en place cette nouvelle forme de justice, mais leurs théories étaient connues d'une élite, qui les jugeait plus « chrétiennes », et s'en inspirait partout où elle avait la possibilité de le faire.

Enfin, en s'interdisant le serment, les Parfaits le dévaluaient, même aux yeux des simples Croyants. Ce n'est pas, comme on le répète inconsidérément, aux bases de la société civile qu'ils s'attaquaient ainsi — la promesse sur la foi, sur l'honneur et la loyauté, le respect de la parole donnée, assortis de sanctions contre le faux témoignage, remplacent fort bien le serment (la Révolution française, soit dit en passant, l'a supprimé pendant quelques années) — mais, simplement, à celles de la société féodale de leur temps. Car celle-ci, peu fondée en raison, avait besoin d'établir entre les contractants, notamment dans l'hommage vassalique, des liens sacrés aussi ritualisés que ceux qui, par un serment sur l'Évangile, unissaient les « frères de sang » ou, par « échange des cœurs », les amoureux.

Les grands féodaux

Les grands seigneurs occitans n'ont jamais eu conscience que le Catharisme menaçait immédiatement — ou à longue échéance — les fondements réels de leur société. Ils n'ont jamais adopté à son égard (comme, par exemple, les barons bulgares à l'égard des Bogomiles) une attitude franchement hostile. Au contraire, le Catharisme trouva tout de suite dans l'anticléricalisme de ces guerriers, depuis longtemps en rébellion morale contre l'Église, un climat favorable à sa diffusion. Ils n'avaient pas attendu, en effet, que le Catharisme le leur suggérât, pour confisquer le produit des dîmes et s'emparer des biens des abbayes. Ils jouissaient, dans le Midi, d'une réputation bien établie d'esprits forts et de libertins; et l'on sait que Guillaume IX d'Aquitaine, le premier troubadour, avait été excommunié plusieurs fois, au siècle précédent, pour ses empiètements répétés sur les privilèges ecclésiastiques.

Plus tard, les circonstances politiques les obligèrent à s'appuyer sur les cathares, qui leur étaient tout dévoués, pour défendre leurs droits et leurs usurpations. Même ceux d'entre eux qui étaient bons catholiques se rangèrent dans le camp des ennemis de l'Église.

Rebelles à l'ordre romain, les seigneurs occitans l'étaient déjà en ce qui concerne le mariage, qu'ils tenaient pour une formalité sans importance. Au gré de leurs intérêts politiques, ou pour suivre leur humeur volage, ils répudiaient leur femme et en prenaient de nouvelles, mieux rentées ou mieux apparentées. L'Église les frappait d'excommunication, sans réussir toujours à les ramener au respect de la foi jurée. La doctrine d'amour, exaltée par les poètes, exerçait alors dans les milieux aristocratiques, plus d'influence encore que le Manichéisme. Comme elle semblait faire dépendre les plus hautes valeurs humaines d'une sorte d'instinct généreux, inné au cœur des nobles, l'Église y vit tout de suite, non sans raison, une résurgence du naturalisme païen, et elle fit tout ce qu'elle put pour en enrayer le progrès. Cette « hérésie » ne doit rien au Catharisme, mais elle fait partie du même courant de pensée hardi et réformiste : elle incitait les femmes de l'aristocratie à se rendre plus indépendantes de la *potestas* maritale et jetait le discrédit sur le mariage romain. Discrédit dont les maris profitèrent d'ailleurs plus que les femmes.

Sur un autre point, non moins important, leur esprit d'indépendance contrevenait, plus gravement encore, aux prescriptions de l'Église. Celle-ci leur faisait défense de prendre des Juifs à leur service, et surtout de leur confier des fonctions leur conférant une autorité sur les chrétiens. Mais jusqu'à la Croisade, ils continuèrent à les employer partout où ils avaient besoin de leur compétence financière. En 1203, le vicomte de Carcassonne avait pour bayle le Juif Simon. Il en était de même à Toulouse et aussi en Catalogne

et en Aragon, pays pourtant très catholique. Bien qu'elle
eût pour tâche principale de détruire le Catharisme et non
point le Judaïsme, qui jouissait d'un statut reconnu, la Croisade de 1209, en imposant le respect des prescriptions des
légats à ce sujet, prit un caractère antisémite indéniable.
Les Juifs de Béziers ne s'y trompèrent pas et se hâtèrent de
quitter la ville en même temps que leur vicomte. Plus tard,
sous prétexte de combattre l'usure, des persécutions, avec
pillage et destruction de maisons, furent organisées à Toulouse par la très catholique « Confrérie blanche ». Les Juifs
en furent les principales victimes. C'est un fait bien significatif que Juifs, Lombards et cathares aient été enveloppés
dans la même réprobation haineuse. Sans doute beaucoup
de malheureux Toulousains avaient-ils été ruinés par des
usuriers sordides, mais combien aussi de débiteurs de mauvaise foi durent profiter de l'occasion pour faire disparaître,
sans rembourser ni intérêt ni capital, des contrats de prêts
commerciaux honnêtement consentis! Il est évident que le
but poursuivi par ces esprits trop traditionalistes était
d'abolir, sous les espèces de l'usure condamnable, les conditions légitimes du capitalisme naissant, auquel l'Église
s'était toujours montrée défavorable. (La Monarchie française finira, au XIVᵉ siècle, par chasser les Juifs et les Lombards, et le commerce de Narbonne en sortira à demi
ruiné.)

Mais les féodaux, dans le Midi de la France, savaient-ils
clairement ce qu'ils devaient combattre, ce qu'ils devaient
défendre? Beaucoup moins clairvoyants que les barons du
Nord, en ce qui concerne les principes rigides de l'économie
féodale, placés dans des circonstances difficiles, tiraillés entre
les périls du moment et les soucis de l'avenir, ils semblaient
tantôt accepter l'essor du commerce et faire une place au
profit, à l'intérieur même du système aristocratique, et ils
se heurtaient à la politique anticapitaliste de l'Église; tantôt,
au contraire, ils les entravaient, en multipliant les péages,
en laissant surtout leurs routiers, mal payés, courir les che-

mins et piller les marchands; et ici encore ils se heurtaient à l'Église. Mais sur ce point, avec ses conceptions charitables de la Paix, de la « Trêve de Dieu », c'est l'Église qui avait raison. Tout cela montre bien que les féodaux étaient loin de former une classe homogène : les petits chevaliers ne se sentaient nullement solidaires des grands seigneurs, et les grands ne s'accordaient pas entre eux.

Petits nobles et bourgeois

Les institutions urbaines avaient considérablement affaibli la puissance des grands seigneurs. Dans les villes maritimes surtout, mais aussi dans les cités commerçantes de l'intérieur, la bourgeoisie marchande, représentée par ses Consuls, avait acquis une sorte d'indépendance, au moins dans les domaines économique et financier, qu'elle dirigeait à son gré. Cette conquête des libertés municipales avait associé dans le même effort la bourgeoisie et la petite noblesse.

On ne trouve trace nulle part, écrit Yves Dossat, *de l'antagonisme qui existait entre elles dans le Nord de la France. Les nobles prenaient place dans le collège consulaire à Toulouse, Castelsarrasin, Moissac, Montauban; à Nîmes, quatre Consuls sur huit étaient élus par les chevaliers des arènes.* Ces petits nobles ne disposaient ni de la puissance militaire qui permettait aux comtes et aux vicomtes de maintenir en place l'essentiel de l'appareil féodal, ni surtout de leurs ressources considérables : ils étaient souvent nécessiteux. Comme les petits fiefs étaient partagés également entre tous les héritiers, les successions aboutissaient à un morcellement tel qu'un grand nombre de coseigneurs vivaient, en parage, sur les mêmes terres, parfois dans le même château, ou touchaient en argent une faible part de ces revenus, déjà peu considérables. Ils avaient toutes les peines du monde à désintéresser les filles, à les « doter ». N'exploitant jamais directement leurs terres, ne vivant que des redevances et des droits seigneuriaux, très réduits du fait du morcellement, ils étaient souvent plus pauvres que leurs paysans. Il n'était pas rare, en effet, entre 1200 et 1250, de voir un rustre parvenir à acquérir des rentes sur les terres de ses voisins, acheter des terres nobles et accéder à l' « oisiveté ». *Beaucoup de ces nouveaux riches épousaient des filles de hobereaux. Quelques-uns réussirent à se faire reconnaître pour gentilshommes* (E. Perroy). La distance qui séparait le paysan riche du chevalier, et surtout le bourgeois rural du bourgeois urbain, avait donc tendance à diminuer, dans la mesure où argent compensait noblesse, au grand détriment de la cohésion aristocratique et de l'ordre des *bellatores*.

Guerriers, ils l'étaient toujours. Ils se ruinaient en petites expéditions guerrières qu'ils payaient en mettant leurs châteaux en gage. Mais, vers 1240-1250, ils n'en auront même plus le pouvoir : ils se retrouveront dépourvus à la fois de revenus bourgeois et de revenus féodaux. Certains, dépouillés complètement par l'Inquisition, seront réduits à mener dans les campagnes une existence de chevaliers errants. Il n'est pas étonnant, dès lors, que beaucoup d'entre eux se soient sentis attirés, par les circonstances plutôt que par un véritable intérêt de classe, vers la bourgeoisie urbaine, et surtout vers le Catharisme qui les aidait financièrement en échange d'un soutien militaire et qui, en les employant à son service, flattait leur goût du risque et de l'aventure.

Laboureurs, artisans, commerçants et banquiers

Le concept de *laboratores* ou, si l'on préfère, le « travail », ne résistait pas mieux à l'épreuve des faits, ni à la critique, implicite, à laquelle le Catharisme bourgeois le soumettait. Pour le système théologico-féodal dans lequel prend place la distinction traditionnelle des trois Ordres, le travail, c'est surtout le travail de la terre. Or, sans réprouver le travail agricole, le Catharisme a toujours montré beaucoup

d'aversion pour la propriété de type féodal. Sans doute, il
considérait la terre comme « satanique », parce que c'est le
mauvais Dieu qui la fait « grener et fleurir », et que l'agri-
culteur est son coadjuteur, mais surtout parce qu'elle est le
support de l'organisation féodale, plus satanique encore.
C'est pourquoi il préférait au travail du laboureur celui
de l'artisan, qui se borne à transformer la matière, et même
celui du marchand et du banquier, qui font fructifier l'argent
par une sorte d'activité abstraite. Tandis que le seigneur,
seul propriétaire de la terre, mais ne la cultivant pas, vit sur
le dos de ceux qui la travaillent, mais ne la possèdent pas,
le marchand ne subsiste que de son activité propre, il
n' « exploite » que ceux qui veulent l'être, et ne s'assure le
service d'autrui qu'en le rétribuant. Cela revient à dire
qu'au XIIIe siècle, où, bien entendu, il n'était pas encore
question de s'élever contre la notion même de « profit »,
l'équation travail-argent paraissait plus humaine et plus
juste dans le précapitalisme bourgeois que dans le système
féodal.

Le Catharisme souhaitait que chacun vécût de son travail
et, à la limite, qu'il n'y ait plus de pauvres, sinon « volontaires » : les Parfaits étaient tenus de gagner leur vie : ils
étaient donc à la fois des *oratores*, puisqu'ils priaient, et des
laboratores, puisqu'ils travaillaient; en outre, ils tenaient
registre des dépôts qu'on leur confiait et qu'ils faisaient
« fructifier ». On devine qu'ils étaient, de ce fait, pour
l'Église, doublement hérétiques, comme religieux réformateurs et comme clercs marchands. (Il y a eu des clercs
marchands catholiques, mais sans fonctions sacrées.) Il n'en
fallut pas davantage pour que les bourgeois et les marchands
vissent alors dans le Catharisme, tout au moins dans le
Catharisme politique, une religion qui, en associant le travail à la prière, ennoblissait leurs activités sur le plan métaphysique. On ne peut point parler sans anachronisme de
lutte des classes au XIIIe siècle, mais on doit constater qu'en
face du pouvoir féodal, irrationnel et au demeurant assez

injuste, une nouvelle puissance faisait son apparition :
l'argent, considéré comme la récompense du travail libre.
Puissance à laquelle participaient, ou aspiraient à participer
tous ceux qui vivaient, par état ou par l'effet des circonstances, en marge de la Féodalité et de l'Église. L'argent
appartenait souvent à des hérétiques ou à des non-chrétiens :
il était en grande partie aux mains des Juifs, à qui toute
autre activité que le commerce de l'argent était interdite
(sauf à Narbonne), et des Lombards qui faisaient la banque
et s'y montraient fort avisés; il s'accumulait chez les bourgeois, les marchands et les artisans urbains que l'Inquisition
inquiétait ou persécutait comme Croyants, et qui, pour cette
raison même, entraient dans le parti cathare clandestin,
devenaient « anticléricaux ». Dans le même temps où l'Église,
par sa méfiance à l'égard de toute opération commerciale,
était engagée, idéologiquement et en fait, dans l'ordre féodal,
et apparaissait comme l'ennemie irréductible de la nouvelle
économie bourgeoise, la seule qui à cette époque, et dans
cette conjoncture, fût progressiste et libératrice, le Catharisme revisait la notion catholique d'usure et, en s'appuyant
sur d'indiscutables autorités scripturaires autant que sur les
besoins d'expansion du grand commerce, légitimait le prêt
à intérêts.

L'Honneur et l'Argent

L'opposition entre les deux « puissances », l'Honneur et
l'Argent, ne se marque nulle part plus nettement que dans
la différence que l'on faisait, au Moyen Âge, entre le fief et
la censive. Le fief, c'est la terre qui appartient au seigneur
et dont il cède la jouissance à son vassal, en échange non
de redevances, mais de quelques obligations de caractère
militaire et honorifique : le service armé, à cheval. C'est
une tenure noble. Au contraire, la censive est une tenure
dont le bénéficiaire, roturier, paie la jouissance par un ver-

sement en nature ou en argent. Or, à l'époque où le Catharisme s'établit en Languedoc, et sans qu'on puisse voir entre les deux phénomènes une relation directe de cause à effet, les deux formes de tenure, la noble et la roturière, ont tendance à se confondre.

Le mot *onor*, si caractéristique de la mythologie féodale, désigne tantôt un fief, tantôt une censive. *Déjà, à la fin du XIe siècle*, précise Y. Dossat, *une vigne était donnée en « fief » sous un cens annuel de trois deniers*. Le même auteur fait observer que les charges auxquelles les roturiers étaient seuls astreints en principe, pesaient parfois aussi sur les nobles, et qu'en revanche, bourgeois et paysans étaient soumis à des obligations militaires réservées aux chevaliers. Cette confusion qui tendait, dans une certaine mesure à « déshonorer l'honneur », et à honorer le roturier, se traduisait jusque dans le costume et l'équipement. Paysans riches et bourgeois ne s'étaient pas encore enhardis à courtiser les dames à la façon des chevaliers, mais déjà ils portaient comme eux le baudrier. Une transformation plus complète des tenures — de nobles, de militaires, d'honorifiques qu'elles étaient, en bourgeoises et vénales — s'effectua au cours du XIIIe siècle, quand les bourgeois eurent acquis des terres nobles qu'ils donnèrent à leur tour en censives. Ils préféraient, dans l'ensemble, les redevances en argent aux redevances en nature, parce qu'elles étaient plus facilement négociables, comme des « valeurs ». Quand la sécurité des marchés leur permettait de vendre plus régulièrement les produits de leurs champs, et qu'ils pouvaient ainsi s'acquitter sans trop de peine, les tenanciers préféraient, eux aussi, le paiement en argent. C'est que la redevance en nature est presque toujours le signe d'une économie précaire. Quand la récolte a été mauvaise, ou que les routiers l'ont gâtée, la remise au propriétaire du fruit de leur travail, outre qu'elle les réduit parfois à la famine, paraît aux vilains encore plus injuste.

Parallèlement à cet embourgeoisement — relatif — de la

tenure noble, on voyait le lien vassalique se distendre quelque peu. *Dans le Midi plus qu'ailleurs, les vassaux avaient plusieurs suzerains qu'ils acceptaient ou quittaient au gré de leurs intérêts* (Dossat). Ce qui était vrai pour les grands fiefs l'était aussi pour les modestes tenures. L'hommage se désacralisa lentement, comme le serment qu'il impliquait, quand fiefs et censives ne se distinguèrent plus beaucoup les uns des autres. Si les nobles ne croyaient guère au serment et ne le respectaient pas, les vilains y croyaient moins encore, et comme s'ils avaient profité sur ce point des leçons du Catharisme, ils ne mettaient leur confiance que dans le droit écrit : *Les vilains*, écrivait le troubadour Peire Cardenal, vers 1250, *avant de s'engager par serment, réclament un contrat.*

Les *alleux* — c'est-à-dire les terres sans seigneurs, appartenant en toute propriété à des hommes libres qui ne doivent ni hommage ni redevance — constituaient, on l'a souvent remarqué, une sorte d'anomalie dans le système féodal : ils n'existaient pas dans le Nord de la France. L'esprit de la Féodalité exige, en effet, que la terre soit à un seigneur, qui en est le rentier-né, et que l'accès à la pleine propriété soit interdit ou rendu très difficile aux roturiers. Or, comme l'a noté Paul Dognon, *à la fin du XIIe siècle, une quantité de terres, la moitié peut-être, étaient des alleux.* La confiscation de beaucoup de ces alleux pour fait d'hérésie montre, naturellement, que leurs propriétaires étaient hérétiques, mais aussi que la répression de l'hérésie qui, par les *encours* enrichissait les seigneurs, n'allait pas sans une volonté plus ou moins délibérée de diminuer le nombre des *alleutiers*. Alphonse de Poitiers a essayé de faire ce que Raimon VII aurait sans doute fait, s'il l'avait pu : transformer les alleux en fiefs, ou accroître les fiefs en leur annexant les alleux. Cependant, les alleux subsistèrent, et il est certain que cette forme de propriété roturière, assez semblable, somme toute, à ce qu'elle est aujourd'hui, et la pratique du droit écrit, survivance déformée du droit romain, ont contribué au XIIIe siècle à promouvoir une classe de propriétaires aisés, à qui elles donnaient un vif sentiment de liberté, de sécurité et de dignité. Beaucoup d'entre eux furent clandestinement des cathares.

L'indépendance et la richesse des villes

La société occitane, dès le début du XIIe siècle et pendant tout le XIIIe siècle, a marqué une tendance à l'urbanisation. La prise de possession du sol était terminée depuis longtemps; dans quelques régions, les campagnes étaient même sur-peuplées, puisqu'on voit des paysans émigrer, les uns vers l'Espagne, les autres dans les villes dont ils occupent les bourgs (C.-M. Higounet). Les villes étant plus sûres, ce sont les champs suburbains que l'on cultive surtout. Quand les paysans se groupent en *salvetats*, où ils jouissent de quelques franchises judiciaires, sont exempts de droits sur les marchés (leudes) et peuvent exercer tous les métiers sans autorisation préalable, ils y trouvent en somme une atmosphère urbaine : certains se font artisans. Des nobles, vivant des pauvres rentes de leurs fiefs villageois, viennent également s'installer dans les villes. Ils logent dans des maisons ornées d'une tour ou d'une échauguette, sises au cœur de la cité, parfois dans une rue qui leur est réservée, et constituent une sorte de chevalerie urbaine, dont la bourgeoisie tend à se rapprocher.

La population des villes augmente considérablement. On estime celle de Toulouse, vers 1250, à 20 000 habitants, celle de Montpellier à 15 000, celle de Carcassonne à 6 000. Ces chiffres sont, naturellement, fort approximatifs. Mais il est sûr que le Languedoc, tout en gardant une population rurale suffisamment dense, avait, au XIIIe siècle, une popu-lation urbaine *supérieure à ce qu'elle était partout ailleurs en France, sauf dans les Flandres* (C.-M. Higounet).

L'activité commerciale constituait le ressort essentiel de l'économie urbaine : elle donnait la puissance. Au cours du XIIe siècle, de 1125 à 1180 environ, bourgeois et marchands

avaient su arracher aux seigneurs privilèges, « libertés »
et coutumes; et surtout leur imposer les Consulats, parfois
à la suite de petites révolutions, le plus souvent de façon
pacifique. Ces oligarchies bourgeoises levaient des impôts,
disposaient d'une milice, et même, dans les villes maritimes,
comme Narbonne, signaient, en toute indépendance, des
traités de commerce avec les grands ports méditerranéens.
Parfois, les cités de l'intérieur, Toulouse notamment, n'hési-
taient pas à recourir à la force pour faire entrer les villages
et les châteaux voisins dans leur orbite commerciale, les
obligeant à supprimer les leudes et les péages gênants.
Cet individualisme des communautés était aussi anarchique
que celui des seigneurs, mais il était au service d'intérêts
moins étroits.

Vers 1250-1280 les paysans suburbains, les artisans dans
le bourg, les bourgeois et les nobles dans la cité subissaient
de façon beaucoup moins sensible les contraintes du régime
féodal, que contrebalançait, effectivement, l'institution consulaire. C'est dans ce milieu, souvent actif et travailleur, pour
lequel les libertés, et celle du commerce, se confondaient
avec « la » liberté, que le Catharisme a recruté ses défenseurs les plus acharnés. A Toulouse, les Consuls lui furent
acquis dans la mesure où ils croyaient, en l'appuyant, faire
échec au pouvoir de l'Inquisition qui menaçait leur sécurité.
Il en sera de même à Carcassonne, à Albi, à Cordes.

On ne doit pas être étonné de voir ces bourgeois faire
preuve, un peu partout, d'un anticléricalisme que le seul
attachement à l'hérésie ne suffirait pas à expliquer : ils craignaient en vérité que l'Église, puisqu'elle pactisait avec les
occupants français, ne poussât à l'amoindrissement de leurs
libertés si péniblement conquises, et n'en vînt même à faire
obstacle aux facilités de prêts dont ils avaient besoin pour
étendre leurs entreprises. Le complot des bourgeois de Carcassonne et de Limoux, en 1304, n'a point eu d'autres
causes : ils n'hésitèrent pas à offrir la vicomté à l'Infant de
Majorque, espérant obtenir de ce prince ce qu'ils n'avaient

pu obtenir du Roi de France : la suppression de l'Inquisition dominicaine et le rétablissement de l'Inquisition épiscopale, qui s'était toujours montrée plus libérale. Non seulement, en effet, l'Inquisition s'en prenait à leur vie et à leurs biens, mais par ses rigueurs, elle provoquait aussi — ce qui les alarmait presque autant — la fuite de la main-d'œuvre et celle de l'argent.

Le phénomène est plus caractéristique à Narbonne, ville catholique où le Catharisme ne s'était jamais implanté. Les Consuls s'y montrèrent aussi anticléricaux que partout ailleurs, et ne manquèrent jamais l'occasion de manifester leur mauvaise humeur, et leur opposition, à l'autorité ecclésiastique. D'autres hérésies que le Catharisme s'y étaient développées pour les mêmes raisons : mouvements spirituels, évangéliques, aussi réformistes en ce qui concerne la défense des libertés. Il existait surtout, dans la ville, une florissante communauté juive, et des établissements de banquiers lombards qui, mieux encore que le Catharisme, et sans s'embarrasser comme lui de métaphysique, symbolisaient, en face de la puissance féodale de l'archevêque et du vicomte, celle des banquiers, et offraient à la bourgeoisie une réserve de capitaux où elle pouvait puiser pour les besoins du commerce maritime et du trafic local.

Le Catharisme face à la Féodalité

De cet examen rapide de la situation sociale du Languedoc au XIIIe siècle, il faut conclure que si le Catharisme ne songeait pas à supprimer le régime féodal — la chose n'était pas en son pouvoir et n'était absolument pas possible à cette époque — il se sentait, du moins, en affinité avec tous ceux qui tentaient alors de le faire évoluer. Il n'avait eu aucune peine à s'insérer dans la société telle qu'elle était constituée, mais il paraissait devancer surtout celle qui commençait déjà à fonctionner dans les villes et que remettaient en cause l'Église et la domination française.

En la personne des bourgeois nombreux gagnés à sa doctrine, le Catharisme souhaitait développer les marchés, encourager l'artisanat textile, activer la circulation de l'argent, instaurer la coopération du prêteur et du débiteur (solvable), en rendant au mot « usure » son sens primitif d'usage ou de jouissance d'un bien, et, par cela même, diminuer dans les rapports humains l'importance des privilèges de naissance au bénéfice des avantages acquis par le travail ou l'« usage » de l'argent.

Mais cela ne signifie pas qu'il se réduisît à l'application que la bourgeoisie en faisait au mieux de ses intérêts. Le propre des religions — même très pures — quand elles sont porteuses d'un espoir de libération valable pour tous les hommes, c'est de pouvoir, aussi, être utilisées par ceux de leurs Croyants qui, n'ayant en vue que le Temporel, les forcent pour ainsi dire à ne refléter que lui. Il est clair que le Catharisme dépasse infiniment le plan des revendications capitalistes et commerciales. Le monde du Mal, c'est pour lui la Féodalité, mais c'est aussi le malheur physique de l'homme et la tragique aventure métaphysique où il est jeté. Le monde du Bien, c'est la société juste — la Cité de Dieu — d'ailleurs irréalisable sous le règne satanique, mais c'est aussi et surtout le royaume céleste qui s'ouvre devant l'âme sauvée. Par la force des choses, ou plutôt des idées, il fallait que les revendications et les émancipations légitimes prissent une forme religieuse par référence à l'antagonisme des deux « Natures ». Dans le temps même où « ils ôtaient quelques péchés du monde » : le péché d'amour pour les femmes, le péché d'usure pour les marchands, les Parfaits vivaient dans la chasteté absolue, et ne possédaient en propre que l'Évangile de saint Jean.

CHAPITRE II

LES PARFAITS

La vocation et les cérémonies d'initiation

Comme l'ancien Manichéisme qui mettait une grande différence entre les initiés et les simples adeptes, le Catharisme
n'imposait pas les mêmes devoirs aux Bonshommes, ou
Parfaits, qui étaient les ministres de la secte et aux Croyants.
Du moment qu'ils ne se sentaient ni la force ni la volonté
d'entrer dans la vie ascétique, les Croyants savaient qu'ils
étaient condamnés à poursuivre leur évolution dans d'autres
corps, avant d'être sauvés. Au contraire, ceux qui montraient la ferme volonté de devenir Bonshommes, manifestaient moins, par là, leur libre arbitre que le résultat en eux
d'une longue série d'effets purificateurs : ils se trouvaient
avoir acquis certains mérites, dont le fait de désirer l'Ordination faisait pour ainsi dire la preuve.

Il n'est donc pas possible de déterminer sous quelles
influences particulières on devenait Parfait. Les vocations
pouvaient se manifester à n'importe quel âge, en fonction de
l'avancement spirituel de chacun. Les prédications, l'atmosphère rigoriste que les Parfaits faisaient régner autour
d'eux, contribuaient sans doute à les susciter. Beaucoup de
femmes nobles avaient été élevées par des Parfaites, beaucoup de jeunes seigneurs avaient eu des Parfaits comme pré-

cepteurs. Peut-être les membres de l'Église cathare croyaient-ils déceler, par une sorte d'intuition surnaturelle, les adeptes qui avaient atteint le degré de purification nécessaire.

L'entrée dans les Ordres cathares était marquée par la réception du *Consolamentum*. En occitan, *consolament* signifie consolation. C'est l'« encouragement » *(Paraclesis)* que le Saint-Esprit ou *Paraclet* (intercesseur) apporta aux Apôtres le jour de la Pentecôte, comme le leur avait promis Jésus-Christ. Ce baptême spirituel et d'adultes — *baptisme esperital* — supposant la foi et la réflexion, est assez semblable aux rites correspondants de la liturgie chrétienne primitive, mais les éléments matériels, l'eau, l'onction d'huile, en avaient été éliminés, parce que la matière est l'œuvre de Satan. Il s'oppose au baptême d'eau de Jean *(car certes Jean a baptisé d'eau, mais vous, vous serez baptisés du Saint-Esprit)* *(Actes,* i, 5).

Le *Consolamentum,* « par lequel était donné le Saint-Esprit », faisait du Croyant un ministre de la secte et lui conférait le pouvoir de transmettre à son tour le Saint-Esprit par l'imposition des mains. Il ne faut donc pas confondre le *Consolament* des Parfaits avec le *Consolament* des mourants, bien qu'ils soient à peu près identiques quant au cérémonial. Le dernier mettait simplement le mourant dans les meilleures conditions spirituelles pour obtenir de Dieu le pardon de ses fautes, par l'intercession des fidèles, et le salut.

Le postulant se préparait longtemps à l'avance — pendant un an, quelquefois trois — à recevoir le baptême spirituel, en s'imposant l'abstinence : il jeûnait trois fois par semaine, et observait rigoureusement les trois carêmes de Noël, de Pâques et de Pentecôte. Sous la surveillance morale de l'Église, il s'habituait ainsi aux mortifications : à ne plus manger de viande, à pratiquer la justice, à dire toujours la vérité, à demeurer continent, à se montrer courageux devant les épreuves. Peut-être était-il astreint, comme le pense M. Duvernoy, à méditer et à savoir par cœur l'Évangile de Jean, peut-être aussi à apprendre un métier. Tout cela constituait une préparation nécessaire à l'abstinence que l'Ordonné, par la suite, devra observer toute sa vie.

L'oraison dominicale

Voici le moment venu pour le néophyte d'entrer dans l'Église cathare, non plus comme simple Croyant mais comme pasteur. Il doit d'abord recevoir l'oraison dominicale — c'est-à-dire la permission de la dire — premier degré d'une sorte d'initiation qui l'incorpore, par le rite liturgique, à l'Église et qui est une survivance, comme l'a souligné le R.P. Dondaine, de l'initiation des catéchumènes dans l'Église ancienne : *Les discours préparatoires aux rites, l'imposition des mains appartiennent eux aussi à la même tradition chrétienne.*

L'Ordonné (évêque, diacre ou quelquefois un chrétien éprouvé) les Parfaits et Parfaites, les simples Croyants se sont réunis chez l'un d'entre eux, disposant d'un local assez vaste, ou dans la grande salle du château, si le seigneur est lui-même Croyant, ou dans la communauté des Parfaits, s'il en existe une dans le voisinage. Aucun luxe décoratif, aucun luminaire rituel, sauf deux cierges placés sur la table. L'assemblée des fidèles à laquelle le néophyte a été présenté par un parrain, a donné son consentement à sa réception dans l'Ordre : il est, avons-nous dit, en état d'abstinence.

Il paraît, accompagné du parrain et du doyen d'âge de la communauté, appelé parfois l'Ancien. Le premier acte rituel est une purification générale. Tout le monde se lave les mains, y compris les Croyants, qui peuvent assister à la cérémonie. Le doyen d'âge, le premier des Bonshommes, après avoir fait trois révérences devant l'Ordonné, installe devant lui une petite table de forme circulaire, sorte de guéridon d'osier (le mot *desc* évoque l'idée d'un disque, mais aussi celle d'une corbeille ou panier). Sur ce disque il place une nappe blanche et fait encore trois révérences. Il dépose sur la nappe le livre des Évangiles en disant : « *Benedicite, Parcite nobis, Amen* (Bénissez-nous, pardonnez-nous, Amen) ». Les exhortations se faisaient en langue d'oc, les formules liturgiques étaient souvent récitées en latin.

Le néophyte fait lui aussi son *Melhorier* [1] (ou *Melioramentum*) devant l'Ordonné, qui lui remet ensuite le Livre des Évangiles. La « Tradition du Livre », comme dans l'Église primitive, précédait toujours celle de l'oraison. Le postulant écoute à genoux une longue admonestation, d'une haute tenue morale et religieuse, qui était laissée à la liberté de l'Ordonné. Mais les *Rituels* lui en fournissaient le modèle. Elle faisait toujours appel à la conscience du Croyant, ou plutôt l'invitait à réfléchir sur la signification spirituelle des rites qu'il accomplissait. Elle citait des textes de l'Écriture qui confirmaient la vérité de la doctrine cathare.

L'Ordonné : *Vous devez comprendre, si vous voulez recevoir cette oraison, qu'il faut vous repentir de tous vos péchés et pardonner à tous les hommes. Si vous ne pardonnez pas aux hommes leurs péchés, notre Père céleste ne vous pardonnera pas, non plus, les vôtres* [2]. L'Ordonné procède alors à un véritable commentaire du *Pater*, destiné à éclairer le néophyte sur son sens caché et spirituel [3]. *Notre Père qui êtes aux cieux*, signifie : Dieu, que nous devons distinguer du Père du Diable, qui est menteur et père des méchants, c'est-à-dire : de ceux qui ne peuvent absolument pas bénéficier de la compassion divine... *Notre pain supersubstantiel :* Par pain supersubstantiel, on entend la loi du Christ qui a été donnée à tous les peuples.

1. Les cathares appelaient ainsi les trois révérences ou génuflexions que faisaient les Croyants, quand ils se trouvaient en présence d'un Parfait. C'était une sorte d'adoration liturgique par laquelle ils vénéraient le Saint-Esprit dont le Parfait était revêtu. Mais c'était aussi — le mot signifiant « amélioration » — une demande de grâce sanctifiante, de bénédiction et de pardon des fautes.

2. Le repentir et le pardon des péchés sont inclus dans l'oraison dominicale.

3. Le Catharisme est bien, sous ce rapport, une gnose, puisqu'il initie à une doctrine secrète.

L'Ordonné termine en disant : *C'est pourquoi nous prions le bon Seigneur qui a donné aux disciples de Jésus-Christ le pouvoir de recevoir cette sainte oraison, qu'il vous donne lui-même, à vous aussi, la grâce de la recevoir avec fermeté et à l'honneur de lui et de votre salut. Parcite nobis!*

A ce moment, il reprend le Livre. *Avez-vous la ferme volonté*, demande-t-il au néophyte, *de recevoir la sainte oraison et de la retenir tout le temps de votre vie avec chasteté, véracité et humilité? — Oui, j'en ai la volonté. Priez le Père qu'il me donne de sa force!* L'Ancien se prosterne devant l'Ordonné et le postulant l'imite en demandant le pardon de ses fautes et le secours de Dieu. L'Ordonné récite le *Pater* à voix haute et lentement; le néophyte, à genoux, le répète mot pour mot : il a désormais le droit de prier le « Père ». Il se lève.

L'Ordonné prononce la formule rituelle qui précise les devoirs du nouvel initié : *Par Dieu, par nous, par l'Église, par son Ordre saint, ses préceptes et ses saints disciples, ayez le pouvoir de dire cette oraison avant de manger et de boire, de jour et de nuit, seul ou en compagnie d'autres personnes, comme c'est la coutume dans l'Église de Jésus-Christ. Vous ne devez ni manger ni boire sans avoir dit cette prière. S'il vous arrive d'y manquer, vous le ferez savoir à l'Ordonné de l'Église aussitôt que vous le pourrez, vous en subirez la pénitence qu'il voudra vous imposer. Que le Seigneur vrai Dieu vous donne la grâce d'observer la pratique de l'oraison à son honneur et pour votre salut.*

Le néophyte fait trois révérences et remercie l'Ordonné et les fidèles : *Benedicite, Benedicite, Benedicite, Parcite nobis. Dominus Deus tribuat vobis bonam mercedem de illo bono quod facistis mihi amore Dei* (Que le Seigneur Dieu vous donne bonne récompense de ce bien que vous m'avez fait pour l'amour de Dieu)*!*

La cérémonie est terminée. Avant de se séparer, les chrétiens disent des « doubles » (série de huit *Pater*) et font les prosternations rituelles *(veniae)*. L'initié les imite. S'il ne

doit pas être consolé ce même jour, il assiste au Service
(confession générale), et prend part au « baiser de Paix ».

Le « Consolamentum » d'ordination

Il est possible qu'au XIIe siècle le *Consolamentum* n'ait pas
suivi immédiatement la Tradition de l'Oraison et qu'une
nouvelle période d'épreuves se soit intercalée entre les deux
cérémonies. Cependant, le *Rituel* admet fort bien que le
Consolamentum soit donné tout de suite après. Et cela devait
se produire fréquemment.

Le néophyte se présente à nouveau, avec l'Ancien de sa
résidence, doyen des Bonshommes, et son parrain (qui pouvait être l'Ancien lui-même).

Ils font tous trois — ou tous deux — le *Melhorier* devant
l'Ordonné. Puis avec tous les chrétiens et chrétiennes, ils se
mettent en prières — sept oraisons dominicales — pour que
Dieu écoute favorablement l'Ordonné et que celui-ci soit puri-
fié de ses péchés. (Pour les cathares, le baptême conféré par un
ministre en état de péché était sans effet.) L'Ordonné se
confesse donc. L'Ancien qui se tient à côté de lui l'absout [1].

C'est maintenant au tour des chrétiens et des chrétiennes
de demander à l'Ordonné le pardon de leurs fautes : *Benedicite, parcite nobis!* Il les absout en disant : *Que le Père
saint, juste, véridique et miséricordieux, qui a le pouvoir dans
le Ciel et sur la terre de remettre les péchés, vous remette et vous
pardonne tous vos péchés en ce monde et vous fasse miséricorde
dans le monde futur!*

Quand tous les baptisés ont ainsi fait leur coulpe et reçu
l'absolution, l'Ordonné place devant lui la petite table en
forme de disque, qui a déjà servi pour la Tradition de l'Oraison, et sur la nappe blanche, il dispose le Livre des Évangiles.

---

1. Cette absolution donnée en dehors du *Consolamentum* avait une valeur
semblable à celle qui suit le Confiteor dans la liturgie catholique (R.P. Dondaine).

Le néophyte est à genoux. Avant de recevoir le Livre, il fait trois révérences, comme dans la cérémonie précédente.

L'Ordonné lui demande alors s'il a la ferme volonté de recevoir le *baptême spirituel* et s'il est prêt à pratiquer toutes les vertus par lesquelles on devient bon chrétien. Et quand il a reçu cet engagement, il l'admoneste comme dans la cérémonie d'initiation au *Pater*, en s'adressant à sa raison et à sa foi. *Seigneur Pierre*, lui dit-il, l'appelant par son nom, *vous devez avoir bien dans l'esprit qu'en ce moment vous venez pour la seconde fois devant Dieu, devant le Christ et le Saint-Esprit, puisque vous êtes en présence de l'Église de Dieu... Vous devez bien comprendre que vous êtes ici pour recevoir le pardon de vos péchés, grâce aux prières des bons chrétiens et par l'imposition des mains.* (L'Ordonné cite beaucoup de textes scripturaires qui viennent à l'appui de la doctrine cathare; les exemples fournis par les deux *Rituels* sont naturellement différents, mais ils s'accordent sur le fond.) Si l'Ordonné s'inspire du *Rituel* occitan, il dit à Pierre : *Par ces témoignages et par beaucoup d'autres, il convient que vous observiez les commandements de Dieu et que vous haïssiez ce monde. Et si vous agissez ainsi jusqu'à la fin, nous avons l'espérance que votre âme aura la vie éternelle.*

Il peut ajouter, s'il suit le *Rituel* latin, un bref développement sur le baptême d'eau : *Que personne n'aille croire que parce que vous entendez recevoir ce baptême, vous deviez mépriser l'autre* (celui des catholiques). Cependant, quelques documents font état d'une renonciation *(abrenuntiatio)* à ce sacrement, que les cathares auraient exigée avant de donner le *Consolamentum*. Il est probable qu'ils tenaient le baptême d'eau pour inefficace, mais ils ne croyaient pas toujours nécessaire d'obliger le néophyte à y renoncer.

Le postulant va maintenant recevoir le pardon de ses péchés. Après avoir fait lui-même son *Melhorier* devant l'Ordonné, l'Ancien s'adresse à l'assemblée des chrétiens : *Bons chrétiens, nous vous prions pour l'amour de Dieu d'accorder à notre ami ici présent de ce bien que Dieu vous a donné.*

Pierre fait lui aussi son *Melhorier : Parcite nobis! Pour tous les péchés que j'ai pu faire ou dire, ou penser ou opérer, je demande pardon à Dieu, à l'Église et à vous tous.*

Les chrétiens et les chrétiennes disent ensemble : *Par Dieu et par nous et par l'Église, qu'ils vous soient pardonnés. Nous prions Dieu pour qu'il vous pardonne!*

L'Ancien (placé près de l'Ordonné) prend alors la parole au nom de Pierre, qui est à genoux : *Je suis venu devant vous et devant l'Église et devant votre saint Ordre pour recevoir pardon et miséricorde de tous mes péchés, de tous ceux qui ont été commis et perpétrés en moi depuis...* (il précisera cette date dans le cas seulement où le nouveau *Consolamentum* confirme celui qu'il a pu recevoir, à titre provisoire, au cours d'une maladie grave, ou dont il a pu perdre le bénéfice spirituel en retombant dans le péché). *Priez Dieu pour moi, afin qu'il me pardonne. Benedicite, Parcite nobis.*

Pierre se lève, fait une révérence à l'Ordonné et répète exactement ce que l'Ancien a dit en son nom. Il reçoit alors pardon et miséricorde au nom de Dieu, au nom de l'Ordonné, au nom de l'Église, de son saint Ordre, de ses saints préceptes et de ses disciples, pour tous les péchés qu'il a commis et perpétrés depuis telle date jusqu'à ce jour. *Que le Seigneur Dieu*, lui dit l'Ordonné, *vous pardonne et vous conduise à bonne fin!* Et il répond : *Amen! Qu'il en soit fait, Seigneur, selon ta parole!*

C'est maintenant l'émouvante cérémonie de la transmission de l'Esprit. Pierre s'agenouille et appuie ses mains sur la table, devant l'Ordonné qui lui pose sur la tête l'Évangile de Jean; et tous les autres chrétiens et chrétiennes présents, membres de l'Ordre, imposent sur lui leurs mains droites.

L'Ordonné : *Benedicite, Parcite nobis, Amen. Fiat nobis, domine, secundum verbum tuum. Pater et Filius et Spiritus sanctus dimittat vobis et parcat omnia peccata vestra. Adoremus Patrem et Filium et Spiritum sanctum. Adoremus Patrem et Filium et Spiritum sanctum! Père Saint, accueille ton serviteur* (ou ta servante, s'il s'agit d'une femme) *dans ta justice et mets ta grâce et ton Esprit Saint sur lui!*

L'Ordonné, après avoir prononcé cette formule, la plus importante de toutes puisqu'elle appelle l'Esprit sur le Croyant, dit le *Pater*, puis encore cinq *Pater* à haute voix, trois *Adoremus*, encore un *Pater*, encore trois *Adoremus*. (L'ordre de ces prières n'était pas rigoureusement fixé : le *Rituel* occitan prescrit le *Pater*, une dizaine à voix basse dite par l'Ancien, trois *Adoremus* dits par tous les chrétiens et chrétiennes, enfin le *Pater* à haute voix.)

Pour finir, il est procédé à la lecture de l'Évangile de Jean, depuis : *In principio* jusqu'à : *Gratia et veritas per Jesum Christum facta est.*

Et, à nouveau, on se met en prières : trois *Adoremus*, le *Pater*, la *Gratia* (*Gratia domini nostri Jesu Christi sit cum omnibus nobis : Que la grâce de Notre-Seigneur Jésus-Christ soit avec nous tous*), des *Parcias* (*Benedicite, parcite nobis*), trois *Adoremus*, une *Gratia* à haute voix.

Pierre baise le Livre, fait trois révérences en disant : *Benedicite, benedicite, benedicite. Parcite nobis.* Puis il remercie l'Ordonné et les fidèles : *Que le Seigneur Dieu vous donne bonne récompense de ce bien que vous m'avez fait pour l'amour de Dieu!*

La cérémonie est terminée. Chrétiens et chrétiennes reçoivent le *Servicium* (pénitences consistant en « doubles » et *veniae*, prières et génuflexions) et font la paix, les hommes en s'embrassant entre eux, les croyantes entre elles, après que la première ait baisé le Livre sur lequel le Parfait a d'abord posé ses lèvres.

Les costumes

Avant 1209, et peut-être jusqu'aux environs de 1230, les Parfaits portèrent les cheveux longs et la barbe. Quelques Croyants continuèrent même à les appeler *barbas*, alors qu'ils ne la portaient plus : c'est le nom que les vaudois donnaient aussi à leurs pasteurs. Ils ne se sont jamais donné à eux-mêmes ce nom orgueilleux de Parfaits : les Croyants les appelaient simplement bons chrétiens, Bonshommes, Amis de Dieu. Les Parfaites étaient les bonnes chrétiennes ou les Bonnes-femmes.

Les Bonshommes étaient vêtus de noir et se coiffaient d'une sorte de toque ou de bonnet rond. Les Parfaites s'habillaient aussi de noir, mais leur tenue ressemblait à celle des autres femmes, sauf qu'elles cachaient toujours leurs cheveux. On dit que les Parfaits étaient ceints, sous l'aisselle, à même la peau, d'un mince fil de lin qui symbolisait l'ordination. Mais la chose reste douteuse. À leur ceinture était suspendu, dans un étui de cuir, l'Évangile de saint Jean ; quelquefois aussi une marmite personnelle, car ils ne voulaient pas utiliser de récipients ayant déjà servi à préparer des aliments avec de la graisse.

Ils allaient toujours deux par deux, se surveillant mutuellement et s'entraidant. Quelques indices laissent supposer que le Parfait et son *socius* étaient unis par une sorte de pacte d'affrèrement. Si ce pacte a existé, il est certain qu'il ne comportait ni échange des sangs (le sang était satanique) ni serment sur l'Évangile (le serment leur était interdit). Il n'était pas besoin d'un pareil pacte pour que leurs destins fussent liés : ils étaient souvent arrêtés le même jour, jugés, condamnés et brûlés ensemble.

Quand vint la persécution, ils s'habillèrent comme tout le monde, mais de préférence de bleu sombre ; ils se rasèrent les joues, portèrent les cheveux plus courts, pour ne pas être remarqués. Ils affectionnaient, vers 1300, le manteau à capuchon, d'ailleurs à la mode à cette époque, surtout dans les campagnes, qui recouvrait leur tunique bleue et au besoin dissimulait leur visage. Ils évitaient de voyager ensemble, et ne se retrouvaient que le soir, dans les maisons amies.

La vie en communauté

Les Parfaits et les Parfaites demeuraient, en principe, dans des communautés où, sous la surveillance morale des évêques, des diacres et même des Anciens, sorte de doyens d'âge, non ordonnés, il leur était relativement aisé de suivre les cérémonies communes et de se livrer à leurs méditations pieuses. Parfaits et Parfaites avaient les mêmes devoirs. Ils devaient dire le *Pater* le matin en se levant, le soir en se couchant, avant de boire et de manger, avant toute action importante ou périlleuse, par exemple avant de s'engager sur un pont — au Moyen Âge, les ponts, très encombrés, et souvent sans parapets présentaient quelque danger — ou avant de monter sur un bateau. Les prières correspondaient à des rites de commencement, de transition, d'achèvement. Pendant la nuit, ils devaient se lever pour prier : six fois en moyenne.

Tandis qu'ils fortifiaient leur esprit par la prière, ils affaiblissaient volontairement leur corps — ouvrage du Malin — par des saignées fréquentes et des jeûnes rigoureux. Il y avait trois carêmes dans l'année : Noël, Pâques, Pentecôte, pendant lesquels ils jeûnaient trois fois par semaine, au pain et à l'eau, ainsi que la première et la dernière semaine complète de chacun de ces carêmes. A la moindre faute qu'ils commettaient contre la Règle, ils s'infligeaient des jours de jeûne supplémentaires. On cite l'exemple de Parfaits qui n'absorbaient que de l'eau chaude dans laquelle avait bouilli une noix. Cependant, lorsqu'ils exerçaient un métier pénible, ou que leur apostolat requérait un effort physique exceptionnel, ils pouvaient prendre une nourriture plus substantielle. En temps ordinaire, Parfaits et Parfaites mangeaient du pain, de l'huile, des légumes, des fruits, du poisson, et buvaient, modérément, du vin très coupé d'eau. Quand ils étaient reçus chez les Croyants, ils ne dédaignaient pas les plats bien préparés, pourvu qu'ils le fussent selon la Règle. Ils se montraient dans ces repas d'humeur égale et excellents convives.

Ils exerçaient sur leurs paroles, leurs gestes, leurs actes, un contrôle qui ne se relâchait jamais. Fallait-il donner un avis, ils le pesaient longuement, choisissant leurs mots, mais ne se reprenant jamais, usant de réticences stéréotypées pour ne pas s'exposer à fausser involontairement la vérité, ou à mentir par distraction : *Il est possible, il est probable, si Dieu le veut, ainsi Dieu m'aide!* Ces formules, dont le Moyen Âge a d'ailleurs abusé, revenaient sans cesse dans leur conversation. Autant qu'il était en leur pouvoir, ils ne mentaient jamais et ne se mettaient jamais en colère. Le serment leur était absolument interdit.

Les Parfaits et les Parfaites étaient tenus de garder l'absolue continence. Les Parfaites, dans leurs « Maisons » dont elles sortaient rarement, étaient peut-être exposées à moins de tentations que les hommes; elles soignaient les malades dans les hospices de la secte, et ne se livraient pas à la prédication ni à l'office de consolation. Mais les Bonshommes, souvent en voyage, étaient exposés à côtoyer beaucoup de femmes : ils devaient prendre garde à ne pas effleurer leurs jupes et à ne s'asseoir jamais sur le même banc qu'elles.

Même dans le *Consolamentum* des mourants, quand ils imposaient les mains, ils ne touchaient pas la tête de la malade. Et nous avons vu que le baiser de paix était transmis aux femmes — qui ensuite s'embrassaient entre elles — par l'intermédiaire du Livre sur lequel l'Ordonné avait déposé son baiser. A l'époque d'expansion du Catharisme, les défaillances morales semblent avoir été rares et quasiment inexistantes chez les Parfaits. L'homosexualité semble avoir été peu répandue chez eux : il n'en est jamais question dans les textes.

Les quelques Parfaits dont les fautes nous sont connues ne sont jamais tombés que dans le péché hétérosexuel. Avec la persécution, les occasions de céder à la tentation diabolique se multiplièrent : l'un mentait peut-être par lâcheté, l'autre jurait pour éviter le bûcher. Il devenait surtout plus difficile d'éviter la compagnie des femmes.

L'un des derniers Parfaits, Bélibaste, entretenait une servante chez lui. *Bien que les seigneurs Bonshommes*, raconte Guillemette Mauri, *habitent parfois avec des femmes, ils n'ont aucun contact avec elles. S'il leur arrivait seulement d'étendre la main vers elles, d'en toucher une, ils ne mangeraient ni ne boiraient de trois jours et de trois nuits. Celle qui habite avec Monseigneur* (Bélibaste) *lui prépare sa cuisine et son lit, et pour que les voisins croient qu'ils sont mari et femme, Monseigneur achète, le dimanche et le jeudi, de la viande qu'il apporte à la maison. Comme il est obligé de toucher cette viande avec les doigts, il se les lave trois fois avant de manger ou de boire. Les autres jours, cette femme mange la même chose que lui. Quand l'hérétique, ajoute-t-elle, réside en permanence dans une localité, ils couchent dans deux lits, et très loin l'un de l'autre. Mais quand ils sont en voyage, ils se font passer pour époux, dans les auberges. Ils se mettent dans le même lit, mais tout habillés, de sorte que l'un ne peut toucher l'autre à chair nue...*

Tout cela était parfaitement naturel, puisqu'il s'agissait de tromper l'Inquisiteur. Et, même, le fait de coucher dans le même lit pouvait constituer pour l'homme et pour la femme, comme le pensaient les Béguins de saint François, une épreuve héroïque et sainte. Mais pleine de dangers aussi. Cela finissait toujours mal. Une fille, entrant un jour par hasard dans la chambre de Bélibaste, le surprit en train de besogner avec sa concubine... Il faut se garder, d'ailleurs, de juger de la vertu des Parfaits sur celle de Bélibaste : de telles chutes dans la matière et les pseudo-mariages qui les favorisaient sous prétexte d'abuser l'Inquisition, ont été peu fréquents.

Les Parfaits avaient à résoudre de nombreux cas de conscience, les uns futiles, les autres plus graves. S'ils trouvaient sur leur chemin une somme d'argent, un objet perdu, devaient-ils les laisser sur place ou bien les emporter et se mettre à la recherche de leur propriétaire? Ou les remettre à l'Ordre? De toute façon, ils ne devaient pas se l'approprier. S'ils tombaient par hasard sur un animal pris au piège, ils avaient le devoir de le délivrer, mais, de ce fait, ils causaient un dommage au chasseur... Alors, bien que le *Rituel* ne leur en fît pas obligation, ils faisaient partir le lièvre et laissaient à sa place une pièce de monnaie.

Si un criminel dangereux les attaquait, ils pouvaient se défendre; tuer la vipère ou le loup. Encore qu'à l'époque du Catharisme triomphant, un Parfait ne l'eût sans doute point fait, car il était aussi grave de tuer une bête « ayant du sang » que de tuer un homme. Mais si un voleur se précipitait sur eux? La doctrine enseignait que tuer pour se défendre était un péché aussi grave que de tuer par malice. L'homicide était interdit sous toutes ses formes, et il n'y avait point de circonstances atténuantes.

De façon générale, le Parfait et le *socius* veillaient à ne point se mettre dans le cas d'avoir à se défendre jusqu'au meurtre.

Confession et pénitence

Quand un Parfait commettait une légère infraction à la Règle, il s'en punissait lui-même en récitant des *Pater*, en faisant un certain nombre de génuflexions, en jeûnant un ou plusieurs jours. Comme, en principe, il avait reçu, en même temps que le *Consolamentum*, non l'impeccabilité absolue, incompatible avec la vie terrestre, mais la vraie liberté, c'est-à-dire le pouvoir de ne pas pécher, la moindre faute était pour lui lourde de conséquences (puisque commise « librement »). Quant aux péchés mortels, perpétrés contre l'Esprit qui habitait en lui, ils étaient difficilement pardonnables.

Chaque mois, il devait assister au *Servicium*, sorte de confession globale faite en public. Cette confession des péchés véniels avait lieu en présence de l'évêque ou du diacre; et le diacre administrait les pénitences, les mêmes pour tous, et consistant, par exemple, en cent génuflexions, ou trente *Pater*. Mais quand il s'agissait de péchés commis contre l'Esprit, et non pas seulement contre la Règle, le diacre entendait le Parfait en particulier, ou exigeait qu'il fît devant l'assemblée des Parfaits et des Croyants — car ces derniers pouvaient et devaient assister au *Servicium* — la confession personnelle de ses péchés. La pénitence imposée était fort longue et sévère.

Tant que la hiérarchie cathare fut en place, et les évêques et les diacres à la tête de leurs diocèses et de leurs communautés, le péché charnel — le plus grave de tous — entraîna pour les Parfaits la perte du bénéfice spirituel du *Consolamentum* : ils devaient recommencer toute leur initiation, s'imposer de très pénibles mortifications et attendre que l'assemblée des Croyants eût jugé bon de les réintégrer dans leurs droits. S'il y avait faute inexpiable, on leur faisait attendre le pardon — qu'on ne leur refusait cependant jamais — jusqu'aux approches de la mort. Dans ce cas, ils n'étaient reconsolés que par le *Consolamentum* des mourants.

Le cas de Bélibaste qui, après être retombé une première fois dans le péché de la chair, se fit reconsoler par son ami, Raimon de Castelnau, est tout à fait exceptionnel. Les deux Parfaits prirent avec le dogme et le *Rituel* des libertés excessives. Aux environs de 1300, le Parfait en état de « péché contre l'Esprit » était obligé d'aller se confesser au diacre majeur, qui s'appelait Raimon Izarn et résidait en Sicile. Il n'y avait plus, ou presque plus de diacres en Languedoc, et Raimon Izarn était censé les remplacer tous. D'où son titre peu usité jusque-là. L'obligation de faire un tel voyage, si long et coûteux, rendait déjà difficile la réintégration, et il s'y ajoutait une pénitence encore plus longue et très pénible.

Au temps de la persécution, et sous la pression des circonstances, on considéra le péché de délation comme moins pardonnable encore que le *peccatum carnale*. Dénoncer un Parfait à l'Inquisition, si l'on était soi-même un Parfait, c'était pécher mortellement contre l'Esprit dont on était revêtu : c'était se retrancher de l'Église et renoncer à son salut. (Pour les simples Croyants, le crime était moins grave, puisque, n'étant point « libres », ils ne péchaient point contre l'Esprit.) La délation commise par un Parfait ne pouvant pas être pardonnée par l'Église, celle-ci n'intercédait pas pour lui, ne recommandait pas son âme à Dieu. Il y a eu des Parfaits, certes, qui ont quitté le Catharisme : Guilhem de Solier, par exemple, qui prit part au premier essai d'Inquisition organisé par les légats; et quelques autres, moins notoires. Mais il est à remarquer qu'ils se sont convertis librement au Catholicisme, jamais sous la menace du bûcher. Ils changeaient de convictions, mais ne trahissaient sans doute pas leur conscience, ni l'idée qu'ils se faisaient de la Vérité. Et les catholiques ne les ont jamais traités comme des renégats vulgaires... Ces conversions n'ont d'ailleurs pas été très nombreuses. Dans l'ensemble, les Parfaits et les Parfaites sont restés inébranlables dans leur foi, ont fait preuve des plus solides vertus, et du plus grand courage devant les bûchers. La plupart ont été des êtres exceptionnels et des saints.

La vie dans le monde

La vie active importait presque autant pour les Parfaits que la vie mystique et contemplative : elle consistait surtout dans l'apostolat et dans l'office de consolation. Tant qu'ils purent le faire librement, ils prêchèrent tous les dimanches, et les jours de fête, à Noël, à Pâques, à Pentecôte, sur les thèmes fournis par l'Évangile ou la Tradition. Dans les réunions contradictoires qui opposaient souvent les vaudois aux cathares, et les cathares aux catholiques, ils intervenaient, appuyaient leurs orateurs. Quand le mouvement dut se faire clandestin, ils prêchèrent en secret dans les châteaux amis, dans les cabanes, dans les forêts, sur les aires. Une nuit, en 1303, Jacques Authier fit un sermon à Toulouse dans l'église des Frères de la Sainte-Croix où se réunissaient, sous le couvert d'une apparente orthodoxie, des Béguins de saint François, des réformateurs hardis et des cathares.

Dans les maisons où ils étaient reçus — et où se groupait toujours un auditoire de villageois fidèles — ils faisaient de brefs sermons familiers; Bélibaste parle un jour sur le trafic des indulgences : « *Voici un clerc, qui va trouver le Pape (un pape est fait pour « palper »); en échange de dix ou vingt livres, il en reçoit une grande charte scellée aux termes de laquelle quiconque lui donnera un denier ou une obole aura cent quarante jours d'indulgence. Il s'en va par le monde avec sa charte, abusant et fraudant les gens... Car si ces indulgences existaient, et si les jours étaient des petites pierres, un homme qui aurait dans sa bourse dix deniers et les donnerait obole par obole à ce clerc, aurait plus d'indulgences qu'il en pourrait tenir dans un grand sac...* » *Et alors se moquant des indulgences, il ajoute :* « *Pour Dieu, pour Dieu, donnez-moi une obole et je vous donnerai mille pardons!* » *Le sermon terminé, un des Croyants lui dit, enlevant son capuchon :* « *Monseigneur, que Dieu vous conserve!* » *Il lui répondit :* « *Dieu fasse de toi un Bonhomme!* » (Traduction Duvernoy.)

Vers 1230-1240, les Parfaites avaient été presque aussi nombreuses que les hommes. Elles avaient les mêmes droits que les Parfaits, sauf qu'elles ne pouvaient devenir ni évêques ni diacres. Mais elles avaient un rang équivalent à celui des « prieures » catholiques, quand elles dirigeaient des communautés, et analogue à celui des Anciens, doyens d'âge des Églises locales ou directeurs de groupes de prêcheurs itinérants.

Vivant dans leurs couvents, vouées à la paix et aux activités charitables, elles échappèrent longtemps à tous les orages du siècle. Mais à partir de 1250, elles furent beaucoup plus malheureuses que les hommes. M. Duvernoy a évoqué dans un article récent le triste destin de la sœur d'Arnaud de la Mothe qui se terrait, avec ses compagnes, dans un refuge souterrain, près de Lanta, et y mourut de froid et de privations excessives, en 1234. Beaucoup d'autres furent condamnées au bûcher. A la fin du siècle on n'en trouve presque plus...

Les travaux manuels et le commerce

Contrairement à ce que pensaient les vaudois qui voulaient que leurs pasteurs menassent la vie contemplative, les cathares travaillaient pour vivre : ils ne voulaient être à charge à personne. Dans les maisons des hérétiques, on en trouvait beaucoup qui étaient tisserands. D'autres s'occupaient à des travaux de vannerie. Certains fabriquaient des bourses, des souliers ou des gants. Quelques Parfaits étaient médecins. Presque tous — comme d'ailleurs les Parfaites — se montraient capables de donner les premiers soins à un malade et de panser un blessé. Mais ils étaient surtout attirés par le commerce qui leur permettait de visiter les marchés, tout en faisant leurs tournées apostoliques : ils revendaient de la mercerie, des peaux, des aiguilles à coudre, bref, toutes les marchandises ou menus objets que l'on écoule facilement dans les foires. Entre 1280 et 1350, on a vu des Parfaits pratiquer tour à tour les métiers les plus divers, depuis celui d'ouvrier agricole jusqu'à celui de tailleur ou de changeur. Ils collectaient des fonds pour l'Église et, avec une honnêteté scrupuleuse, tenaient le compte des dépôts qu'on leur remettait. Pierre Mauri parle d'un hérétique réfugié en Espagne qui administrait ainsi le trésor de la secte — ou plutôt celui de l'Église du lieu : il y avait là quinze mille pièces d'or et davantage, ce qui représente, pour l'époque, une somme énorme... Il la confia à son neveu qui l'emporta en Sicile ou en Lombardie. Il ne revit jamais ce neveu, et mourut seul et pauvre en exil.

Entre 1250 et 1300, la plupart des évêques et des diacres ayant émigré en Lombardie et ailleurs, il ne reste plus en Languedoc que quelques Parfaits, chargés d'administrer le *Consolamentum* aux mourants. Il n'y a donc plus guère de *Consolamenta* d'ordination (que conféraient, seuls, en principe, les évêques et les diacres). En leur absence, les Parfaits s'employèrent avec un dévouement admirable à « sauver les âmes ». Mais il ne leur était plus possible de devenir évêques ou diacres, s'ils n'allaient pas en Lombardie recevoir l'ordination des mains de la Hiérarchie en exil.

Ces évêques — souvent d'origine noble — avaient mené en Occitanie — jusqu'en 1240 — exactement la même vie que les Parfaits, sur lesquels ils n'avaient qu'une influence morale. Sans doute des soucis administratifs et politiques, à Montségur, notamment, en 1243, s'ajoutaient-ils aux obligations de leur charge. Sans doute aussi exerçaient-ils une activité plus spécialisée. Les évêques procédaient aux ordinations, visitaient les communautés de leurs diocèses; et les diacres, avons-nous dit, étaient surtout chargés de présider le *Servicium* ou l'*Apparelhamentum*, et d'y distribuer les pénitences. Leur prééminence était purement honorifique, et ne comportait qu'un surcroît de devoirs.

Chaque évêque avait, en principe, un Fils majeur et un Fils mineur — d'institution assez récente — qui lui servaient de coadjuteurs, et un diacre. On est mal renseigné sur la façon dont les diacres étaient désignés. Il y a eu, en Occitanie, jusqu'à cinq diocèses cathares : Toulouse, Carcassonne, Albi, Agen et l'évêché du Razès (créé seulement en 1226, au Concile de Pieusse). Leurs évêques étaient élus par les Parfaits. Peut-être à plusieurs degrés. A la mort d'un évêque, son Fils mineur ordonnait évêque le Fils majeur, le Fils mineur devenait Fils majeur et l'assemblée des fidèles élisait le nouveau Fils mineur. Mais il ne semble pas que ce mode d'élection ait été très en faveur en Occitanie.

Les cathares n'ont jamais eu de pape. Peut-être, étant

donné les liens qui existaient entre les Églises de Hongrie (Dalmatie et Croatie) et les Églises de Lombardie et de Languedoc, ont-ils reconnu, à certaines époques, un évêque résidant en Hongrie comme maître spirituel.

CHAPITRE III

LES CROYANTS

Mariage sans épousailles

Ils constituaient la grande masse des hommes et des femmes qui, sans être intégrés à l'Ordre, adhéraient au Catharisme, comme un élément laïc, encore profane et pécheur. *Ils figuraient*, dit H.-C. Puech (parlant des « auditeurs » manichéens), *une sorte de frange ou de halo qui tirait son éclat fragile et douteux du noyau de saints auquel ils étaient subordonnés.* Rien ne permet d'affirmer qu'ils étaient moins vertueux que les catholiques, ou davantage. Recevant l'enseignement de leur Église, ayant sous les yeux l'exemple des Bonshommes, écoutant leurs prédications, ils étaient toujours en souci de sauver leurs âmes, si différé et lointain que leur parût le salut final. Ils se gardaient des péchés mortels : du vol, de l'homicide, sans doute autant que les catholiques, mais se montraient simplement moins rigoristes en ce qui concerne le péché de chair. Il reste, cependant, que leur vie avait beaucoup moins de beauté et de rigueur morales que celle des Parfaits : inclus dans le monde du Mélange où coexistent le Bien et le Mal, ils se sentaient eux-mêmes indignes d'obtenir la libération à l'issue de cette vie et, condamnés à se purifier au cours d'autres incarnations, ils attendaient que leur destin évoluât de lui-même. Mais encore devaient-ils, au moment de leur mort, préserver leurs chances de salut par une contrition sincère et se promettre à eux-mêmes, en s'y engageant devant les Bonshommes, de faire une bonne fin. Ils étaient donc comme en sursis, et libres seulement de se repentir.

Les Croyants avaient souvent reçu le baptême d'eau, le baptême romain. Ils n'étaient pas tenus de le renier au moment de recevoir le *Consolamentum* des mourants. Souvent aussi, ils avaient été mariés par un prêtre catholique : le mariage n'était pas dissous, du fait qu'ils devenaient cathares. On sait que pour les Parfaits tout acte de chair retardait indéfiniment le salut; mais ils n'imposaient pas la continence à ceux qui ne se sentaient ni le désir ni le pouvoir de la garder. Aussi ne faisaient-ils aucune différence entre le mariage légal et le concubinat : ils permettaient l'un et l'autre aux simples Croyants. Peut-être, comme les anciens Manichéens, préféraient-ils même le concubinat au mariage, parce qu'il ne prenait pas les apparences trompeuses d'un sacrement, qu'il ne subordonnait pas autant la femme à l'homme, qu'il reposait sur l'amour égalitaire et partagé, et qu'enfin il avait plus de chances de demeurer stérile. Les Parfaits acceptaient volontiers l'hospitalité des « faux ménages » et ne leur témoignaient pas moins de bienveillance qu'aux couples légitimes.

Jusqu'aux environs de 1250-1260, les Parfaits ont évité de procéder à des mariages, c'est-à-dire : de régulariser selon leur loi, des concubinats de fait. Mais quand la persécution eut désorganisé leur Église, ils exhortèrent les Croyants désireux de se marier à prendre pour femmes de bonnes chrétiennes, afin d'éviter les désaccords et les indiscrétions qui eussent été, maintenant, fort dangereuses. Pour les mêmes raisons, ils conseillaient aux pères, qui les consultaient sur toutes leurs affaires, de ne donner leurs filles qu'à des Croyants éprouvés. Le mariage, tel que les cathares et la plupart des hérétiques méridionaux l'ont conçu, n'était point sacramentel et ne devait reposer que sur l'amour, le consentement et la fidélité réciproques. Pour Pierre Clergue, de Montaillou, le mariage est parfaitement accompli lorsque chacun des conjoints a promis sa foi à l'autre : *La bénédiction donnée par l'Église romaine*, ajoute-t-il, *n'est qu'une cérémonie sans valeur, inventée par elle pour couvrir le péché, puisque les maris et les femmes y forniquent sans honte et sans s'en confesser.* La façon dont Bélibaste mariait les Croyants nous donne une idée de ce qu'aurait pu être le mariage, enregistré, si le Catharisme avait eu le temps d'organiser la société civile : *Des représentants de la communauté chrétienne viennent trouver le Parfait et lui disent : « Monseigneur, un de nos Croyants, Pierre, veut épouser Guillemette, une de nos Croyantes. — Cela leur plaît-il? — Assurément. — Il pourrait être bon qu'il en fût ainsi, dit alors le Parfait avec les réticences d'usage, s'il plaît aussi à Dieu. » Alors Pierre et Guillemette se présentent devant lui. « Voulez-vous, leur dit-il, être unis dans l'amour? — Oui, répondent-ils. — Vous promettez-vous fidélité l'un à l'autre; vous engagez-vous à prendre soin l'un de l'autre dans la santé comme dans la maladie? — Oui. — Embrassez-vous. Vous êtes mariés. »*

Nous ne savons pas ce qui a fait dire à Jean Guiraud que *la fidélité réciproque des époux n'existait plus pour le chrétien (catholique) qui devenait Croyant.* Elle était, au contraire, strictement exigée, et il nous semble qu'elle avait plus de chances d'être observée dans un mariage librement consenti et où ne s'exprimait qu'un amour sans contrainte, que dans le mariage romain, trop souvent intéressé et vénal et, par surcroît, à direction exclusivement masculine. Il est exact, cependant, que les Parfaits pouvaient dissoudre le mariage, quand ils jugeaient le divorce nécessaire. Et, naturellement, si l'un des conjoints devenait Parfait, il devait se séparer aussitôt de l'autre, en lui demandant de le délier de sa promesse de fidélité. Il est possible que certains Croyants aient abusé de la facilité que leur donnait le Catharisme de rompre leurs liens matrimoniaux pour des raisons religieuses, mais pas plus que les grands seigneurs catholiques, qui répu-

diaient leurs femmes sans raison valable et sans y être
autorisés, eux, par leur religion.

La notion du péché

Les cathares enseignaient que les péchés charnels étaient
tous égaux et que, par conséquent, il n'était pas plus grave,
en bonne logique, d'avoir des relations sexuelles avec sa
mère ou sa sœur, qu'avec n'importe quelle femme. Cela
était une conséquence de la doctrine des réincarnations qui
supprime tout degré de parenté entre les âmes. Mais cette
théorie — que l'on affecte souvent de prendre à contresens
— n'autorisait pas davantage les Croyants à commettre l'inceste que la théorie stoïcienne — selon laquelle il était aussi
criminel de tuer un coq que de tuer son père — n'autorisait
le philosophe à tuer son père. On a prétendu que les cathares
permettaient aux Croyants de coucher avec leurs mères pour
dix-huit deniers (six parce qu'elle avait conçu, six parce
qu'elle avait enfanté, six parce qu'elle avait nourri) et avec
leurs sœurs pour six deniers. C'est une abominable calomnie,
et doublement absurde : si l'inceste n'est pas un péché, il
n'a pas besoin d'être racheté à prix d'argent; et les cathares
n'ont jamais admis que le pardon pût être vendu. En fait,
on les voit toujours montrer plus d'horreur pour l'inceste que
pour tout autre péché. Selon une habitude de penser très
méridionale, ils poussaient la théorie à l'extrême pour la
réduire ensuite à ses justes proportions dans la réalité : un
hérétique qui vient de déclarer, selon le dogme, que tous les
péchés charnels sont équivalents ajoute qu'il est plus « hon-
teux » de faire la chose avec sa mère ou sa sœur qu'avec
toute autre femme. Et il déclare s'en tenir à la coutume du
Sabarthès, son pays, qui ordonne de respecter même sa
cousine germaine; pour la cousine « seconde », comme dit
le proverbe : « On peut y aller! » *(A cosina segonda tot lo li*

afonsa!) Quant à l'attitude des Croyants — et surtout des Croyantes — à l'égard de la procréation, il est vraiment difficile de la définir. Le dogme même est ambigu sur ce point. Il est évident que les naissances enchaînaient de nouvelles âmes à la terre et perpétuaient le règne du démon. Un Parfait s'écrie : « Plaise à Dieu qu'il n'y ait plus d'enfants et que toutes les âmes soient enfin sauvées, et le règne du mal aboli! » Mais ce n'est là qu'un souhait — fort compréhensible — de métaphysicien. Par ailleurs, les Parfaits enseignaient que, tant que l'appétit des plaisirs charnels n'était pas éteint, les réincarnations étaient nécessaires pour purifier les âmes déchues. Il faut donc considérer comme assez exceptionnelle l'apostrophe qu'un Parfait adressa un jour à une femme enceinte (l'épouse d'un certain Guillaume Viguier) : « Malheureuse! vous portez un diable dans votre sein. » Ces paroles, pour le moins maladroites, furent cause que Mme Viguier refusa de se laisser convertir au Catharisme...

De toute façon, on ne voit pas que le Languedoc se soit dépeuplé aux XIIᵉ et XIIIᵉ siècles, sinon, dans une certaine mesure, par l'effet des guerres et de la persécution. Les poètes du Moyen Âge, il est vrai, ignorent absolument les enfants : l'auteur du roman de *Flamenca* a même soin de préciser que son héroïne n'en a aucun; les dames des troubadours ne parlent jamais des leurs. Cela ne signifie pas qu'ils aient été systématiquement refusés, mais qu'on n'attachait pas beaucoup d'importance à leur frêle vie : beaucoup mouraient en bas âge, et ils n'intéressaient guère les Parfaits, en tant qu'âmes à sauver. Vers 1300, certains Croyants conseillaient aux parents qui avaient des enfants infirmes, ou très malades, de leur faire donner le *Consolamentum* et de les laisser mourir le plus vite possible, dans une sorte d'*Endura*, pour qu'ils aillent à Dieu. Mais les mères n'y consentaient jamais — il était d'ailleurs contraire à l'esprit du vrai Catharisme de conférer le *Consolamentum* à des enfants — et elles continuaient à leur donner le sein, même quand elles savaient qu'elles ne prolongeaient leur vie que de quelques jours.

La contraception

Les pratiques contraceptives ont toujours été assez répandues au Moyen Âge sous leurs diverses formes : mécaniques, chimiques, magiques. On utilisait l'armoise, l'ergot du seigle et un grand nombre d'herbes que procurait le sorcier. Le mouvement général d'émancipation des femmes, qui s'ébauche au XIIIe siècle, en liaison indirecte avec le Catharisme, a sûrement accru, chez beaucoup d'entre elles, la tentation de se libérer aussi de l'obligation d'avoir des enfants dans le temps qu'elles n'en voulaient pas.

Le curé de Montaillou, à la fois cathare et catholique, disposait d'un contraceptif magique dont nous ne garantissons pas l'efficacité, mais qui lui valut beaucoup de succès auprès de ses paroissiennes. Béatrice de Planissoles, qui en usa plusieurs fois, le décrit ainsi : *Le curé portait quelque chose d'enroulé et de ficelé dans une étoffe de lin, de la grosseur et de la longueur d'une once ou de la première phalange de mon petit doigt, auquel était attaché un cordon qu'il me passait autour du cou. C'était, paraît-il, une plante. Il la faisait descendre entre mes seins jusqu'au bas du ventre. Toutes les fois qu'il voulait me connaître, il la plaçait à cet endroit, et l'y laissait jusqu'à ce qu'il eût fini. Quand il se levait, il me l'ôtait du cou. Si dans la même nuit il voulait me posséder plusieurs fois, il me disait : « Où est la plante? » Je la retrouvais en la tirant par le fil que j'avais au cou. Il la prenait et me la mettait de nouveau au bas du ventre, la ficelle passant toujours entre mes seins... Je lui demandai un jour de me confier cette plante. Il me répondit qu'il s'en garderait bien, parce que je me hâterais, n'ayant plus peur de devenir enceinte, de me donner à d'autres hommes.*

Sans aucun doute Béatrice, mariée et mère de plusieurs

enfants, était ravie que ses amours illicites ne portassent
point de fruits.

Croyants et Parfaits à table

Les Croyants pouvaient manger et boire ce qu'ils voulaient. Les Parfaits leur apportaient parfois de la viande, du
gibier qu'on leur avait offerts et dont ils n'avaient que faire.
En 1231, des Croyants d'Avignonet vont « adorer » des
Parfaits de passage et reçoivent d'eux un lièvre, qu'ils font
cuire et mangent de bon appétit. En ce temps-là, les paysans
consommaient assez peu de viande, souvent salée ou en
confit, et ce ne devait pas être une grande gêne pour eux
d'avoir à s'en priver absolument, le jour où ils accueillaient
des Parfaits à leur table. Souvent donc, par respect pour
eux, le repas était végétarien ou composé presque uniquement de poissons et de fruits. Mais en leur honneur aussi, on
soignait la cuisine. Car certains Parfaits étaient aussi fins
gourmets que les prêtres de l'Église romaine et, comme le
dit la *Nouvelle de l'Hérétique, poisson vaut bien méchante
viande, bon vin parfumé de girofle, piquette de tonnelle; pain
bluté vaut bien miche de cloître.* Les *empastatz* — ou pâtés de
poisson — étaient très appréciés. Ils sont mentionnés dans
la *Nouvelle de l'Hérétique* et dans les *Registres d'Inquisition* :
c'étaient des truites, ou d'autres poissons, conservés bouillis;
ou bien frits, et enrobés — « empâtés » — d'une sorte de
pâte à beignet. Les sauces étaient des sauces maigres. Celle
dans laquelle le poisson avait cuit était servie comme
« soupe ». Avant la Croisade, les Parfaits, reçus chez des
paysans, ou des artisans peu fortunés, se faisaient un devoir,
comme nous l'avons dit, de leur porter des victuailles. Parfois même ils tenaient à payer leur écot. Mais quand la persécution fut venue, les Croyants durent nourrir les Parfaits,
leur faire l'aumône, puisqu'ils ne pouvaient plus travailler
au grand jour. Certainement, la vie quotidienne des Croyants

a été plus pénétrée de charité et de zèle religieux au début du xive siècle qu'au début du xiiie, en raison même des dangers que leur faisait maintenant courir le devoir d'hospitalité, et des sacrifices qu'il leur imposait, quand ils étaient pauvres.

Foi, superstition et anticléricalisme

Les Croyants appartenaient à toutes les classes de la société, exerçaient tous les métiers, même ceux qui semblaient, par nature, incompatibles avec la morale cathare. En 1282, Pierre Maurel était boucher à Salsigne — bien que le Catharisme ordonnât de ne pas tuer les animaux. Il fit un pacte de *Convenensa*, sans abandonner pour cela sa profession. Il suffisait qu'après avoir reçu le *Consolamentum* des mourants, il ne fût plus à même d'abattre les bêtes. Un certain Raimon de Lara, de Saint-Martin-la-Lande, resta boucher lui aussi. Cela ne l'empêchait pas d'être dévoué aux Parfaits, et de leur offrir des cruches de bon vin. Il y avait des Croyants parmi les nobles, les bourgeois, les paysans, les artisans, et même parmi les prêtres catholiques. Nous les verrons vivre par la suite dans leurs milieux respectifs. Bornons-nous pour l'instant à décrire les comportements quotidiens qui étaient communs à tous.

Les simples Croyants n'avaient pas le droit de dire le *Pater*. N'étant pas encore « bons chrétiens », ils ne pouvaient pas appeler Dieu : *Notre* Père. Mais ils disposaient de prières de remplacement. « Comment prierons-nous ? demande l'un d'eux à un Bonhomme. Tu diras cette prière, lui répondit-il : *Que le Seigneur Dieu qui a dirigé les rois Melchior, Balthazar et Gaspar, quand ils vinrent l'adorer en Orient, me dirige comme il les a dirigés.* » Ils pouvaient également dire le *Bénédicité* (Bénissez-nous, pardonnez-nous, Amen), et un grand nombre de prières; certaines qui se sont conservées dans la tradition populaire constituaient de petits résumés dogmatiques, bien suffisants pour éclairer leur foi. Elles ne nommaient pas Notre Père, et lui demandaient seulement la « connaissance » du Bien : *Père saint des bons esprits, vrai Dieu... donne-nous à connaître ce que tu connais et à aimer ce que tu aimes!* Contrairement à ce qu'on avance parfois, les Croyants priaient aussi souvent, sinon plus, que les catholiques; le matin en se levant, le soir en se couchant, dans toutes les circonstances pénibles ou dangereuses de la vie, notamment « pour la bonne mort », et parfois d'une façon aussi superstitieuse que les paysans de l'Ariège, à la fin du siècle dernier.

Ils retenaient surtout de l'enseignement des Bonshommes des règles de morale pratique, des mythes, des apologues. Pour se convaincre mieux que l'âme était indépendante du corps, ils se répétaient, à la veillée, l'histoire édifiante du voyageur qui s'était endormi, tandis que son compagnon l'observait. De la bouche du dormeur sortit un lézard qui traversa le ruisseau sur une petite branche, s'enfonça dans une tête d'âne qui se trouvait là, fit quelques tours et rentra à nouveau dans la bouche du voyageur, lequel, se réveillant aussitôt, raconta son rêve à l'autre : il avait passé l'eau sur un pont, visité un palais... « Ton esprit, je l'ai vu sous la forme d'un lézard, lui dit son compagnon. Il a passé le ruisseau, il a visité cette tête d'âne... et il est rentré en toi par la bouche. » Le conte du « fer perdu » illustrait la théorie de la métempsycose : Un Bonhomme ayant été cheval dans une autre existence avait, un soir, perdu un fer dans un endroit rocailleux. Redevenu homme et passant par là avec son *socius*, il lui dit : « C'est ici que j'ai perdu un de mes fers, quand j'étais cheval. » Ils le cherchèrent et le retrouvèrent. A ces contes, devenus aujourd'hui « folkloriques », se mêlaient naturellement des superstitions, que les cathares n'approuvaient pas toujours.

Par ailleurs, chez les moins cultivés des Croyants, l'anticléricalisme prenait une forme imagée et stéréotypée, où un rationalisme puéril se donnait libre cours, surtout en ce qui concerne l'Eucharistie : « Le corps de Jésus-Christ serait-il mille fois plus énorme que le Bugarach — ou telle autre montagne —, depuis que les prêtres en mangent, il ne devrait rien en rester! » ou bien on compare l'hostie à une tranche de rave (que les sorciers utilisaient effectivement comme hostie). On va à la messe pour se moquer des paroles, des gestes du prêtre. Au passage du Saint-Sacrement, on ne tombe pas à genoux, on affecte de rire. Et s'il passe une procession de clercs, on la compare à une file de chenilles... Bref, avant 1209, les villages occitans étaient aussi anticléricaux qu'ils l'ont été à différentes époques de l'histoire moderne.

Mais il ne faudrait pas diminuer pour autant la piété sincère des Croyants ni le sérieux de leurs préoccupations morales. Les humbles comme les riches étaient passionnés de discussions métaphysiques. Il n'était pas rare de voir un simple berger, un pauvre brassier se poser des questions qui eussent embarrassé bien des théologiens. Devant les catastrophes naturelles, les injustices sociales, la persécution, leurs malheurs personnels, ils songeaient et méditaient. Un brave homme a vu un loup dévorer sa mère, et il ne peut croire que le Dieu bon ait fait les loups. Tel autre s'en tient à son rationalisme strict : il se refuse à admettre que Jésus-Christ tient dans une hostie, parce que c'est « impossible ». Il pense que l'âme n'existe pas, parce qu'il ne l'a jamais vue sortir du corps. C'est pour convaincre ces incrédules que les Parfaits racontaient l'apologue de la Tête d'âne, ou d'autres du même genre.

Le soir, dans tous les villages, dans les hameaux perdus, à la lueur d'une chandelle ou, l'hiver, aux flammes du foyer, s'instauraient des colloques, où les femmes tenaient leur partie. Tandis que le jour tout le monde travaillait, s'affairait dans les champs ou à l'échoppe, la nuit, la vie spirituelle, et l'autre monde reprenaient leur emprise sur les âmes. On critiquait le prêche du curé. On commentait surtout ce qu'avaient dit les derniers Bonshommes de passage, et l'on

attendait déjà leur prochain retour. Cette femme du peuple
a appris d'eux que le monde n'est que « néant »; et celle-là,
jeune encore, a retenu de leurs leçons que les plaisirs de la
terre ne sont qu'illusion satanique, et qu'ils engendrent la
mort... Dans leurs solitudes, pendant les longs loisirs que
leur laissaient les paissances d'été, les bergers, sous les
étoiles, formaient de petits groupes, zélés et fanatiques; les
Parfaits venaient parfois s'asseoir à leurs feux.

Les devoirs d'un Croyant

Les Croyants ne devaient au Parfait que les marques
extérieures du respect. Dès qu'il paraissait, ils l' « adoraient »
(au sens liturgique et non théologique) : ils faisaient devant
lui leur *Melioramentum*. Ils tombaient à genoux, s'inclinaient profondément trois fois jusqu'à baiser la terre,
disant, à chaque révérence le *Bénédicité*, en latin ou en
roman, et cette phrase rituelle : *Bons chrétiens, donnez-nous
la bénédiction de Dieu et la vôtre. Priez Dieu pour nous, afin
qu'il nous garde de mauvaise mort et qu'il nous conduise à
bonne fin, entre les mains des fidèles chrétiens.* Et le Bonhomme répondait à chacune des trois inclinations : *Recevez
la bénédiction de Dieu et la nôtre. Dieu vous bénisse, arrache
votre âme à la mauvaise mort et vous conduise à bonne fin!*

Pour beaucoup de Croyants, cette adoration n'était peut-
être que l'équivalent d'une salutation respectueuse. Pourtant, aucun d'eux ne pouvait oublier qu'elle s'adressait au
Saint-Esprit dont le Parfait était revêtu. Aucun d'eux ne
pouvait traiter à la légère l'engagement qu'il prenait ainsi
de faire une bonne fin. Et au temps où les Parfaits étaient
nombreux et souvent en tournées de prédication, c'est
presque journellement que les Croyants renouvelaient cette
promesse, contenue dans le *Melioramentum*.

Il faut se représenter dans nos campagnes ces scènes
émouvantes qui se répétaient dans les circonstances les plus

imprévues. A la fontaine de Gaja, Helis de Mazerolles rencontre le Parfait Raimon de Montoti et son *socius*. Aussitôt,
elle se met à genoux et l'« adore ». Sur le seuil de la porte,
toute une famille paysanne tombe à genoux *(Donnez-
nous la bénédiction!)* devant les deux Bonshommes, qui
demandent l'hospitalité. Tableau touchant qui eût sans
doute tenté le pinceau de Greuze.

Il y avait de grandes dames si pénétrées de l'importance
du *Melioramentum* qu'elles ne pouvaient pas passer un jour
sans « adorer » l'Esprit en la personne d'un Parfait. Fizas,
mère du chevalier Bernard de Saint-Michel, dut suivre à
Rome la comtesse Éléonore, femme de Raimon VI, dont
elle était l'une des dames d'honneur. Elle prit avec elle des
hérétiques que lui amena P. de Castlar, son écuyer. Chaque
fois qu'elle se rendait à la chapelle du palais apostolique,
pour assister à la messe du pape, elle se faisait accompagner
d'un diacre cathare, déguisé en pèlerin et, au cours de la
cérémonie — peut-être au moment le plus solennel, dit
Jean Guiraud —, Fizas adorait l'hérétique, renouvelant ainsi,
devant le chef même de la catholicité, son reniement de
l'Église romaine et sa profession de foi cathare.

On voit par là que l'influence de l'Église romaine sur les
Croyants était plus forte qu'on ne l'a dit. Bien qu'ils fussent
en dehors d'elle, elle se rappelait à eux en toutes circonstances.

Toutes les cérémonies cathares, le *Servicium*, le *Consolamentum*, étaient publiques (pour les membres de la secte).
Elles se terminaient toujours par le Baiser de paix : le Parfait embrassait l'un des Croyants ou, quelquefois, chacun
des Croyants, puis les hommes s'embrassaient l'un l'autre.
C'était un baiser sur les deux joues, puis sur la bouche. Les
Croyantes faisaient de même, entre elles, mais, comme nous
l'avons dit plus haut, après que le baiser du Parfait leur eut
été transmis par l'intermédiaire du Livre. Ce Baiser de paix
— transmission du souffle — était le symbole des liens
« animiques » qui unissaient les Croyants à l'Ordre des

Parfaits, et de la cohésion, toute spirituelle, de la communauté chrétienne. La bénédiction de pain avait une signification et une valeur analogues.

Quand les Parfaits assistaient à un repas de Croyants, ils procédaient, avant de manger, à la bénédiction ou consécration du pain, qui différait de la cérémonie eucharistique des premiers temps du Christianisme en ce que l'on y bénissait seulement le pain et non le vin. Pour les cathares, cette partie rituelle du banquet n'était pas séparée de l'autre, comme elle l'a été — assez tardivement d'ailleurs — dans le Christianisme primitif.

L'Ancien — ou le plus âgé des Parfaits, s'il y en avait plusieurs — prenait une serviette dont il mettait un coin sur l'épaule gauche, et tenait le pain de sa main gauche enveloppée de la serviette. Il récitait le Pater, *puis disait un autre* Pater *à voix basse. Après quoi il coupait le pain en tranches, de la main droite, posait la première devant lui et servait ensuite les autres, dans l'ordre d'ancienneté. Ce pain bénit était consommé; celui que l'on ne mangeait pas étant conservé avec un respect religieux* (d'après J. Duvernoy). Après cette bénédiction rituelle du pain, associée, comme on le voit, à l'oraison dominicale, les convives continuaient le repas.

La vie quotidienne des Croyants était ainsi jalonnée de petites cérémonies qui les mettaient en contact quasi permanent avec leurs pasteurs. Les Croyants profitaient de ces réunions qui suivaient les repas, pour consulter les Bonshommes sur toutes les affaires importantes : le mariage de la fille ou une contestation avec le voisin. Les Parfaits étaient souvent pris comme arbitres dans toutes sortes de différends, que les Croyants ne devaient point porter devant le tribunal seigneurial : leurs décisions étaient généralement respectées. On a peut-être exagéré le nombre des Bonshommes médecins. Mais ils surveillaient tous la santé de leurs fidèles, ne fût-ce que pour être avertis du moment exact où il conviendrait de leur donner le *Consolamentum*. Les Croyants voyaient également les Parfaits aux prêches dominicaux, qu'ils ne devaient

point manquer sans raison valable, ou aux réunions contradictoires qui, avant 1209, opposèrent souvent cathares et
catholiques. Ces conférences, organisées par le seigneur, dans
le château ou dans un local lui appartenant, étaient en principe réservées aux théologiens, aux nobles et aux bourgeois.
Mais quelquefois le peuple y assistait. Les résultats, procla-
més par les arbitres, étaient attendus impatiemment et
commentés avec passion.

Le « *Consolamentum* » des mourants

Pendant toute sa vie, le Croyant était ainsi entretenu par
son Église dans le souci du futur éternel. Aux approches de
la mort, il se mettait en mesure de tenir les engagements
qu'il avait cru devoir prendre. Nous avons vu que, par le
Melioramentum, il avait formulé le souhait d'être conduit à
bonne fin, c'est-à-dire de recevoir la consolation. Mais quand
il était plus angoissé encore par l'état de péché où il avait
vécu, il voulait avoir l'assurance que, quoi qu'il arrive,
le *Consolamentum* lui serait accordé à son heure dernière.
Alors il faisait la *Convenensa* : on appelait ainsi une « convention », une sorte de pacte, par lequel il s'engageait à demander le *Consolamentum*, et l'Église à ne pas le lui refuser, même
s'il n'était pas en état de parler et, par conséquent, de dire le
Pater. Jusqu'à l'heure de sa mort, la *Convenensa* n'imposait
point d'autres devoirs au Croyant que celui de vénérer les
Bonshommes et de renouveler à la fois, par le *Melioramentum*,
et sa promesse et la validité du Pacte. La *Convenensa* a
surtout pris de l'importance au temps de la guerre et de la
persécution — notamment pendant le siège de Montségur —
où il arrivait souvent que le Croyant, grièvement blessé,
n'eût plus l'usage de la parole, ni même sa connaissance : il
était consolé *in extremis*, en exécution de la « convention ».
Pendant longtemps, les Parfaits ne s'engagèrent que dans
des cas exceptionnels à entrer dans la *Convenensa*, qui

contrevenait à la Règle. Mais à partir de 1240, ils accordèrent sans difficulté aux Croyants cette précieuse garantie. C'est ainsi que Raimon de Saint-Martin fit promesse à Jourdain de Pereille de le consoler, quel que fût son état physique.

Le *Consolamentum* des mourants — ou des « cliniques » — ne différait guère, quant aux rites, du *Consolamentum* des Parfaits. Il ne procurait pas le salut automatiquement, magiquement, mais il passait pour assurer la « bonne fin », le pardon des péchés et la réunion de l'âme et de l'esprit...

Les Parfaits sont tenus de se rendre au chevet du Croyant malade qui les fait appeler. Ils lui demandent d'abord s'il est en règle avec l'Église, s'il a acquitté ses dettes envers elle, réparé les torts dont elle serait en droit de l'accuser. Il doit payer ses dettes et réparer ses torts. Mais dans le cas où il ne peut pas payer, on l'en tient quitte, et il n'est pas repoussé.

Avant 1209, quand les Parfaits, dans leurs communautés, avaient beaucoup de temps, ils procédaient à l'instruction religieuse du malade, si, naturellement, son état le permettait : ils lui enseignaient l' « abstinence » et les coutumes de l'Église. *Promettez-vous*, lui demandaient-ils, *de tenir votre cœur et vos biens, tels que vous les avez et les aurez dans l'avenir, selon la volonté de Dieu et de l'Église, et toujours, à partir de maintenant, et tant qu'il sera en votre pouvoir, au service des chrétiens et des chrétiennes? — Je le promets*, répondait le Croyant. On lui imposait alors l'abstinence (l'obligation de ne point mentir, de ne point jurer, etc.). *Nous vous imposons cette abstinence pour que vous la receviez de Dieu, de nous et de l'Église, et que vous l'observiez tant que vous vivrez. Si vous l'observez comme il faut, avec les autres prescriptions que vous avez à suivre, nous avons l'espérance que votre âme aura la vie éternelle. — Je la reçois*, disait le Croyant, *de Dieu, de vous et de l'Église*.

On abrégeait souvent cette première partie de la cérémonie, si le malade était trop faible, et l'on en venait tout de suite à la Tradition de l'Oraison : on lui passait une chemise et des braies, car il fallait, en principe, être vêtu pour recevoir le *Consolamentum*, et si c'était possible, on l'asseyait. Il se lavait — ou on lui lavait — les mains.

Une nappe blanche est étendue devant lui, sur le lit; et sur cette nappe est déposé le Livre des Évangiles. Quand l'Ordonné a dit une fois le *Bénédicité*, et trois fois : *Adoremus Patrem et Filium et Spiritum sanctum*, le malade reçoit le Livre (Tradition du Livre), et écoute l'admonestation beaucoup moins longue que dans le baptême des Parfaits, parfois même réduite à quelques mots, qui lui est adressée selon la Règle. Son consentement, formulé, est toujours requis : le Parfait lui demande s'il a toujours la ferme intention de tenir la promesse qu'il a faite, dans la *Convenensa* ou, simplement, dans le *Melioramentum*, et de l'observer, comme il en est convenu. Il dit « oui ». Les chrétiens lui font confirmer son engagement.

On lui lit alors l'oraison et il la suit (à haute voix, s'il peut) : *C'est ici l'oraison que Jésus-Christ a apportée en ce monde. Ne mangez ni ne buvez sans l'avoir d'abord dite...* Le Croyant répond : *Je la reçois de Dieu, de vous et de l'Église.* A ces mots, les Bonshommes le saluent *comme on salue une femme.*

Ce dernier rite est très mystérieux. Comme la salutation est la même, que le mourant soit un homme ou une femme, elle est sans rapport avec le sexe physique : c'est l'âme que l'on salue. Mais pourquoi la salue-t-on « comme une femme » après la Tradition de l'Oraison, et « comme un homme » après la réception du *Consolamentum*? Peut-être les Parfaits assimilaient-ils à une femme, et saluaient-ils d'une révérence profonde, l'âme qui n'était pas encore « mariée » à son esprit, mais qui allait l'être; et, au contraire, d'une inclination moins accusée — *comme on salue un égal* — l'être nouveau qu'elle formait en s'unissant à son esprit.

Les Bonshommes se replongent dans leurs prières : doubles et *veniae*. Puis ils déposent le Livre devant le malade. Celui-ci prononce trois *Adoremus*, reprend le Livre, écoute encore une brève admonestation à l'issue de laquelle on lui demande s'il « veut » recevoir le *Consolamentum*, s'il est décidé à observer la Règle. Les chrétiens, de leur côté, exigent la confirmation de sa promesse. L'Ordonné a repris le Livre. Le malade s'incline et dit : *Pour tous les péchés que j'ai faits, dits ou pensés, je demande pardon à Dieu, à l'Église et à vous tous.* Tout se passe, dès lors, comme dans le baptême des Parfaits. Les chrétiens lui donnent l'absolution. *Par Dieu, par nous et par l'Église, que vos péchés vous soient pardonnés. Nous prions Dieu qu'il vous les pardonne.*

Le Parfait appuie le Livre sur sa tête et tous lui imposent les mains. Et, après les *Bénédicités*, les *Adoremus*, les *Parcite* d'usage, c'est l'invocation à l'Esprit de Dieu, si noble et si belle! *Père Saint, accueille ton serviteur* (ou *ta servante*) *dans ta Justice et envoie sur lui ta Grâce et ton Esprit-Saint!*

Le Croyant remercie et rend grâces. Tous s'inclinent alors devant lui *comme on salue un homme.*

Ce *Consolamentum* des mourants prenait beaucoup de temps. Les Croyants tenaient généralement à ce qu'il fût administré selon l'exact rituel. Mais, en certains cas d'urgence, les rites devaient être simplifiés. Ils se réduisaient à la Tradition rapide de l'Oraison — indispensable puisque le malade devait dire le *Pater* avant de manger et de boire —, à l'imposition des mains et à la formule d'invocation à l'Esprit divin. Sauf dans le *Consolamentum* prévu par la *Convenensa*, où le malade — ou le blessé — était dispensé de toutes formalités rituelles, les chrétiens exigeaient toujours du Croyant — c'est un trait spécifique du Catharisme — le renouvellement de sa promesse et de son désir exprès de recevoir la Consolation.

Comme les Bonshommes ne donnaient généralement le *Consolamentum* qu'à ceux qui allaient mourir, la plupart des consolés ne survivaient pas. Ils partaient pour l'autre monde avec l'espoir d'être sauvés « par les prières et l'intercession des chrétiens ». La mort était pour eux une sorte de grâce, puisque, dans le peu de temps qu'il leur restait à vivre, *ils ne pouvaient plus pécher gravement.*

S'ils vivaient encore quelques jours, ils restaient sous la dépendance morale des Parfaits qui veillaient à ce qu'ils ne prissent aucun aliment ou boisson sans avoir dit le *Pater*. Il se peut que des cathares, dans l'impossibilité de dire cette prière avant de manger ou de boire, aient préféré se laisser mourir d'inanition, plutôt que de pécher. Mais, comme nous l'avons exposé ailleurs, les Parfaits ne les ont jamais encouragés à « se suicider ». Et l'on ne voit pas ce que l'on pourrait reprocher à ces chrétiens fervents qui, au témoignage de R. Sacconi, *ne pouvant plus prier, demandaient à ceux qui les servaient de ne plus les nourrir*. Comme ce jeûne total, qu'on appelait *Endura*, a surtout été pratiqué à la fin du XIIIe siècle, nous aurons à en parler plus longuement à propos du « Catharisme persécuté ».

Si le malade, contre toute attente, guérissait, le *Consolamentum* qu'il avait reçu devenait caduc. Il ne correspondait, en effet, qu'à un état de « perfection » dû aux circonstances, et non point à un état de sainteté acquis, durable, et mis à l'épreuve des tentations. Le Croyant devait donc, s'il le désirait — car on ne forçait nullement sa volonté — se présenter à nouveau devant l'Ordre, se faire agréer par lui, se remettre en longue abstinence et recevoir, s'il s'en montrait digne, le *Consolamentum* d'ordination.

Il était d'usage que le consolé léguât une somme d'argent à l'Église ou, s'il était pauvre, son lit, ses vêtements. Les héritiers étaient tenus d'acquitter ces legs, sous peine de ne pouvoir être consolés eux-mêmes, à l'heure de leur mort.

Après la mort

La plupart des religions fixent à trois ou quatre jours le temps qu'il faut à l'âme pour se dégager du corps. Pendant ces quatre jours, les Parfaits ne quittaient pas le mort et priaient pour lui, à la façon des prêtres tibétains qui sont censés, par seconde vue, voir le voyage de l'âme et la guider.

Une superstition, qui s'est maintenue jusqu'au xviie siècle, ordonnait d'enlever une tuile du toit pour que l'âme s'échappe plus vite; cette coutume date peut-être de l'époque cathare. Les Parfaits n'approuvaient nullement ces pratiques mais, dès que leur religion fut entrée en décadence, beaucoup de traditions magiques vinrent s'agglomérer aux usages proprement cathares : les chouettes crient sur la maison pour annoncer que la mort est proche..., une lueur surnaturelle baigne la chambre du mourant à qui l'on vient de donner le *Consolamentum*...

Il était dans l'esprit du Catharisme de ne pas attacher beaucoup d'importance à la dépouille mortelle. On ne l'honorait guère : les corps créés par le Diable sont promis au néant et ne ressusciteront pas. Cependant, la tradition qui veut qu'on les mette à l'abri des souillures et des atteintes des animaux a toujours été plus forte que les dogmes. Les cathares ont eu, avant la Croisade, des cimetières à eux, distincts des cimetières catholiques, à Montesquieu, à Puylaurens et sans doute ailleurs. Tant qu'ils furent libres de mettre leurs morts où ils voulaient — les curés n'ayant pas toujours le pouvoir de leur refuser la sépulture « en terre chrétienne » — ils choisirent plutôt les « cimetières d'hérétiques ».

A Puylaurens, avant l'arrivée des croisés, *Peitavi de Sorèze fut enterré au cimetière cathare, en présence de presque tous les chevaliers et dames du château* (Y. Dossat). Aucun cérémonial religieux n'accompagnait l'ensevelissement. Les Parfaits n'y assistaient pas; on ne croyait pas à l'efficacité des prières pour les morts. Cela n'empêchait pas les parents et amis du défunt de manifester leur douleur, même si elle leur paraissait injustifiée du point de vue dogmatique; mais ils évitaient les désespoirs spectaculaires — avec cheveux arrachés — dont le Moyen Âge nous donne maints exemples.

Après la conquête du Languedoc par Simon de Montfort, il semble que les cathares aient préféré mettre les morts en terre consacrée (catholiquement) et par conséquent aient feint, sur ce point, d'être bons catholiques. Mais si le mort était connu comme hérétique ou fauteur d'hérésie, le chapelain interdisait qu'on l'inhumât. C'est ce qui arriva, en 1210, au chevalier Raimon Cot, du diocèse de Carcassonne, dont l'enterrement eut lieu de nuit, clandestinement, à la lueur des torches, au cimetière des hérétiques. Naturellement, ces cimetières qui avaient paru préférables aux autres avant 1209, prenaient maintenant un caractère infamant. On tenait à ce que le mort fût enterré comme tout le monde. C'est ce qui explique qu'à une époque plus tardive, dans le comté de Foix et ailleurs, on ait vu des cathares, poursuivant la clandestinité jusque dans la tombe, faire l'impossible pour que leurs morts soient mis au cimetière catholique. A preuve : le nombre de procès posthumes, suivis d'exhumations, intentés par l'Inquisition. Ces exhumations intolérables, les familles essayaient, par tous les moyens, y compris la corruption des bayles, de les épargner aux défunts. D'autant plus que la découverte d'un hérétique posthume entraînait des sanctions pénales et financières contre sa famille et ses héritiers.

Les Parfaits, plus logiques, recommandaient aux fidèles de ne point s'occuper de leurs corps. M. Yves Dossat cite le cas d'un Parfait dont la dépouille, en 1234, fut remise à un pêcheur pour être jetée dans le Tarn. Beaucoup d'entre eux ont été enterrés — comme les protestants des XVIIe et XVIIIe siècles — dans un lieu désert, dans un jardin, dans la cave de la maison. Ils étaient enveloppés d'un linceul, que les Croyants tenaient à honneur d'offrir. A Montségur, on les déposait dans des grottes, comme à l'époque préhistorique, ou dans des *avens*. M. Niel a cependant relevé quelques exemples d'inhumations dans des cercueils de bois.

Avant 1209, les tombes des Croyants étaient ornées de symboles propres au Catharisme, dans les cimetières catholiques comme dans les cimetières hérétiques. Mais ces emblèmes ont dû être enlevés très tôt par les familles elles-mêmes, ou par les soins de l'Inquisition. A l'époque où l'Église romaine faisait exhumer les hérétiques, il est évident que les fidèles ne tenaient pas à signaler leurs tombes par des stèles de caractère hétérodoxe. Et, sur les sépultures isolées, il n'y avait pas d'ornement ni de nom, pour les mêmes raisons. Comme les cimetières cathares dont nous connaissons approximativement l'emplacement, à Montesquieu (en Lauragais), à Puylaurens, à Lordat, à Labarthe (près de Belflou, Aude), n'ont jamais été fouillés, nous sommes très mal renseignés sur les coutumes funéraires des Croyants : il faudrait pouvoir répertorier le mobilier de leurs tombes, s'il a jamais existé.

De toute façon, les stèles discoïdales, à croix grecque ou à croix de Toulouse, que l'on découvre en assez grand nombre dans les vieux cimetières de l'Aude et des départements voisins, ne peuvent, sauf exception, être attribuées au Catharisme. Elles correspondent à un type de monument funéraire, bien connu dans de nombreuses régions d'Europe, qui a été utilisé, en Occitanie, aussi bien par les catholiques que par les hérétiques. Seules quelques croix « anthropomorphiques », représentant le Christ, bras et jambes écartés, comme un homme vivant, découvertes sur l'emplacement de cimetières hérétiques, ou catholiques, abandonnés bien avant la Croisade, peuvent passer pour cathares.

La rareté des découvertes d'ossements dans les lieux que les cathares ont pourtant beaucoup fréquentés tient, vraisemblablement, au fait que les morts étaient enterrés nus ou recouverts d'un linceul : aucun coffrage de bois ou de pierre ne les a protégés des bêtes, et les coups de pioche des laboureurs les ont dispersés. C'est pourquoi aussi il serait téméraire d'attribuer aux cathares les menus objets : pentagrammes de plomb ou d'argile, méreaux (en plomb également) ornés d'une croix grecque, que l'on trouve souvent à Montségur.

La présence de ces objets de piété (?) n'est nullement exigée par le Catharisme, religion plutôt abstraite et ennemie de la superstition. Mais le culte des morts survit à tous les interdits. Et il est probable que les derniers cathares, peut-être même ceux de la grande époque, ont cédé à la tentation bien compréhensible de mettre, près du cadavre, une médaille ou une croix grecque. Les méreaux de plomb désignaient peut-être les corps de ceux qui avaient reçu le *Consolamentum* des mourants.

CHAPITRE IV

LES FEMMES

Grandes dames et riches bourgeoises

La bourgeoise du XIIIe siècle, dans sa maison urbaine saine et aérée, vivait plus confortablement que la femme du seigneur dans la grosse tour carrée de son château villageois. La pièce voûtée du rez-de-chaussée, où s'ouvrait la boutique, le premier étage, où étaient les chambres, la grande salle plafonnée, ornée de fresques, éclairée de baies géminées, séparées par des colonnettes, ou, plus tard, de grandes fenêtres à meneaux, ont, aujourd'hui encore, beaucoup de charme. On imagine mal, au contraire, comment le château de Cabaret pouvait abriter dignement, vers 1209, l'existence mondaine de Loba de Pennautier, et les fêtes brillantes de Noël et de Pâques, dont les troubadours nous ont laissé le récit. Le vrai luxe était alors bourgeois. Ces élégantes que Matfre Ermengau voyait passer, *traînant derrière elles les longues queues de leurs riches surcots*, et qui, dit-il, *n'avaient jamais assez de capes, de garnaches* [1], *de gonnelles* [2], *de belles fourrures de vair, d'écureuil et de cendal* [3]; *jamais assez de chemises fines ou de chaussures*, nous les connaissons bien :

1. *Ganacha, garnacha :* sorte de manteau.
2. *Gonela,* gonelle : sorte de tunique de dessus.
3. *Cendal :* étoffe de soie.

ce sont les femmes des marchands de Béziers, de Toulouse, de Montpellier. Les nobles dames ne pouvaient pas rivaliser de faste avec elles, et beaucoup, dans la monotonie orgueilleuse de leur vie courtoise, soupiraient après le spectacle toujours divers de la rue, où elles n'avaient jamais le loisir d'errer librement comme ces bourgeoises, *qui montraient leurs seins pour accroître le nombre de leurs adorateurs.*

Elles ne sont jamais assez lavées, ni peintes, ni parées; ni leur chevelure arrangée avec assez d'art, ni assez blondie, ni assez frisée. On a beaucoup vanté la propreté des femmes du Moyen Âge, et pourtant, nous pensons que les châtelaines ne prenaient ni douches ni bains, sauf l'été dans les rivières. Le mois de mai était le mois de l'amour, des entretiens en plein air dans les vergers, des eaux vives. Mais, d'ordinaire, elles ne disposaient, dans leurs forteresses, que d'une petite citerne, vite tarie. Comme leurs lourds vêtements leur cachaient tout le corps, elles se lavaient la figure, les bras et la gorge : cela suffisait. *Ne portez pas les ongles si longs qu'il y paraisse du noir*, leur enseignait Amanieu de Sescas. *Soignez votre visage plus convenablement que tout le reste, parce que c'est ce que l'on regarde le plus.*

Elles se blanchissaient les dents tous les matins. Et elles se fardaient, excessivement. Sans doute en présence de leurs maris et de leurs soupirants, car il n'existe pas un seul château méridional du XIIIe siècle, où l'on puisse situer, par l'imagination, un boudoir de femme; et, dans la chambre conjugale, qui était une sorte de salle commune où le mari recevait ses écuyers et ses amis, elles n'étaient jamais seules bien longtemps. C'est donc en vain que les troubadours leur recommandaient, après Ovide, de ne pas se laisser voir à leur toilette. Le moine de Montaudon prétend, avec sa malveillance habituelle, qu'elles employaient tant de peinture qu'il n'en restait plus pour enluminer les statues des saints. Elles se mettaient du rouge sur les pommettes, du bleu sous les yeux, du safran ou du blanc sur les joues. Safran, narcisse, sarcocolle, bourrache, lait d'ânesse, lait de fèves, poudre d'argent : elles mélangeaient tout cela et en faisaient des fards. Dieu sait à quels autres ingrédients elles avaient recours pour s'embellir et effacer leurs rides! Ces fards ou laits de beauté étaient aussi des astringents qui tendaient la peau, contractaient les tissus. Et ils donnaient — ce qui nous a toujours paru assez contradictoire — un peu d'incontinence d'urine et beaucoup de lasciveté. Mais le moine de Montaudon, qui rapporte ces détails, a sans doute voulu calomnier les parfumeurs.

La vérité, c'est qu'elles étaient fort jolies, quand elles n'étaient point fardées. Les troubadours ne manquent jamais de faire l'éloge de celles qui gardaient leur teint naturel et se trouvaient trop jeunes pour s'enlaidir. Leurs maris et leurs amants, il est vrai, nous les gâtent un peu : ils avaient des poux, et ils les cultivaient, parce que « c'était un signe de bonne santé ». Le soir, sur les hautes terrasses, leurs « dames » les épouillaient tendrement en devisant d'amour : c'est ce qu'on lit du moins sous la plume des scribes de l'Inquisition. Il n'est pas possible qu'il ne passât point quelque pou d'une chevelure à l'autre. Rendons grâce à la poésie qui ne nous montre jamais les femmes du temps passé que dans leur pureté de jeunes fleurs!

La vie de château

Au château, tout le monde s'entassait dans des pièces aux murs très épais, mais relativement petites et mal éclairées. La noble dame couchait avec son mari dans une des salles supérieures du donjon. Tout près, dans la même chambre quelquefois, et séparées du couple par une simple tenture, les donzelles dormaient à deux ou à trois dans le même lit, surtout l'hiver, où il faisait froid dans la tour. Comme un seul escalier à vis desservait les étages — le donjon étant une sorte de maison en hauteur — il y avait toute la journée un va-et-vient d'hommes dans l'étroit couloir. Tout

était ouvert. Entrait qui voulait. Quand le mari était à la
chasse, ou en voyage, ou à la guerre, la sécurité de la dame
n'était assurée que par la présence à côté d'elle de ses servantes. Dans son château, où elle était souvent la seule
femme désirable au milieu de tant de guerriers, elle devenait
l'objet de bien des convoitises, brutales ou respectueuses. A
tout instant pouvait surgir l'intendant osé, le chapelain rusé,
le troubadour astucieux. Il y avait partout des lits où
tomber. Une femme noble raconte aux Inquisiteurs comment
elle fut prise de force par un invité, dans son propre château : son mari était allé faire un tour aux écuries. Elle
ne dit rien, parce que les maris de cette époque s'imaginaient que les femmes ont plaisir à être violées, et que le
sien lui eût donné tort de l'avoir été. Une autre fois, c'est
le chevalier qui descend à pas de loup de son étage, trouve
la porte ouverte, se couche sous le lit de la dame, y entre
dès que la chandelle est éteinte : « Qu'est-ce? — Taisez-
vous, par Dieu, je vous adore! — Comment, rustre, me
taire? » Et la dame de crier, d'éveiller les servantes : « Il y
a un homme dans mon lit! »

L'encombrement de ces salles voûtées, la promiscuité
incroyable qui régnait dans les donjons, expliquent qu'aient
été possibles, et si fréquentes, les charmantes scènes érotiques
dont les troubadours avaient réussi à faire croire à tout le
monde qu'elles étaient rituelles et « courtoises ». Pierre
Vidal trouve un matin sa dame endormie et il lui vole un
baiser : elle ne s'éveille même pas, elle croit que c'est son
mari. Un autre troubadour se cache et épie longuement la
châtelaine en chemise qui joue au chevalier avec une épée
qui était restée sur son lit, et qu'elle brandit gentiment.

Lorsque la dame voulait octroyer à un soupirant la récompense suprême — et platonique — de deux ou trois ans de
patience, et lui dévoiler, enfin, sa beauté nue, rien n'était
plus facile : elle l'invitait à assister à son coucher. Il l'aidait
à se déshabiller, à se déchausser. Voulait-elle lui accorder
plus, l'« épreuve » d'amour, par exemple? Il fallait attendre

qu'il y ait moins de monde au château et trouver quelque endroit un peu retiré. Elle aimait jouer avec le feu, mais au premier manque de respect, elle alertait les donzelles. Si le jeu lui plaisait, tout se passait dans la nuit, les filles prêtant l'oreille.

Troubadours, amants et maris

Les règles de courtoisie tout idéales, édictées par les troubadours, pour leur plaire, ne répondaient nullement à une exigence vertueuse de ces dames, mais à une revendication très légitime de tout leur sexe : elles ne voulaient être forcées ni par leurs maris ni par des amants hâtifs et brutaux. Leur fierté voulait bien consentir à tout, pourvu qu'on y mît de la délicatesse. Les poèmes sont remplis d'histoires de baisers volés qui irritent la dame lorsque le voleur est de basse extraction. Elle lui rappelle alors, en dépit des règles courtoises, qu'il n'est qu'un manant; que, si son mari était moins bête, elle irait tout lui raconter. « Il vous ferait jeter, lui dit-elle, dans une basse-fosse! » Mais comment pourrait-elle empêcher le haut baron de la pincer dans l'escalier étroit, puisque la première fois que le Roi de France vit Flamenca, il lui caressa le sein devant tout le monde, et le mari! A vrai dire, les châtelaines ne refusaient rien aux grands seigneurs, et il était admis, dans les milieux courtois, qu'à fréquenter des barons plus puissants que leurs maris, elles se perdaient d'honneur. Perdues d'honneur, beaucoup devaient l'être, vers 1209 : il leur était si difficile de résister à l'audace de ces hardis chevaliers, à leur *Parage* [1], à leur *Ricor* [2], et surtout à leurs cadeaux somptueux.

Au début du XIIIe siècle, peu de temps avant la Croisade, l'une des plus célèbres dames de la région de Carcassonne, Loba de Pennautier, femme de Jourdain de Cabaret — qui

1. *Parage* : Noblesse, prestige seigneurial.
2. *Ricor* : Richesse, puissance.

s'était séparé d'elle mais l'avait reprise sous la pression de l'Église — était très probablement croyante cathare, si l'on en juge par les opinions que professaient son mari, les amis de son mari et les troubadours qu'elle recevait chez elle. Elle avait fait trois parts de son cœur, le mari n'ayant droit qu'à son corps : le temps qu'elle ne passait pas à remplir ses devoirs d'épouse, de mère et de maîtresse de maison, les hauts barons, les troubadours et les Parfaits se le partageaient.

Les hauts barons, c'étaient Pierre-Rogier de Mirepoix, Bertran de Saissac, Aimeric de Montréal et beaucoup d'autres, tous cathares. Elle s'abandonnait avec eux à la passion la plus réaliste, pourvu qu'ils y missent les formes et se montrassent « généreux ». Car la générosité chevaleresque avait alors deux sens pour les hommes, mais un seul pour les femmes. Le comte de Foix — « le comte roux » — qui était le plus riche, passait aussi pour le plus aimé. On dit qu'il eut d'elle un bâtard : Loup de Foix.

Les troubadours se contentaient de célébrer les charmes de ces dames et s'exaltaient platoniquement à les contempler. Ils étaient chargés de leur procurer le plus possible d'amants princiers : c'étaient des entremetteurs de haut vol. Raimon de Miraval passa ainsi sa vie à célébrer la beauté des nobles femmes de la vicomté : Loba, Azelaïs de Boissezon, pour attirer auprès d'elles le jeune vicomte de Béziers, le comte de Toulouse, le roi d'Aragon.

Elles récompensaient les troubadours en leur reversant avec parcimonie — en ce temps-là c'étaient elles qui faisaient des dons aux poètes — quelques-uns des cadeaux qu'elles avaient reçus; en les faisant bénéficier aussi de menues faveurs érotiques, à l'occasion desquelles se satisfaisait librement leur besoin de dilection, d'égards, de caresses; elles se donnaient le plaisir de mener le jeu, d'humilier enfin, en la personne de ces sigisbées timides et dévoués parce que de basse extraction, les autres hommes : leurs maris et leurs amants chevaleresques qui, sous le masque de la courtoisie, les traitaient à peu près comme ils faisaient leurs montures.

Mais que le troubadour menaçât d'abandonner la dame pour en « servir » une autre, qu'il se mît en tête de « faire valoir » une rivale haïe, aussitôt le ton changeait : il fallait le retenir à tout prix. On lui accordait un baiser, davantage s'il l'exigeait. Un jour, Loba appelle Miraval dans sa chambre : *Miraval, lui dit-elle à travers ses larmes, si jamais j'ai été célébrée au loin et ici même, si j'ai eu réputation de beauté et de courtoisie, c'est à vous que je le dois. Je sais : je ne vous ai pas accordé tout ce que vous vouliez. Ne croyez pas qu'une autre passion m'en ait empêchée* (elle ment effrontément). *J'attendais des circonstances plus favorables, le moment de vous paraître plus chère, pour que votre plaisir en devînt plus précieux. Il y a plus de deux ans et cinq mois* (les dames tenaient registre des délais qu'elles imposaient à l'amour) *que je vous retins en vous donnant un baiser. Or, je vois maintenant que vous ne songez pas à m'abandonner et que vous ne croyez pas un mot des calomnies dont je suis l'objet de la part d'hommes et de femmes qui me haïssent. Puisque vous me défendez si bien contre eux tous, je renonce pour vous à tout autre amour* (elle ment ici plus effrontément encore). *Je me livre entièrement à votre discrétion* (c'était la formule consacrée). *Je vous donne mon cœur et mon corps, pour que vous en disposiez à votre gré. Je vous en prie : continuez à me défendre de votre mieux!* Miraval, tout heureux, ajoute le chroniqueur, reçut le don et obtint de la Louve ce qu'il voulut.

N'exagérons pas, cependant, la liberté amoureuse de ces châtelaines; ne les jugeons pas sur le seul exemple de Loba. Même au temps de Raimon de Miraval, et en dépit de la mauvaise réputation que s'attiraient les jaloux, il y avait des maris féroces qui ne craignaient pas le ridicule et faisaient couper la tête aux amants. Les plus craintives, donc, se contentaient de recevoir, selon le rite, les hommages lyriques de leurs troubadours, et ne cédaient pas aussi facilement que la Louve aux avances des barons trop prodigues. Les troubadours eux-mêmes les rappelaient parfois — en termes cinglants — au respect de l'amour « pur », qui exclut la vénalité. *Celui-là peut entrer le premier qui donne le plus*, écrit méchamment Raimon de Miraval à propos d'Azelaïs de Boissezon... *Ah! faux écu, vous vous laissez fendre si facilement qu'on n'ose plus attendre le coup derrière!* Elles devaient se montrer sensibles à ces blâmes de poètes. D'autre part, les petites cours seigneuriales, souvent assez éloignées les unes des autres, ne réunissaient une nombreuse assistance mondaine qu'à certaines époques de l'année, aux calendes de chaque mois, à Noël, à Pâques, en avril et en mai. Les troubadours ne séjournaient jamais longtemps dans les mêmes châteaux, puisque leur tâche était de faire connaître au loin la beauté qu'ils voulaient honorer. Somme toute, les nobles dames avaient moins d'occasions de pécher que les bourgeoises. La plupart du temps, elles s'ennuyaient à filer la laine ou à s'occuper de leurs enfants. C'est alors peut-être que leur cœur et leur esprit s'ouvraient aux prédications des Bonshommes qui venaient les visiter quand les troubadours étaient partis.

L'amour courtois et le Catharisme

Ce qui étonne, à vrai dire, dans la vie quotidienne des châtelaines du xiiie siècle, comme d'ailleurs dans celle des bourgeoises de Toulouse ou d'Albi vivant presque aussi noblement, c'est que l'amour, plus ou moins idéalisé, et le Catharisme s'y soient conjugués aussi facilement. Les femmes ne pensaient qu'à l'amour et aux mondanités. C'était pour elles une obligation d'être « courtoises ». Comment, lorsqu'elles étaient Croyantes, conciliaient-elles les folies que les poètes leur mettaient en tête avec les graves sermons des Bonshommes, l'*entendensa d'amor* avec l'*entendensa del Ben*? Les troubadours leur répétaient, pour flatter leur « narcissisme », que Dieu avait pris plaisir à façonner lui-même leurs beaux corps; mais les cathares leur disaient

qu'elles avaient en partage la beauté du Diable, qui n'est
que corruption, et non celle de Dieu, qui épure le désir.

Tant qu'elles étaient jeunes, et, à cette époque, elles ne le
restaient pas très longtemps, elles ne s'intéressaient pas plus
au Catharisme qu'au Catholicisme. Presque toutes avaient
été mariées par un prêtre catholique et, selon l'habitude des
hobereaux, elles entendaient la messe le dimanche. Pour
elles, la cérémonie romaine, célébrée par un recteur souvent
gagné au Catharisme, et le sermon dominical du Parfait,
c'était tout un. Les romanciers nous ont décrit bien des fois
la sortie de l'église, les jours de fête; le pittoresque défilé des
dames et des seigneurs, devisant d'amour ou de prouesses,
avant d'aller festoyer. A l'issue du sermon cathare, il y avait
la même animation mondaine. Les Parfaits, les Parfaites, les
veuves, les femmes âgées y mettaient, bien sûr, une note
austère mais, à l'écart, des groupes joyeux de jeunes seigneurs
et de belles dames échangeaient, à voix basse, des propos
galants et futiles. Après un *Consolamentum* ou un *Servicium*
— auxquels elles avaient assisté avec ennui —, plus d'une
devaient se dire que le moment viendrait toujours assez tôt
pour elles de prendre à leur tour la vêture.

Dans le présent, l'affiliation à la secte leur ôtait les derniers
scrupules qu'elles auraient pu avoir en ce qui concerne
l'amour. Les Bonshommes ne leur faisaient pas, à ce sujet,
de bien sévères remontrances. Elles vivaient dans le péché,
puisqu'elles étaient mariées. Pouvaient-elles quitter leurs
maris pour devenir Parfaites, quand elles ne se sentaient
pas la vocation mystique? Que faire, alors, sinon s'abandonner aux charmes de l'amour courtois? Tout acte de chair
est un « adultère », disaient les cathares, mais concubinat
vaut mieux que mariage et amour spirituel plus qu'amour
physique. Comme elles n'étaient point très philosophes, elles
assimilaient volontiers le discrédit jeté par les troubadours
sur le mariage, incompatible avec l'amour courtois, à celui
que les Bonshommes attachaient à tout acte charnel, incompatible avec le salut.

En principe, l'amour courtois n'unissait que les cœurs, mais dans la vie réelle il servait de prétexte à la passion la plus libertine. S'il est incontestable que le XIIIe siècle a créé la notion d'amour « cordial », s'il est probable qu'il a sussité des amants exceptionnels, il est évident que la plupart ce sont contentés d'aimer comme ils pouvaient. D'autant plus qu'aimer était devenu une sorte d'obligation morale : si l'on n'aimait pas, on n'était pas « vertueux ». Le moine de Montaudon raconte qu'au temps *où vivait le comte de Toulouse, un de ses chevaliers, le sire Ugonet, fut surpris avec la femme d'un autre dans la ville de Montpellier, et conduit en présence du comte par les bourgeois. Interrogé à ce sujet, il avoua tout. Le comte lui dit alors : « Comment as-tu osé compromettre ainsi et mon honneur et le tien? » Le chevalier répondit : « Seigneur, ce que j'ai fait, tous vos chevaliers, tous vos écuyers le font. »*

L'émancipation de la femme

Ce sont là des constantes de la nature humaine qui n'ont guère varié avec les époques. Le phénomène social nouveau, c'est que, pour la première fois, deux doctrines — l' « Amour » et le Catharisme — tendaient à libérer la femme en neutralisant la notion de péché charnel. Amour n'est pas péché, mais vertu, disaient les troubadours. Il est toujours péché, disait le Catharisme, mais pas pour les simples Croyants. Les femmes vont profiter de ce double enseignement pour revendiquer le droit d'aimer à leur guise. *Toute dame, voire la plus honnête*, affirme la comtesse de Die, *peut aimer, si elle aime*. Et elles voient désormais dans l'amour ainsi compris le moyen d'affirmer leur indépendance vis-à-vis de la *potestas* masculine. Elles jouent au libre amour « pour faire comme les hommes », et pour se venger aimablement avec les uns de la tyrannie jalouse des autres.

Les *Registres d'Inquisition* nous montrent des femmes

peu prudes et bien décidées, après avoir subi les brutalités
des goujats, à ne plus suivre désormais que leur intérêt ou
leur fantaisie. Béatrice de Planissoles ne résiste plus aux
hommes qui lui plaisent. Une autre jeune femme, Grazida,
que le curé de son village a déflorée quand elle avait treize ans
et qu'il a mariée à un brave homme du nom de Pierre Lizier,
n'a plus la moindre notion du péché d'amour. Ses paroles
font écho à celles de la comtesse de Die, comme la pensée
d'une bergère répond à celle d'une femme de lettres. *En
vous donnant à un prêtre avant d'être mariée,* lui demande
l'Inquisiteur, *et ensuite, alors que vous l'étiez, croyiez-vous
pécher? — Comme à ce moment-là cela me plaisait, et plaisait
à ce curé,* répondit-elle, *je ne croyais pas — et ne crois pas
non plus maintenant — que c'était un péché. Mais aujour-
d'hui, comme cela ne me plaît pas, si j'avais des relations
sexuelles avec lui, je croirais pécher.* Et elle ajoute : *Bien
que toute union charnelle de l'homme et de la femme déplaise
à Dieu, je ne crois pas pourtant qu'ils commettent un péché, si
cela est agréable à l'un et à l'autre.*

C'est un des mérites du livre de M. Koch *(Frauenfrage
und Ketzertum)* d'avoir montré que le libertinage a constitué
pour les femmes, au XIIIe siècle, au même titre que l'ascétisme, mais en sens inverse, une protestation inconsciente
contre l'ordre social, qui les brimait, et surtout contre le
mariage inégalitaire, à direction masculine. Elles n'avaient
le choix, si elles voulaient affirmer leur autonomie, qu'entre
la voie ouverte par les troubadours : valorisation totale de
la liberté amoureuse, assortie de l'idée que l'amour n'est pas
un péché, et la voie conseillée par les Bonshommes : ascétisme et perfection.

Le malheur de la condition féminine tenait en grande
partie au caractère injuste et autoritaire du mariage romain
(tel qu'il existait en fait, car théoriquement, s'il refusait
l'égalité des sexes, il requérait lui aussi l'amour réciproque),
et à l'insécurité à laquelle étaient condamnées les femmes
dans le mariage (contre la volonté de Rome, d'ailleurs) et

hors du mariage. Les plus grandes dames n'y échappaient point. Raimon V (1148-1194) entretenait un véritable harem, et la fidélité n'était pas son fort. Il traitait sa femme, Constance de France, comme la dernière des servantes. Un jour, elle écrivit au Roi son frère (Louis VII) : *J'ai fui de l'hôtel et me suis réfugiée dans la maison d'un chevalier. Je n'avais plus de quoi manger ni de quoi entretenir mes serviteurs. Le comte n'a aucun égard pour moi et ne me fournit rien de son domaine pour ma subsistance.*

Quand pour une raison quelconque, politique le plus souvent, les seigneurs veulent se débarrasser de leurs femmes, ils les persécutent, les malmènent, leur rendent la vie impossible jusqu'à ce qu'elles s'en aillent. Bertrand de Comminges avait déjà répudié deux femmes, lorsqu'il épousa Marie de Montpellier. Il voulut la chasser à son tour. Le Pape le menaça d'excommunication : il fit mine de céder, mais peu de temps après, il obligea la malheureuse à revenir chez elle, et il ne la reprit jamais. Raimon VI (1194-1222) épousa successivement cinq femmes. Il força vraisemblablement la seconde : Béatrice, sœur de Roger II, vicomte de Béziers, à demander le *Consolamentum.* On en vient à soupçonner ces princes de s'être servi du Catharisme pour résoudre leurs difficultés matrimoniales. Raimon-Roger de Foix « autorisa » sa femme Philippa à se séparer de lui pour prendre la vêture : elle se réfugia à Dun, où elle s'entoura d'une petite cour de Parfaits et de Parfaites. Sa décision fut-elle absolument libre? Comme le comte allait souvent la voir à Dun; que, par ailleurs, il avait assisté au *Consolamentum* de sa sœur Esclarmonde, et que son autre sœur était vaudoise, ne le noircissons pas trop! D'autres barons feignaient, au contraire, d'être bons catholiques pour se séparer avec indignation de leurs hérétiques de femmes. Le résultat était le même : elles étaient répudiées. Nous admettons d'ailleurs sans peine que beaucoup de ces dames n'étaient pas fâchées, non plus, de s'éloigner de tels maris infidèles et violents.

Pour les femmes seules, nobles, bourgeoises ou vilaines, un seul refuge : le couvent

Les veuves, surtout, cherchaient dans les couvents cathares un refuge, la sécurité et les égards auxquels elles avaient droit. Les guerres avaient peut-être contribué, comme le pense M. Koch, à en accroître le nombre, et la plupart ne disposant que de faibles ressources, étaient exposées à bien des dangers. Il en était de même des filles nobles qui ne recevaient de la succession paternelle, quand elles avaient plusieurs frères, qu'une part souvent insignifiante et qui, malades parfois ou infirmes, ne retrouvaient de milieu social correspondant à leur rang que dans les communautés, dont elles devenaient parfois les prieures. Le même phénomène s'est produit au xive siècle, en Provence, où la vie était aussi dure aux femmes isolées et sans appui. Veuves, jeunes filles résolues à garder le célibat, bourgeoises, dames de haut rang, entraient dans les Béguinages affiliés à l'Ordre de saint François, pour échapper à la servitude sociale.

Le sort des femmes du peuple était plus malheureux encore. Les ouvrières étaient fort mal payées : les fileuses, par exemple, employées dans les entreprises de tissage, étaient soumises à des conditions de vie si accablantes et si humiliantes qu'elles préféraient, si elles se trouvaient sans autres ressources et sans maris, entrer dans les ateliers cathares annexés aux couvents, dans lesquels elles étaient traitées avec humanité, dans l'égalité requise par la vraie charité chrétienne, et où elles vivaient du travail de leurs mains, sans être exploitées par personne.

Il y avait, certes, des couvents catholiques où elles auraient pu trouver à peu près les mêmes avantages. Saint Dominique le savait bien, qui fonda précisément le couvent de Prouille pour fournir un abri équivalent aux cathares repenties. Mais les femmes choisirent plutôt l'Ordre cathare, tout le temps où il se maintint, parce qu'il assurait l'égalité des sexes et atténuait le caractère injuste de la suprématie patriarcale. Sans doute, la misogynie n'avait pas tout à fait disparu du Catharisme : certains cathares soutenaient que la dernière incarnation de l'âme devait se faire, pour la femme, dans un corps d'homme; d'autres que l'ange Adam était d'un ciel supérieur à celui de l'ange Ève. Mais ces croyances étaient loin d'être générales et le dogme enseignait non seulement que les âmes, asexuées, étaient égales, mais même que les réincarnations changeaient aussi bien les hommes en femmes que les femmes en hommes.

C'est sur le plan de l'activité sociale que les femmes avaient surtout le sentiment de n'être plus traitées en inférieures ou en mineures. Ce à quoi elles aspiraient toutes, sans trop en avoir conscience d'ailleurs, même dans la France du Nord (la comtesse de Montfort assistait parfois aux conseils de guerre tenus par son mari!). Leurs communautés étaient soumises à l'autorité des évêques et des diacres, mais cette autorité était toute morale, sans contrainte ni discipline imposées, et elle s'exerçait également sur les hommes. Les Parfaites ne pouvaient pas accéder aux degrés suprêmes de la hiérarchie, le diaconat et l'épiscopat, mais elles avaient les mêmes droits que les Parfaits et pouvaient conférer le *Consolamentum*. Les Croyants s'inclinaient devant elles et les « adoraient » : elles étaient habitées par l'Esprit, aussi bien que les Bonshommes. Elles eurent même le droit de prêcher, jusqu'au milieu du XIIIe siècle, mais n'en usèrent jamais beaucoup, leur rôle consistant plutôt à s'occuper de l'éducation des filles de famille, à soigner les malades et à faire prospérer leurs petits artisanats.

De la cour d'Amour au martyre

La doctrine érotique des troubadours n'avait libéré que **la Dame** et non point la féminité. L' « Amour » demeurait interdit aux rustres et aux marchands. Et il ne fut jamais qu'un rêve pour la bergère et pour la femme du tisserand.

Au contraire, le Catharisme rapprocha effectivement la noble dame, la bourgeoise, la bergère et la femme de l'artisan, au sein de ces communautés, où elles poursuivaient ensemble, dans l'espoir de réprimer le mal métaphysique, la lutte contre la misère, la maladie, les maux physiques et sociaux. Non seulement elles se sentaient les égales des hommes, mais elles se considéraient aussi comme égales entre elles. C'est donc le Catharisme, beaucoup plus que l'Amour provençal, qui leur a appris qu'elles avaient en commun des intérêts « de sexe », que l'hérésie ne traduisait encore qu'en termes de dualisme religieux. Ce qu'elles avaient à combattre : les inégalités et les souffrances, tout cela, c'était le « Mal-sur-la-terre ». Mais le Principe du Mal, seuls pouvaient le vaincre l'ascèse et le sacrifice personnels : les revendications féminines ne pouvaient donc prendre, au XIIIe siècle, qu'un aspect religieux et mystique.

Nous ne rappellerons pas les vertus admirables dont les femmes ont fait preuve, entre 1209 et 1250, Parfaites et Croyantes. Qui reconnaîtrait en ces martyres les rieuses châtelaines du temps du *Joi?* Que leur mysticisme ait eu, ou non, pour bases des revendications de sexe ou de classe, peu importe. Elles ont montré, par leur sacrifice, que l'Esprit transcende tous ses conditionnements matériels.

En 1300, deux châtelaines du comté de Foix, Alesta de Châteauverdun, et Serena, veuve d'Arnaud de Châteauverdun, sont citées à comparaître devant l'Inquisiteur : elles étaient relapses et se savaient condamnées au bûcher. Elles décident de faire défaut et de fuir. Après avoir passé un long moment devant leurs pots de fards à se peindre au safran, à se mettre du bleu sous les yeux, bref à se donner l'air de moresques, elles vont quitter le château. L'une d'elles avait un enfant qu'elle voulut embrasser avant de partir. L'enfant lui sourit dans son berceau. Elle revient vers lui. L'enfant rit, lui tend les bras : elle a les larmes aux yeux, elle revient encore... Enfin, elle ordonne à la nourrice de l'emmener. Et elle rejoint sa compagne, sans se retourner.

L'histoire ne dit pas comment elles firent le voyage. Avaient-elles loué des chevaux ou des mules? Avaient-elles emprunté la carriole d'un paysan ou d'un marchand? Toujours est-il qu'elles arrivèrent à Toulouse et descendirent dans une auberge. L'hôtesse soupçonna tout de suite que c'étaient des hérétiques : l'appât de la prime promise aux délateurs aiguisait sa clairvoyance. « Je dois aller en ville faire des courses, leur dit-elle. Voici deux poulets vivants. Si vous vouliez bien les apprêter, cela m'avancerait un peu : vous dîneriez plus tôt. » Quand l'hôtesse revint, les deux poulets étaient toujours vivants. « Si vous les tuez, dirent les deux dames, nous les préparerons, mais nous n'avons pas le courage de les tuer nous-mêmes. » L'hôtesse ne dit pas un mot; elle sortit, et revint avec deux sergents de l'Inquisition, qu'elle avait déjà alertés. Les deux femmes lui dirent simplement : « Donnez-nous, s'il vous plaît, un peu d'eau, que nous nous lavions le visage : nous ne voulons pas aller à Dieu ainsi peintes. »

Admirables dames de Châteauverdun! Nous ne connaissons pas dans toute l'Antiquité un trait d'héroïsme féminin aussi franc et « naturel ».

« Moi, j'aurais tué les poulets, dit Béatrice de Planissoles à qui l'on contait cette histoire. — La liberté, répondit le Parfait, c'est l'impossibilité de faire le mal : elles auraient peut-être voulu tuer les poulets, mais elles ne le pouvaient pas. »

CHAPITRE V

GRANDS SEIGNEURS
ET PETITS CHEVALIERS

Insouciance, luxe et poésie

Il fallait, au Moyen Âge, qu'un seigneur fût toujours gai et insouciant : la tristesse était pour les vilains, les soucis pour les marchands. « Sois toujours plaisant et aimable », lui conseillaient les poètes. Au moment de sa mort (1127), le duc d'Aquitaine, Guillaume IX, se faisait gloire d'avoir toujours connu « Joie et liesse ». Cette notion de *Joi* (Joie ou Jeu ?) qui correspondait, pour les troubadours, à une exaltation amoureuse et mystique, se réduisait, chez les barons, à une affectation d'insouciance. Comme le dit la reine de France, dans le roman de *Flamenca : Il convient que la plus grande peine soit en Amour.* La bonne humeur méridionale aidant, ils prenaient l'air enjoué, devant les dames, et plaisantaient quand ils étaient entre hommes : cela s'appelait le *Gab.* Se rendant à Avignon, en pleine guerre de reconquête, Raimon VII (1222-1229), le « Jeune Comte », chevauche avec le troubadour Gui de Cavaillon et quelques chevaliers. De quoi parlent-ils ? « de *Parage*, d'armes, d'amour et de dons ». Ce même Raimon, convoqué un jour à Carcassonne, laisse ses gens aux portes de la ville, puis revient vers eux, l'air terrifié, et leur raconte que l'évêque l'a mis en état d'arrestation. Tout le monde s'enfuit. « Revenez, leur crie-t-il, revenez! c'était pour rire! »

Son père, Raimon VI, avait l'habitude de se moquer de tout, des autres et de lui-même. Une fois, il attendait des chevaliers qui, peut-être avec la même insouciance, avaient oublié l'heure du rendez-vous. « On voit bien que c'est le Diable qui a fait ce monde, murmura-t-il, rien n'y arrive quand il faut. » À son chapelain, avec lequel il jouait aux échecs, il dit un soir : « Le Dieu de Moïse, en qui tu crois, ne te fera pas gagner. Pour moi, j'aime mieux qu'il ne me favorise pas. » Comme l'évêque de Toulouse entrait dans son palais : « Voulez-vous, lui proposa-t-il, que nous allions ensemble au sermon du Bonhomme? »

Peut-être ces grands féodaux s'ennuyaient-ils beaucoup. La plupart de leurs jeux étaient excessifs, comme leur volonté de se distraire « à tout prix » : la prodigalité était leur passion. En 1174 à Beaucaire, Raimon V, comte de Toulouse, donne cent mille sous à Raimon d'Agout, à charge pour lui de les distribuer à dix mille chevaliers. Un riche seigneur veut faire mieux : il fait brûler vingt de ses chevaux devant tous les invités. Comme la cire était alors très chère, le grand luxe, c'était de faire cuire les viandes aux flambeaux. Vers la fin du XIIᵉ siècle, la générosité devint, il est vrai, moins stérile : les troubadours, les jongleurs et les femmes en profitèrent largement. Raimon VI tenait à faire la preuve qu'un grand seigneur ne peut pas se ruiner. A Raimon de Miraval avec lequel il était fort lié — ils s'appelaient l'un l'autre d'un nom de femme : Audiart — il donnait, comme d'ailleurs aux autres troubadours, des chevaux, des vêtements et tout ce dont il avait besoin. La plupart des barons faisaient de même, selon leurs moyens. Il eût été de mauvais ton de ne rien offrir à un troubadour, ne fût-ce qu'un mauvais cheval, un manteau usagé. De plus mauvais ton encore, de ne point faire de cadeaux aux dames qui étaient belles, orgueilleuses, mais souvent pauvres.

L'amour, poétisé, était leur principal souci. Un comte de

Toulouse, un comte de Foix étaient capables de rimer une *cobla* (chanson). La musique et la poésie communiquaient aux plus ignorants une certaine finesse d'esprit, et ils appréciaient en connaisseurs les soirées troubadouresques qui constituaient, alors, les seuls spectacles qu'on pût voir.

Quelquefois, ils se réunissaient, sans les femmes, pour parler d'elles plus librement, comme dans leurs dîners de chasseurs. Mais d'ordinaire, et surtout depuis la fin du XIIᵉ siècle, les dames assistaient aux repas et aux entretiens qui les suivaient. Elles prenaient une part active à la conversation — qui roulait presque toujours sur des sujets amoureux et devenait de ce fait plus conventionnelle et plus courtoise. Après le repas, qui durait fort longtemps, si les hommes ne jouaient pas aux dés ou aux échecs dans la grande salle, ils s'entretenaient avec elles, par couples ou par groupes, d'une façon plus libre quant au fond, mais aussi cérémonieuse quant à la forme. On courtisait moins les jeunes filles que les dames. Tout le monde s'exprimait fort bien, d'une façon contournée et précieuse. Les troubadours chantaient ensuite leurs poèmes et l'on commentait leurs énigmes : *Vaut-il mieux, du corps féminin, la partie supérieure ou la partie inférieure? Laquelle choisiriez-vous?* Ou bien : *Une dame regarde un homme avec amour, elle serre un peu la main d'un autre, presse en riant le pied d'un troisième : quel est celui qui est aimé?* Quelquefois les troubadours imaginaient des intermèdes qui mettaient de l'imprévu dans les beaux soirs d'été. Peire Vidal s'avisa, un jour, de se vêtir d'une peau de loup, en l'honneur de la Louve de Pennautier, et se fit chasser par les chiens dans la montagne de Cabaret. Les bergers et les chiens n'entrèrent que trop dans le jeu, et le malheureux poète ne s'en tira pas sans mal. On le ramena au château tout couvert de plaies, et Loba le soigna tendrement. Tout le monde rit à cette folie, et même le mari, Jourdain de Cabaret. Parmi les invités il y avait, ce soir-là, Pierre-Rogier de Mirepoix, qui devait recevoir le *Consolamentum* à Fanjeaux, et Aimeric de Montréal qui sera pendu, quelques années plus tard, par Simon de Montfort...

La vie dans ces châteaux reculés ne manquait pas de charmes pour les seigneurs et les poètes qui ne faisaient que passer. On y arrivait à la nuit tombante et l'on en repartait à l'aube. Les comtes — et même les rois — ne dédaignaient pas de monter jusqu'à ces nids d'aigles, où de belles jeunes femmes, qu'ils ne connaissaient que par l'éloge que leur en faisaient les troubadours, semblaient toujours les attendre...

La guerre et l'amour

L'oisiveté fait naître l'amour. Les chevaliers avaient réussi à le compliquer assez pour qu'il colorât toute leur vie. Ils aimaient d'esprit et aimaient de corps. Par jeu ils se prêtaient, mais jusqu'à un certain point seulement, aux subtilités de la « Courtoisie », se persuadaient qu'ils étaient capables d'aimer plus « finement » que le vulgaire. L'amour n'était platonique que pour les amants auxquels la dame en imposait par son rang social. Mais un comte de Toulouse ou de Foix disposaient souvent des femmes de leurs vassaux un peu comme de fiefs, moins abusivement, cependant, que le duc d'Aquitaine qui, au siècle précédent, mariait ses maîtresses à des chevaliers, en en conservant l'usufruit : ce contre quoi les troubadours protestaient au nom de la morale courtoise et des humbles amants. Une seule mythologie avait peut-être un sens : celle qui idéalisait la guerre par l'amour et l'amour par la vaillance. Le jeune écuyer qui se battait « pour l'amour de sa dame » devenait réellement plus hardi.

Tous, grands et petits, adoraient la guerre ou son image : la chasse, et les tournois, moins cependant que les barons du Nord de la France. Avant 1209, les chevaliers mettaient leurs châteaux en gage pour jouer à la petite guerre. Après 1209, la vraie guerre acheva de les ruiner. Ils ne cessèrent jamais, par la suite, aventuriers besogneux, de prendre part à tous les soulèvements des princes contre le Roi et l'Église, ou d'organiser eux-mêmes des expéditions armées à partir de Montségur.

Parmi les grands féodaux — dans les armées desquels ils s'enrôlèrent — les plus valeureux, les plus brillants furent sans doute les comtes de Foix : Raimon-Roger (1188-1223) et Roger-Bernard II (1223-1241) et, dans sa jeunesse, Raimon VII de Toulouse. Ils se montrèrent parfois cruels, Raimon-Roger de Foix surtout, dès que l'époque ne fut plus à la douceur. Lorsque Raimon VI, après avoir capturé Baudoin, son frère, qui l'avait trahi, le condamna à mort, le comte de Foix et Bernard de Portella s'offrirent pour le pendre de leurs propres mains.

Les grands seigneurs et le Catharisme

On ne voit pas que le Catharisme ait beaucoup intéressé ces barons : les vicomtes de Carcassonne, le vicomte de Béarn, le comte d'Armagnac, le comte de Comminges et, naturellement, les comtes de Toulouse et de Foix ont tous lutté — plus ou moins — contre Simon de Montfort et, plus tard, contre la Monarchie française et l'Église, mais sans adhérer pour autant à l'hérésie : ils défendaient seulement leurs droits. Peut-être Raimon VI — excommunié très tôt à cause des violences qu'il exerçait contre les églises et les monastères, puis relevé de son excommunication, une première fois, par Innocent III en 1198 — était-il resté Croyant. Mais, comme presque tous les féodaux, que l'on voyait à la fin, gisant sur leurs lits funèbres, revêtus de l'habit de quelque ordre monastique, il s'était fait recevoir, peu de temps avant sa mort, frère de l'Ordre de l'Hôpital de Saint-Jean de Jérusalem. Comme il était excommunié, le Commandeur fit néanmoins jeter son corps dans un jardin abandonné où, par la suite, ses ossements ayant été dispersés, on ne retrouva que son crâne. Son fils, meilleur catho-

lique ou plus mauvais cathare, s'était convaincu de bonne
heure que *personne n'était assez puissant pour abattre Toulouse, sauf l'Église*. On le verra poursuivre toute sa vie, en
même temps que la lutte contre la domination française,
le pieux projet de faire ensevelir son père en terre consacrée.
Même ambiguïté, même double jeu, même prudence chez
les comtes de Foix. Au Concile de Latran (1215), Raimon-
Roger proteste de son attachement à l'Église romaine :
« Je me suis rendu, donné et offert à l'abbaye de Boulbonne,
où j'ai été bien accueilli, où tous mes ancêtres ont été donats
et enterrés. » Il est possible, cependant, que Roger-Bernard II, son fils, ait été secrètement initié à l'Ordre cathare.
Il eut, en tant que vicomte de Castelbon, des démêlés avec
l'Église; mais celle-ci, poursuivant elle-même des desseins
politiques, n'a jamais cru beaucoup à l'hérésie des grands
seigneurs; elle se montra toujours moins redoutable aux
grands qu'aux petits chevaliers désarmés. En 1241, Roger-
Bernard fut déclaré « réconcilié ».

Sceptiques, épicuriens, un peu païens peut-être comme
leurs plus anciens ancêtres, les comtes ne croyaient qu'à la
guerre et à la politique. C'est pourquoi ils n'hésitèrent pas
davantage, au gré des circonstances et de leurs intérêts, à
faire massacrer le légat du Pape, ou les inquisiteurs d'Avignonet, qu'à s'emparer, à Montségur ou ailleurs, d'innocents
Parfaits, qu'ils firent brûler sans remords, simplement pour
prouver leur obéissance à l'Église. Ces princes appartenaient
bien au Prince de ce monde.

Les chevaliers

Il n'en était pas de même des petits chevaliers — voire,
parfois, des bâtards des grands seigneurs — qui montrèrent
toujours plus d'attachement sincère au Catharisme. Loup de
Foix était Croyant : il déclara, un jour, au chevalier d'Orsans
que « les Parfaits étaient bons et qu'il ne fallait pas aller

chercher le salut ailleurs que chez eux ». Les liens qui les
unissaient à l'hérésie étaient souvent d'ordre familial. L'un
d'eux dit, une fois, à Foulque, l'évêque de Toulouse : « Nous
voyons que vous avez de bonnes raisons à opposer aux
Parfaits, mais nous ne pouvons les expulser : nous avons
été élevés avec eux, nous comptons parmi eux des parents,
et nous les voyons vivre honnêtement. » La mère d'Aimeric
de Montréal, Blanche de Laurac, devenue veuve, dirigeait, à
Laurac, une « maison de Parfaites ». Arnaud de Mazerolles,
frère d'Aimeric, avait pour femme une hérétique notoire,
Hélis, petite-fille de Guilhem de Durfort, seigneur de Fanjeaux, poète et Croyant. Toute la petite noblesse du Cabardès, du Lauragais, du Carcassès, était ainsi, à la veille de la
Croisade, impliquée dans l'hérésie.

Les réunions présidées par les Bonshommes — souvent
nobles eux-mêmes — étaient pour les chevaliers autant
d'occasions de prendre contact avec leurs voisins ou avec
leurs suzerains. Vers 1200, le diacre Raimon Bertrand prêchait tous les jours dans le couvent de femmes où était
Mabille, fille de Blanche de Laurac; vers 1204, Bernard-
Othon de Niort, petit-fils de Blanche, vivait dans la demeure
de sa grand-mère : il assistait à ces cérémonies et y rencontrait Aimeric de Montréal, son oncle, Bertrand de Saissac, et
même le comte de Foix. A Montréal, en 1206, Arnaud Guiraud et Bernard Coldefi prêchaient dans les « maisons des
hérétiques » de la ville. L'une de ces maisons était tenue
par Fabrisse de Mazerolles, femme de Bernard de Villeneuve,
et belle-sœur d'Hélis. Elle y recevait toute la chevalerie
locale, les Durfort et les Montréal.

Guilhem de Durfort, dans un *sirventès* où il fait l'éloge de
son ami Gui Cap-de-Porc, nous a laissé un portrait, idéalisé,
du chevalier cathare de sonépoque. Il ne diffère pas beaucoup du chevalier catholique : il a, comme lui, le culte des
valeurs de *Parage* — sans avoir, d'ailleurs, les moyens de se
montrer généreux et prodigue — et celui de l'amour, source
de toutes les vertus. Tout au plus pourrait-on relever dans

ce poème un éloge de la pauvreté — ou plutôt un dédain des richesses — qui se ressent un peu de l'influence cathare. Peut-être aussi une certaine rationalisation de l'amour : *Que le feu d'amour*, dit le poète, *n'étreigne ou ne consume cet homme aimable et sincère que dans une mesure raisonnable!* Mais on y retrouve la même conception de l'amour « pur » qui perfectionne le preux, s'il le tient bien réglé.

Bien entendu, la réalité était tout autre. Le chevalier était aussi inconstant que le baron de haut rang, aussi porté que lui à répudier sa femme et à changer de maîtresse. Raimon de Miraval se sépara de la sienne, Gaudairenca, sous prétexte que « c'était assez d'un poète à la maison » : elle écrivait des « danses ». L'Église qui, quelques années auparavant, avait pu imposer à Jourdain de Cabaret de reprendre Loba, n'avait plus les moyens, maintenant, de s'opposer à ces répudiations. Quand Gaudairenca connut la volonté de son mari, elle fit venir Guillaume Brémon, qui était son amant, et Raimon de Miraval la lui remit. « Il l'emmena et la prit pour femme. » Non seulement le clergé catholique ne parut pas en cette affaire, mais il est probable que c'est un ministre cathare qui maria Brémon et Gaudairenca, sur simple consentement mutuel.

Ces nobles ne mettaient pas toujours beaucoup de logique dans leur vie. Jusqu'en 1209, alors que le double jeu ne les y obligeait pas, ils faisaient des donations, des legs aux églises catholiques, dans le même temps où ils s'inclinaient devant les Bonshommes et confisquaient les dîmes. Certains allaient le matin à la messe romaine, et le soir au sermon cathare. Le dogme ne les intéressait pas beaucoup. Nous ne connaissons qu'un exemple d'arbitrage seigneurial en matière de religion : au début du siècle, des Parfaits demandèrent à Bertran de Saissac s'ils devaient donner le *Consolamentum* à un malade qui ne pouvait plus parler. Il répondit que, pour cette fois, il fallait le lui donner, mais qu'à l'avenir nul ne le recevrait, s'il ne pouvait dire le *Pater*. (La *Convenensa* n'était pas encore en usage.)

Les hobereaux étaient souvent anticléricaux. S'il y avait un curé dans le village, ils le surveillaient de près, surtout s'il était de mœurs relâchées. Raimon et Pierre de Rouvenac tuèrent un jour le recteur du lieu, parce qu'il avait débauché leur mère. Ils allèrent en pénitence voir le Pape, mais toute la famille n'en resta pas moins antiromaine : on trouve des chevaliers de Rouvenac parmi les défenseurs de Montségur. L'un d'eux, Bernat de Rouvenac, fut même poète et, de 1240 à 1280, il ne cessa dans ses *sirventès* enflammés d'appeler les seigneurs méridionaux au combat et à la revanche. Les petits nobles n'ont servi le Catharisme que par les armes, ou, quand ils étaient troubadours, par des appels aux armes.

Ils ne se souvenaient de Dieu et de leur salut que lorsqu'ils rencontraient des Parfaits et qu'ils faisaient devant eux le *Melioramentum*. Comme la plupart des Croyants, ils n'étaient vraiment religieux qu'à l'heure de leur mort, quand ils recevaient le *Consolamentum*.

La période de tolérance : catholiques, cathares et vaudois

Jusqu'en 1209 pourtant, ils mirent tous le plus grand empressement à organiser des conférences contradictoires entre cathares et vaudois, cathares et catholiques. C'est qu'elles mettaient un peu de variété dans leur vie quotidienne et leur offraient plus de nouveauté que les récitations des troubadours. Nous sommes mal renseignés sur les conférences de ce genre qui se sont tenues au début du siècle. Pierre II, roi d'Aragon, en présida une, en 1204, à Carcassonne, qui mit aux prises l'évêque cathare Bernard de Simorre et les Parfaits, avec les légats Pierre de Castelnau et frère Raoul. Il y avait, paraît-il, treize catholiques contre treize cathares. On ne connaît pas la décision des arbitres qui, probablement, étant donné les temps et le lieu, fut favorable aux cathares.

Ces réunions contradictoires sont tout à l'honneur de l'esprit de tolérance des Méridionaux. Que la majorité fût catholique ou hérétique, tout se déroulait dans l'ordre le plus strict, sans obstruction. Des arbitres étaient désignés par l'assemblée, qui donnaient raison à un parti ou à l'autre.

En 1206, saint Dominique rencontra à Servian le Parfait Thierry, de Nevers, ancien chanoine passé au Catharisme. La conférence avait été décidée par le seigneur de la ville, acquis à l'hérésie. Le débat dut être passionnant, étant donné la personnalité exceptionnelle des deux adversaires. Pierre des Vaux-de-Cernay rapporte que les auditeurs, convaincus par l'éloquence de saint Dominique, auraient volontiers chassé les hérétiques, mais que le seigneur les en empêcha. Nous n'avons point — il est vrai — la version cathare de l'incident.

Une conférence plus célèbre est celle qui se tint en 1207, à Pamiers, dans la grande salle du château que le comte de Foix avait mise à la disposition des orateurs. Il y avait là saint Dominique, Foulque, évêque de Toulouse; l'évêque d'Osma, Navarre, évêque de Saint-Lizier, des vaudois et quelques cathares. La sœur du comte de Foix, Esclarmonde, assistait aux débats. Ayant voulu placer un mot, elle s'attira aussitôt cette rebuffade misogyne du frère Étienne de la Miséricorde : « Dame, allez donc filer votre quenouille; il ne vous appartient pas de prendre la parole dans une assemblée comme celle-ci. » La conférence de Pamiers fut un succès pour les catholiques, puisque l'arbitre, Arnaud de Crampagnac, clerc séculier, plutôt favorable aux vaudois, y donna tort à ses coreligionnaires et même se convertit au catholicisme, en même temps que Durand de Osca et un groupe assez important de « Pauvres de Lyon ».

La conférence contradictoire de Fanjeaux est entrée dans la légende. Qu'on se représente la grande salle du château de Guilhem de Durfort — c'est aujourd'hui un couvent de dominicaines — remplie d'une nombreuse assistance de barons et de dames. Guilhem, entouré des coseigneurs de

Fanjeaux, préside la séance. Les adversaires ont, selon la coutume, résumé leurs arguments dans des livrets ou *libelli*. Guilhabert de Castres et saint Dominique défendent leur foi, chacun selon son style, l'un plus dialecticien, l'autre plus véhément. Les arbitres imposent silence, quand s'élève le moindre murmure dans la salle; mais les auditeurs sont courtois. Et comme ils sont rompus à la casuistique d'amour, ils écoutent avec intérêt ces deux mystiques parler d'un autre Amour qui est le même pour tous, et pourtant les divise. Ils jugent en connaisseurs, moins intéressés cependant par les idées que par la façon dont elles sont soutenues.

Aucun des deux ne réussit à convaincre l'autre. Les arbitres sont incapables de désigner le vainqueur. Ils décident de s'en remettre au jugement de Dieu, et de jeter dans le feu, qui resplendit dans la cheminée, le libelle cathare et le libelle catholique. Dieu empêchera que le livre de Vérité ne soit brûlé. Alors, devant saint Dominique en prières, devant les Parfaits consternés, Dieu accomplit le miracle que Fra Angelico a rendu célèbre dans toute la chrétienté : le livret cathare est consumé aussitôt, le livret catholique rejaillit intact des flammes par trois fois et, à la dernière, va frapper au plafond une poutre qui, elle, est brûlée par un feu sans doute immatériel (on peut la voir encore dans l'église de Fanjeaux).

Il est probable que la conférence fut plus favorable aux cathares que la tradition catholique ne le rapporte. Le recours, imaginaire ou réel, à l'ordalie du feu cache sinon un échec de saint Dominique, du moins une sorte de partie nulle... Mais le procès-verbal cathare n'a pas été conservé.

Les seigneurs et les dames qui, en 1207, avaient assisté à cette rencontre mémorable ne devaient pas se rappeler sans mélancolie, quelques années plus tard, les jours heureux où, dans leurs châteaux, les affrontements de ce genre prenaient un tour si pacifique qu'ils avaient l'air de récits tirés de la *Légende dorée*... Saint Dominique, parcourant inlassablement les campagnes de Carcassonne et de Fanjeaux, soulevait alors la poussière des chemins. C'était le temps où l'on voyait les « ensandalés », des vaudois convertis, marchant deux par deux, pénétrer à la nuit tombante dans les villages, et prêcher devant les paysans accourus sous l'orme. Mais la croisade « spirituelle » avait échoué : les cathares mettaient partout en place leur propre clergé et répondaient à ces prédications par une propagande plus efficace.

CHAPITRE VI

LES BOURGEOIS

Richesse et puissance des cités

La bourgeoisie languedocienne, riche et puissante, avait réussi au siècle précédent à conquérir libertés et privilèges — à Moissac, par exemple, dès 1130 — et surtout à imposer aux seigneurs, le plus souvent de façon pacifique, des institutions consulaires : à Béziers, en 1131; à Toulouse, en 1144-1173. Ces Consulats, émanant de la bourgeoisie et non du « peuple », se donnaient pour tâche de diminuer les entraves de toutes sortes que les exigences des seigneurs apportaient au commerce. C'était l'époque où les agents seigneuriaux arrêtaient les marchands au passage et ouvraient leurs ballots jusqu'à trois fois dans la même ville pour leur faire payer la leude. Si la liberté n'était guère en ce temps-là que la liberté de trafiquer, elle prenait, cependant, par la force des choses, un caractère politique : les Consuls, en défendant les bourgeois contre l'arbitraire seigneurial, garantissaient à tous les citoyens quelques droits essentiels et, en règle générale, la sécurité personnelle. Ils encouragèrent la création de ligues — ou *amistansas* — dont l'action dépassait le cadre des intérêts purement commerciaux et aboutissait à faire régner plus de justice dans les rapports sociaux. C'est ainsi qu'à Narbonne, il se constitua, au XIIIe siècle, une *amistansa*

de ce genre, sorte de syndicat, dont les membres se promet-
taient secours les uns aux autres et juraient de défendre les
droits de la ville et du bourg, *de façon à ce que justice soit
faite à chacun, tant au pauvre qu'au riche.* On constate alors
un certain progrès de la conscience morale qui s'étend à
tous les domaines : Narbonne, par exemple, fut la première
ville maritime à proclamer le principe de la protection des
naufragés.

Les « bourgeois-gentilshommes »

Les bourgeois du XIIIᵉ siècle sont ou bien des marchands en train de s'enrichir ou des capitalistes qui, fortune
faite, font travailler d'autres marchands sous leurs ordres.
Comme l'Église leur interdit le prêt à intérêts, beaucoup
essaient de devenir des seigneurs : ils échangent l'or de leurs
coffres contre des biens fonciers, nobles ou roturiers; ils
possèdent des maisons en ville et des propriétés dans la zone
suburbaine. Quand ils ne peuvent acheter la terre, *ils achètent
le bénéfice et s'intercalent entre le tenancier et le seigneur*
(H. Richardot). Ils deviennent ainsi des *domini* et se ménagent
des revenus faibles, mais sûrs. Pendant tout le début du
siècle, ils font ainsi servir leur richesse, gagnée par le trafic,
à se donner le même genre de vie que les petits seigneurs
qui, n'exploitant pas directement leurs terres, n'ont comme
revenus que ceux des censives et des droits seigneuriaux.
La seule innovation du capitalisme naissant, c'est que les
bénéfices « féodaux » commencent à se négocier et à circuler
comme nos valeurs mobilières.

Souvent, ces bourgeois cèdent à la tentation de vivre tout
à fait comme les nobles, dont, avant la Croisade de 1209,
ils ne se distinguaient pratiquement plus. Portant l'épée ou
la dague, vêtus aussi somptueusement que les chevaliers,
ils passent leur temps à la chasse ou dans les réunions mon-
daines. Au dire du troubadour Arnaut de Mareuil, *ils savent le*

domney, c'est-à-dire l'art de courtiser les dames selon les lois d'amour. Ils ont, en effet, le loisir de leur faire la cour en vers — car ils sont quelquefois poètes — et les moyens de se ruiner pour elles comme les barons prodigues. Mais ces « bourgeois-gentilshommes », qui ont abandonné le mercantilisme et dont les placements sont de faible rapport, dévorent vite leur capital. Matfre Ermengau décrit ainsi, vers 1280, les survivants de cette première bourgeoisie occitane que la Croisade avait frappée aussi durement que la noblesse, et qui paraissait maintenant en pleine décadence : *Ces bourgeois désœuvrés* — il s'agit de ceux de Béziers, enrichis par le commerce des vins — *orgueilleux de leurs grands domaines qui leur permettent de vivre de leurs rentes sans rien faire d'autre, passent toute la journée assis sur la place, ou bien s'en vont chasser à la campagne... Ils ne sont capables que de se ruiner : l'oisiveté les mène au péché et au précipice, d'autant plus vite qu'ils sont plus amateurs de femmes* (le *domney* était devenu pour eux très réaliste); *ils sont en train de redescendre la pente. Et ils crèvent d'envie quand ils voient les marchands faire leur chemin...*

Prêteurs et usuriers

Matfre Ermengau a raison : en 1250, les vrais bourgeois ce sont les marchands en activité. Raimon de Cornet, au début du XIV⁰ siècle, ne connaît plus, en fait de bourgeois, que ces hommes d'affaires qui font argent de tout et de l'argent lui-même, et se gardent bien de trop tabler sur les maigres revenus des terres et des fiefs. S'ils en acquièrent, c'est par un reste de vanité ou parce que la prudence leur conseille « de ne pas mettre tous leurs œufs dans le même panier ». Ils n'ont plus envie de jouer aux seigneurs; ils laissent les poètes mépriser leur mercantilisme et les dames le railler : « Il est ridicule — n'est-ce pas? — de parler d'amour le dimanche, quand on a tenu boutique toute la

semaine! » Plus humbles et plus économes que leurs devan-
ciers, ils accumulent des richesses (beaux vêtements, fourrures, meubles, coffres, vaisselle), mais ils les cachent, ou ne
les étalent qu'à l'intérieur de leurs somptueux palais; accep-
tant même que les Consuls — qu'ils élisent — limitent par
des lois somptuaires le luxe vestimentaire de leurs femmes :
« Il serait maladroit, disent-ils, d'indisposer les nobles peu
fortunés, qui empruntent pour être nos clients! » Ces marchands, qui font des bénéfices de 100 pour 100 — il est vrai
que le commerce comportait alors d'énormes risques — qui
vendent un œuf au double, comme dit Raimon de Cornet, font
aussi l'usure : *Ils boivent le pauvre. Chaque jour, ils lui
prennent un peu de son bien, jusqu'au moment où ils lui disent :
tout est à moi, l'étame et la trame.* Ce sont eux qui, après avoir
prêté *a manleu* (emprunt) aux hobereaux, déjà ruinés et que
démange encore l'envie de partir en guerre, finissent par
prendre leurs châteaux en gage. Comment pourraient-ils
accroître leur fortune, sinon en pratiquant l'usure — dont
l'Église fait un péché, mais dont les chanoines font leur
profit (*Canorgue... per prestar a renou* [1], dit Peire Cardenal)?

Pourtant on constate, de 1250 à 1280, au sein de la bourgeoisie des grandes villes commerçantes et surtout dans
celle des ports, une sorte d'évolution vers la générosité.
Plus instruits, plus moraux peut-être, beaucoup de ces gros
spéculateurs rêvent de concilier à nouveau leur activité mercantile avec une existence plus libérale. Le goût de la
liberté les ennoblit. S'emparer de la cabane d'un pauvre
laboureur, après l'avoir réduit à la misère par l'usure, ne les
intéresse plus beaucoup, leur paraît indigne d'eux. Ce qu'ils
veulent, c'est pouvoir investir leurs bénéfices dans d'honnêtes prêts commerciaux ou « nautiques » et le cas échéant,
s'ils ont besoin d'un surcroît de capitaux pour réaliser une
grosse affaire, pouvoir aussi emprunter à un taux normal

---

1. « Si Dieu veut que les moines noirs (bénédictins de Cluny) soient sauvés pour trop manger et entretenir des femmes..., *les chanoines, pour prêter à
usure*, etc. » (*Mon chantar vueil retraire al cuminal*, 25-32).

sans être gênés par les lois qui répriment l'usure. Or, l'Église ne faisait aucune différence entre le *prest* à 20 pour 100 et le *renou* 100 pour 100, entre le prêt de commerce [1] qui est une forme de coopération, et l'usure qui est une forme du vol : comment ne seraient-ils pas devenus, au moment où les nobles eux-mêmes prenaient les armes contre l'Église, de farouches anticléricaux, des cathares sans le savoir? Ils voulaient bien renoncer — ceux du moins qui étaient de bons chrétiens — au *renou*, mais non point au *prest*, qui était la condition même de ce qui commençait à devenir le grand commerce; le plus clair de leur activité se passant à emprunter et à prêter.

Armateurs et négociants

Le bourgeois dont nous parlons vit noblement dans son hôtel. Il fait voyager pour lui des marchands auxquels il prête de l'argent ou qu'il paie. Tandis que ces marchands sont toujours à cheval sur les routes, exposés aux tracasseries des seigneurs et aux vexations des routiers ou, sur leurs navires, aux dangers de la mer, le bourgeois ne quitte la ville qu'à certaines époques de l'année pour aller visiter les principaux centres commerciaux, les marchés de Barcelone, les foires de Champagne, de Beaucaire ou de Saint-Gilles, se mettre en rapport avec les négociants étrangers. Le reste du temps, il dirige, sans sortir de ses bureaux, ses nonces et ses commis, reçoit les commandes, surveille les expéditions, attend les visiteurs...

C'est dans les ports : Narbonne, Saint-Gilles, Montpellier, que s'édifient les fortunes les plus considérables et que les Consulats ont le plus de puissance et de liberté. Les bourgeois de Narbonne trafiquent de toutes choses : ils achètent,

---

1. Peire Cardenal trouve excessif l'intérêt de 33 pour 100 exigé par certains prêteurs « qui veulent recouvrer, dit-il, quatre pour trois » (*A totas parts vei mescl'ab avaresa*; str. 4, 32).

à Alexandrie, le lin, le coton, les étoffes de luxe, les soieries, l'indigo; ils y vendent la cire, le safran de Catalogne, les vins et les draps. On voit s'accumuler sur les quais des ports toutes les productions du pays et de l'arrière-pays : le miel, l'huile, le vin, le blé, que l'on exporte au loin; à Narbonne, les draps locaux, fort réputés, et ceux des fabriques de l'intérieur, qui sont expédiés vers l'Italie. On peut s'y approvisionner en épices de toute nature : safran, cannelle, poivre, girofle, séné, gingembre confit. L'abbé de Saint-Gilles envoie un jour au Roi un assortiment d'épices fort rares à l'époque : du sumac, trois livres de cannelle et de cardamome, une livre de girofle, de muscade, de nard celtique et de cubèbe. C'est dans ces ports également, à Narbonne, à Montpellier, que l'on se procure l'encens, le sucre en poudre et le sucre en pain; les cuirs, les fourrures — celles qu'on importe et celles qu'on exporte : agneau, lapin, écureuil, vair, belette, chat, renard —; la soie et le cendal; les métaux, or, cuivre, étain, laiton; les bois, les mâts des navires, les poutres; les animaux : chevaux, mulets du Roussillon, chèvres... On y trouve même des esclaves sarrasins et sarrasines qui ne coûtent pas très cher : quinze livres : le quart d'un cheval, la moitié d'un mulet.

Naturellement les villes de l'intérieur, Carcassonne, Béziers, Albi, Nîmes, Toulouse bénéficient de l'apport maritime; les revendeurs y prospèrent; et l'industrie drapière, le commerce des vins y font la fortune des bourgeois et des marchands. Un tel mouvement d'affaires donne à quelques familles « patriciennes » une influence à quoi rien ne s'oppose : elles dominent la cité. En 1244, un certain Ramon Seraller, de Narbonne, fait le commerce des grains sur la place de Gênes. Ses héritiers finissent par tenir banque et comptoirs ouverts. Les Doria, de Gênes, étaient, paraît-il, originaires de Narbonne, tandis que Foulque, l'évêque de Toulouse, est le fils de riches commerçants génois établis à Marseille. Des sortes de pactes unissent entre eux les ports occitans. Des traités d'amitié les lient aux ports italiens :

Gênes, Pise. A Narbonne, les bourgeois sont assez puissants pour imposer leur politique et conclure avec Gênes, en 1166, un traité commercial. Saint-Gilles avait noué des relations du même genre avec Gênes, Pise et la Sicile. A Narbonne, en face du palais des vicomtes, s'élevait, comme un symbole de la domination bourgeoise, le vaste et orgueilleux portique de la *Place dels Borzès*, où les riches spéculateurs se réunissaient pour traiter de leurs affaires ou s'instruire du cours des marchandises. C'était la « bourse » de Narbonne. Dans presque toutes les villes commerçantes, il y avait ainsi une « bourse », où les bourgeois passaient de longues heures à discuter, en compagnie parfois d'hérétiques, qui leur apportaient des nouvelles fraîches de Lombardie...

L'influence du Catharisme

Les rapports entre le commerce et l'hérésie n'étaient point seulement théoriques. Cathares et bourgeois fréquentaient les mêmes marchés, les mêmes foires. Par goût, ou pour échapper aux poursuites de l'Inquisition, les Croyants se livraient eux aussi au commerce et étaient en contact fréquent avec les marchands. Les Parfaits se faisaient, à l'occasion, colporteurs, merciers ambulants, revendeurs... Même quand ils n'étaient pas perméables à leur propagande, les bourgeois étaient flattés de voir leur activité mercantile recevoir la caution du christianisme le plus épuré. L'honnêteté commerciale des cathares faisait leur admiration, ainsi que leur science de comptables. Mais surtout, aux idées nouvelles qui étaient dans l'air, en ce qui concernait le libre usage de l'argent, les Cathares, au hasard de conversations tenues sur la place, apportaient la confirmation d'autorités scripturaires. C'est pourquoi, peut-être, les bourgeois de Toulouse, de Marseille, d'Avignon n'ont jamais pu considérer les marchands cathares comme des ennemis; encore moins, quand la guerre leur fit un devoir de demeurer fidèles à leur comte légitime. Et on sait avec quel courage, avec quel dévouement, avec quelle férocité parfois, ils combattirent pour Raimon VII. Il en avait été toujours ainsi, même dans les villes très catholiques comme Narbonne où, en 1212, Simon de Montfort n'avait réussi à lever que trois cents hommes, qui d'ailleurs refusèrent de se battre et rentrèrent chez eux. Et il en sera ainsi jusqu'à la fin : en 1275, le vicomte de Narbonne, poussé par ses bourgeois, essaiera de faire passer la ville sous le protectorat du roi de Castille; en 1304, les bourgeois de Carcassonne offriront la vicomté à Fernand, fils du roi de Majorque.

C'est que les bourgeois de Carcassonne, de Narbonne, de Toulouse, en 1230 comme en 1280, n'acceptaient ni la tyrannie de l'Inquisition ni la doctrine officielle de l'Église en matière de *prest* et de *renou*. Ils ne croyaient plus pécher en vendant de l'argent. Le Catharisme avait contribué à leur faire comprendre qu'il y a une différence « morale » entre l'usure — telle que la pratiquaient certains Juifs, certains Lombards et certains catholiques — et le prêt de commerce « qui ne fait pas de victimes » et profite également aux deux parties. La propagande cathare rappelait des textes scripturaires qui rassuraient la conscience des bourgeois : *Donnez à celui qui vous demande et n'éconduisez pas celui qui veut emprunter de vous;* et surtout les versets de l'Évangile de Matthieu, où le père de famille reproche à son serviteur *de n'avoir pas mis son argent chez les banquiers pour en tirer du moins l'intérêt, puisqu'il n'a pas l'habileté de l'employer dans le commerce* (Matthieu XXV, 27). Peut-être, à Narbonne, les bourgeois avaient-ils entendu parler aussi de la loi des Juifs qui leur interdisait de prêter à intérêt à leurs concitoyens malheureux, mais non point à ceux qui avaient de la fortune. Les cathares avaient dû au moins leur mettre sous les yeux un texte célèbre où saint Jean Chrysostome fait la même distinction qu'eux entre les deux « usures » : *Si vous avez placé une somme à charge d'intérêts, entre les mains d'un homme* solvable, *sans doute que vous aimeriez mieux laisser à votre fils une bonne rente ainsi bien assurée que de lui laisser l'argent dans un coffre avec l'embarras de le placer lui-même?*

Les Croyants donnaient le bon exemple : un cathare occitan, Pierre de Bauville, prête en Italie, pour lui rendre service, cent livres impériales à un autre cathare en exil, qui, aussitôt, en gagne deux cents, rembourse cinquante livres d'intérêt et se retrouve avec cinquante livres disponibles pour de nouveaux achats. Personne ne considérait, à cette époque-là, qu'il fût plus malhonnête de céder de l'argent à celui qui s'entendait à le faire fructifier, que de revendre une marchandise avec un bénéfice de 100 pour 100 (« l'œuf vendu au double », dont parle Raimon de Cornet). Même si l'on trouve le taux de l'intérêt excessif, on doit reconnaître qu'il est en rapport avec le bénéfice et que, de toute façon, compte tenu des risques que couraient les marchands, surtout sur mer, il n'y avait que des gagnants à cette opération. Un jeune marchand entreprenant pouvait, s'il n'avait pas trop de malchance, rembourser facilement la somme prêtée et les intérêts.

Un riche bourgeois de Narbonne acquis depuis longtemps, sinon au Catharisme, du moins au nouveau système économique, confie à un marin ou à un marchand avisé, un fonds en argent ou en marchandises, et le charge de le convertir, par troc ou par vente, en d'autres marchandises et d'opérer de même sur le produit, par plusieurs négociations successives, dans chacune des étapes que le navire va parcourir, avec une part d'intérêt et souvent à profit commun. Excellent exemple d'une coopération fructueuse qui, si le navire n'était pas pris par les pirates ou englouti par la tempête, enrichissait le marchand mercenaire. *Il en résultait*, comme le note C. Port, *un fonds courant, inconnu du marchand lui-même, qui lui revenait souvent à l'heure de sa ruine.*

Les bourgeois capitalistes et les cathares face à l'Église et à l'Inquisition

L'Église, dont la doctrine allait contre la notion même de profit, autre que le « profit » féodal, et qui était hostile aux opérations financières de ce genre, n'avait jamais pu empêcher les marchands de les pratiquer, surtout dans le commerce maritime, mais elle gênait, sans nul doute, les placements légitimes du petit commerce et des petites gens. Un artisan de Toulouse avait économisé trois cents livres. Il voulut louer une modeste maison. Le propriétaire de cette maison, qui était Croyant, lui dit : « Mon ami, je vous donnerai volontiers cette maison, mais j'apprends que vous avez trois cents livres qui ne vous servent de rien. Je les prendrai, si vous voulez, à titre d'emprunt, et vous en retirerez un intérêt qui paiera votre loyer. Ainsi vous serez bien logé sans débourser un sou. Pensez-y et me remettez réponse au plus tôt. » L'artisan, resté catholique, alla consulter le curé de son village qui lui représenta que le contrat projeté contenait une usure marquée et qu'il devait refuser de le signer !

A l'époque où l'Inquisition confisquait leurs immeubles, les cathares n'avaient nul besoin de châteaux, de maisons et de terres : ils ne voulaient que de l'argent liquide qui leur permît de faire face aux dépenses de leur Église, à l'entretien des Parfaits, et de distribuer des secours aux pauvres, aux malades, aux prisonniers, aux exilés : bref, de l'argent directement utilisable et exportable. S'ils faisaient fructifier les « dépôts », ce n'était jamais pour eux-mêmes. Dans un article récent, un historien du Catharisme parle encore de l'usure et de « ses victimes ». On ne voit nulle part que l'« usure » cathare ait fait des victimes. Les docteurs catholiques du XIIIe siècle ne reprochent pas aux Parfaits de ruiner leurs Croyants : ils leur reprocheraient plutôt de les enrichir, de supprimer les « pauvres » si nécessaires à la gloire de

Dieu. Dans la *Nouvelle de l'Hérétique* (pamphlet catholique), le « Parfait » Sicard de Figueiras, inventé pour les besoins de la cause, déclare : *J'ai beaucoup d'amis riches et comblés de tout. Aucun d'eux n'a de cesse qu'il ne m'ait confié tout l'argent qu'il possède. De ces avoirs, de ces dépôts* (comandas), *je suis largement pourvu. Et je suis d'avis que* tous nos croyants *en ont un bon capital.* C'est à croire que le Catharisme les avait tous enrichis!

Les Parfaits, qui revenaient de Lombardie camouflés en commerçants, en ramenaient des marchandises. En voici un qui arrive à Pexiora avec ses ballots. Il propose à un certain Jean Pagès de lui vendre trente milliers d'aiguilles pour six livres de Melgueil [1]. Pagès les achète, mais il ne peut pas payer cette somme tout de suite. Peu importe, il demande au diacre cathare de lui servir de caution. Nouvel exemple d'entraide économique, de caractère religieux ici, dont les temps nouveaux allaient régulariser et commercialiser l'usage.

Il n'est pas impossible que la bourgeoisie — plutôt indélicate au début du siècle : les créanciers oubliaient de donner quittance ou gardaient par-devers eux les preuves des dettes payées — ait appris du Catharisme que le « Système » ne pouvait fonctionner que dans une honnêteté scrupuleuse. On sait que les Parfaits tenaient registre des sommes mises en dépôt chez eux et de celles qu'ils prêtaient. Un hérétique voit, un jour, un certain Raimon tirer de sa bourse quelques livres et les remettre à un certain Didier. C'était de l'argent qui lui avait été confié en dépôt par le père de ce Didier, et dont personne ne se souvenait plus. On trouve, dans les *Registres d'Inquisition*, de nombreux exemples de cette probité, qui s'explique d'ailleurs fort bien, puisque les prêteurs étaient des « spirituels » craignant le péché. Mais le fait nouveau, précisément, c'est cette alliance conclue entre le commerce et l'hérésie, dont le commerce sortait *innocenté*.

---

1. Monnaies frappées dans le comté de Melgueil tenu par l'évêque de Maguelonne : elles avaient cours dans la Provence et le Languedoc.

Ajoutons — ce qui suffit à laver les cathares de toute accusation d'usure — qu'ils faisaient remise des intérêts à ceux
qui ne pouvaient absolument pas les payer, ne leur demandant en échange que d'être fidèles à la secte. Le seul recours
qu'ils eussent, au demeurant, contre les débiteurs de mauvaise foi, était de leur refuser le *Consolamentum*. Et ils ne le
refusaient jamais aux Croyants réellement dépourvus de
toutes ressources.

Les bourgeois des années 1260-1280 étaient placés exactement et objectivement dans les mêmes conditions que les
cathares. Quand les juges de l'Inquisition, l'évêque, le Roi,
ne s'étaient pas enrichis de leurs dépouilles, ils ne savaient
où mettre à l'abri le peu d'argent qui leur restait, et encore
moins comment le convertir en rentes. Il n'était plus question pour eux de s'emparer à vil prix de la terre du paysan,
ni de pratiquer *l'usure-troc*, comme au temps où les usuriers
de Cahors, les Salvanhic, prêtaient à Simon de Montfort
l'argent nécessaire au financement de la Croisade, à charge
pour lui de leur remettre le fruit du pillage : étoffes, vin,
froment : tout le butin pris à Lavaur. Ce qu'ils revendi-
quaient, c'était simplement la suppression de toutes les
entraves apportées à la liberté commerciale, par les seigneurs,
et au commerce de l'argent, par l'Église romaine. Il n'est
pas étonnant qu'ils soient entrés, nombreux, dans le parti
cathare clandestin, et qu'ils aient conspiré contre l'Inquisition et contre le Roi, jusqu'à ce que le Roi lui-même leur ait
donné, en partie, satisfaction. Il est très significatif que
l'ordonnance de Philippe le Bel de 1311 autorise le créancier
à exiger, au-delà du principal qui lui est dû, un intérêt
compensatoire du prêt. Par cela même, le Roi rendait légal
les prêts de commerce. L'intérêt était de quatre deniers par
mois ou quatre sous par an, pour une livre. Cela faisait
20 pour 100 par année, que l'on réduisait, il est vrai, à
15 pour 100 pendant la période des foires de Champagne,
pour permettre précisément aux commerçants de faire de
gros achats.

Sans doute, tant que la Féodalité subsistera, les bourgeois seront tentés de placer *aussi* de l'argent sur des seigneuries. Cela durera jusqu'en 1789. Mais de plus en plus, ils se serviront de l'argent comme d'une puissance indépendante et non plus seulement comme d'un prétexte à jouer les bourgeois-gentilshommes. Ce qui aura pour effet, naturellement, d'accentuer l'antagonisme de fait qui oppose en essence les valeurs bourgeoises aux valeurs féodales.

La liberté du commerce

En condamnant l'usure sordide, l'Église s'était montrée charitable; en interdisant ou en déconseillant les prêts de commerce, elle allait à contresens du mouvement économique. Le Catharisme intervient juste au moment où apparaissent les premières manifestations du capitalisme : la première lettre de change (15 février 1200, tirée sur Marseille), les premières sociétés par actions [1], les premiers essais de transformation de « bénéfices » féodaux en valeurs négociables... Les circonstances ont voulu qu'il fît lui-même l'essai, pour ses besoins propres, de l'économie nouvelle qui s'annonçait.

Il est donc vain de se demander, comme le font certains néo-marxistes, si les usuriers, exploiteurs, étaient des bourgeois catholiques, et leurs « victimes », des cathares..., si les actionnaires des Moulins du Bazacle (Toulouse) étaient des catholiques, exploiteurs, et les consommateurs, des cathares exploités. Cela n'a absolument aucun sens. Les usuriers sordides, qu'ils fussent Juifs, Lombards ou catholiques, étaient de malhonnêtes gens, mais sûrement pas ces bourgeois. La charité chrétienne, la morale cathare, les

---

1. Par exemple : celle des Moulins du château de Toulouse (Bazacle), dont l'équipement avait été financé au moyen de « parts » négociables. Les actions s'appelaient *uchau*. Les bénéfices étaient répartis entre les actionnaires sous forme de grains.

intérêts de la bourgeoisie marchande et l'évolution générale
de l'économie postulaient maintenant un ordre nouveau
dans lequel la liberté commerciale devait apparaître *comme
le gage de toutes les libertés*. Les prêteurs étaient des cathares,
ou des bourgeois affiliés au Catharisme, les actionnaires du
Bazacle auraient dû l'être, et l'étaient peut-être. Mais ils
n'étaient pas pour autant des exploiteurs. Bien au contraire :
c'est l'ordre féodal qui, en ce temps-là, était oppresseur. Et,
naturellement, beaucoup de bons catholiques se montraient,
sur ce point, aussi cathares que les cathares. Déjà les droits
féodaux apparaissaient comme iniques ou *injustifiés*, et surtout les dîmes, car, disaient les cathares, « ce n'est pas Dieu
qui les a instituées, ni qui a ordonné d'excommunier ceux
qui refusent de les payer ». Au xive siècle, les paysans
s'arrangent toujours pour frauder le percepteur : « Chacun
vole chaque année peu ou beaucoup de la dîme : il en
recouvre sa semence. » Mais nul ne s'élève contre le principe du profit commercial.

Quant à la bourgeoisie, elle était maintenant libérée de
son complexe de culpabilité. Peut-être grâce au Catharisme.

CHAPITRE VII

LES ARTISANS

Diversité des industries languedociennes au début du XIIIe siècle

Il est souvent difficile, au Moyen Âge, de distinguer les artisans des ouvriers libres et des marchands. L'artisan travaille de ses mains et, en principe, vend directement ce qu'il a fabriqué. Il tient boutique chez lui, au rez-de-chaussée; mais, quelquefois aussi, tout en travaillant à domicile, il livre sa production à un marchand; et dans ce cas, il n'est guère plus qu'un salarié.

Les Croisades d'Orient et le développement du commerce maritime avaient multiplié dans les ports et dans les villes de l'intérieur le nombre des artisans. Le commerce des vins alimentait une florissante industrie de tonnellerie; et dans les ports, les charpentiers de mer, organisés en corporation, ainsi que les fabricants de mâts de navires, de rames, de voiles, gagnaient facilement leur vie. Dans la région de Toulouse, la meunerie, utilisant des moulins flottants, plus tard des moulins bâtis sur barrage, occupait un personnel salarié, comme d'ailleurs les moulins de village, qui n'appartenaient pas tous aux seigneurs. Les artisans du cuir, gantiers, fabricants de bourses, de ceintures, de courroies, travaillaient généralement pour leur compte, comme les tailleurs et les chapeliers. Les couturières n'étaient pas toujours de simples ouvrières au service d'un patron. Quelques-unes attendaient chez elles leurs clientes. Beaucoup de dames cathares persécutées ont dû suivre l'exemple de Berthe, l'héroïne du roman de *Girart de Roussillon*, que le poète nous montre taillant les vêtements d'un soldat dans le drap qu'il lui a apporté, pendant que son mari — le comte — fait le charbonnier et gagne sept deniers par jour.

Nous sommes à l'époque où l'on voit se développer des entreprises dirigées par des bourgeois, mais ce sont les boutiques des artisans : cordonniers, apothicaires, perruquiers, menuisiers, charpentiers et maçons — ces derniers étant plutôt ce qu'on appellerait aujourd'hui de petits entrepreneurs — qui, beaucoup plus nombreuses, donnent à certaines rues de la ville leur animation commerciale.

La grande industrie a été l'industrie drapière : la laine du Languedoc passait pour excellente, et l'on en fabriquait des draps un peu partout, à Narbonne, à Béziers, à Nîmes, à Uzès, à Beaucaire. Il y avait, dans la seule sénéchaussée de Carcassonne, au XIIIe siècle, neuf cités et cinquante-deux bourgs qui s'adonnaient à la fabrication des draps. On les vendait dans les foires, sur les marchés. Narbonne les exportait. Parallèlement, il existait un nombre important de teinturiers. Ces ouvriers aux ongles rouges, dont paraît-il les femmes ne voulaient pas entendre parler, utilisaient le vermeil (ou kermès) et le pastel (indigo), productions du pays, mais aussi la galle d'Alep ou d'Alexandrie (noir), le brésil (rose), l'alun et la gaude (jaune), qui étaient importés de Gênes, de Pise, de Catalogne. Si l'on se représente la multitude de ces ateliers de tissage et de teinturerie — les teinturiers travaillaient quelquefois dans leurs propres maisons du bourg — on peut admettre que la majorité des artisans du Languedoc étaient occupés dans l'industrie textile, dans la teinturerie ou dans les industries de luxe qui leur étaient liées : confection d'habits, pour hommes et pour femmes, en soie ou en étoffe de pourpre, agrémentés de taffetas et de fourrures, chemiserie fine, dentellerie et pelleterie. Lors du sac de Béziers, en 1209, les routiers pillèrent surtout, dans les « palais » des bourgeois, ces vêtements magnifiques, qui étaient le principal luxe de l'époque.

Le métier de saint Paul

Au moment de la Croisade, le tissage paraît avoir été individuel, soit que les artisans travaillassent pour un marchand, soit qu'ils fussent marchands eux-mêmes. L'artisan achetait de la matière première, la laine du pays, et tissait à domicile, comme font aujourd'hui encore les Andorrans, sur des métiers à mains assez primitifs, avec l'aide de toute la famille. Rien ne l'empêchait d'être un nomade, s'il en avait le goût, et de voyager de pays en pays. Tel tisserand, recherché par l'Inquisition, vend ses métiers et gagne la Catalogne, où il s'en fabrique de nouveaux. Il est probable que le Catharisme fut introduit en Andorre, où les comtes de Foix favorisèrent leur installation, par ces ouvriers ou artisans proscrits. En effet, il y a toujours eu une sorte d'affinité entre le tissage et l'hérésie. Non pas seulement en Languedoc, mais aussi en Champagne, en Allemagne, où tisserand finit par devenir synonyme de cathare et d'hérétique. Peut-être les cathares se souvenaient-ils que saint Paul avait gagné sa vie en confectionnant des tentes. Peut-être se sentaient-ils attirés, tout simplement, par la tranquillité méditative que cette occupation passe pour assurer, puisqu'il existe encore de modernes mystiques qui filent la laine. Toujours est-il que beaucoup de tisserands étaient Croyants, et quelques-uns Parfaits.

Partout où ils étaient installés, les Croyants aidaient les hérétiques en leur fournissant la matière première. Ceux de Fanjeaux leur apportaient de la laine, du chanvre et même du lin d'Alexandrie (coton), que les marchands vendaient alors fort cher. Guillelma Lombard, avant de se laisser convertir au Catholicisme par saint Dominique, ravitaillait ainsi les tisserands cathares de la communauté de Fanjeaux. Tandis que, dans les autres métiers, il n'est pas sûr du tout que les directeurs d'entreprises aient été de la même croyance que leurs ouvriers, tout porte à croire, au contraire, que les propriétaires des ateliers de tissage étaient, généralement, cathares ou amis du Catharisme. Beaucoup de *domus hereticorum* étaient devenues des sortes d'ateliers communautaires, où les Croyants se sentaient chez eux, soit que le patron fût lui-même un Croyant, voire un Parfait, soit qu'il eût concédé son entreprise à la communauté pour lui fournir le revenu nécessaire à la subsistance de ses membres; soit, enfin, que les Parfaits eussent monté eux-mêmes l'atelier. En 1233, cinq Parfaits se groupèrent ainsi à Hautpoul pour exercer ce métier : un déposant déclare leur avoir construit des teilloirs à broyer le chanvre, dans une forêt où ils se cachaient. Mais à la même époque, on voit fonctionner ouvertement, à Cordes, un atelier de tissage qui est une véritable « Maison des hérétiques » à direction cathare et tirant toutes ses ressources du travail des frères. On y instruisait les artisans dans la pratique de leur métier, mais aussi dans les vérités de leur foi. La « Maison » recevait des apprentis, qui pouvaient devenir aussi des Parfaits. C'est pourquoi la navette de tisserand, qui figure sur certaines stèles funéraires, représente peut-être la foi cathare, l'initiation à la secte y étant symbolisée, comme dans la franc-maçonnerie, par un instrument de travail.

Comme les cathares étaient très scrupuleux en matière de rétribution, surtout à l'égard de leurs Croyants, on peut penser que les ouvriers pauvres étaient moins exploités chez eux que partout ailleurs.

Les ateliers de femmes, dirigés par une Parfaite ou une Croyante éprouvée, attiraient beaucoup d'ouvrières. Nourries et logées dans le couvent, travaillant librement, elles se sentaient sûrement plus heureuses que les pauvres fileuses de Champagne qui, à peu près à la même époque, se lamentaient sur leur misère. On est mal renseigné sur la façon dont le travail était organisé dans ces couvents féminins, mais il est sûr que l'industrie textile y était en faveur. Nous voyons un Croyant riche, Bertrand de la Mothe, de Montauban, prêter un jour ses ouvriers pour construire des métiers à tisser dans une maison de Parfaites.

Pour vivre, les Parfaits ne s'adonnaient pas seulement au tissage, mais aussi à la confection d'instruments à tisser. Bélibaste qui, au cours de sa vie errante, avait pratiqué plusieurs métiers — il avait été berger, vannier — fabriquait, à la fin, des peignes de tisserand. Il est probable que lorsqu'un Parfait se livrait à un travail de ce genre, il trouvait facilement, chez les tisserands amis de la secte, un débouché pour sa production. Et c'était en même temps, pour lui, une occasion de répandre ses doctrines parmi eux et de raffermir leur foi. Ces tisserands, ces ouvriers des industries annexes ou collatérales ont représenté en Languedoc, au XIIIe siècle, un milieu fermé et secret, où l'hérésie a pu librement proliférer; une société en miniature où l'idéal du Catharisme — chacun y vivant de son travail, chacun y travaillant et priant — se trouvait assez exactement réalisé.

Dans les premières années du XIIIe siècle, quand le Catharisme était à la fois aristocratique et populaire, ces artisans ont joué dans son développement un rôle prépondérant, mais par la suite, ce sont plutôt les marchands drapiers qui, au fur et à mesure que les bourgeois de 1260-1280 se sentaient plus attirés vers le Catharisme politique, le raffermirent par l'influence qu'ils avaient dans les villes et les relations qu'ils pouvaient nouer avec les cathares exilés.

Rôle social et économique des artisans

Dans la deuxième moitié du siècle, les artisans s'étaient organisés en corporations, de façon à pouvoir défendre leurs droits dans les conflits qui éclataient entre corps de métiers. Ils étaient à même, en se groupant, d'exercer une certaine

pression sur les Consulats. Ils y étaient pourtant assez fai-
blement représentés. Ce n'est qu'à partir de 1272 à Nar-
bonne-Bourg, que les Consuls sortants tirent au sort douze
noms sur une liste de dix-huit, parmi lesquels il y a douze
bourgeois et *six hommes de métiers*. Les élus, avec les Consuls
sortants, élisent les Consuls nouveaux. La règle était qu'il y
eût, parmi les Consuls, deux hommes de métiers. A Nice,
sur soixante-huit Consuls, il y avait douze paysans ou artisans; à Marseille, six chefs de corporations artisanales. Mais,
à Toulouse le Consulat a toujours été recruté dans la haute
bourgeoisie, et, dans l'ensemble, l'influence des artisans n'a
pas été en rapport avec leur nombre, ni avec l'importance
de leur rôle social et économique.

Certains d'entre eux, pourtant, gagnaient assez d'argent
et faisaient figure de petits-bourgeois. Il ne faut pas prendre
tout à fait au pied de la lettre ce que Raimon de Cornet
écrit d'eux à la fin du XIIIe siècle : *Ils sont si avisés pour le
gain que, pour cela, ils falsifient leurs ouvrages; ils vendent si
adroitement et élèvent le prix si haut qu'ils trouvent de larges
bénéfices* (largas sobras). On doit en retenir que la plupart
vendaient directement le produit de leur travail et étaient,
au fond, des marchands.

Les pareurs de drap, groupés en une puissante confrérie,
ont été à Carcassonne, Albi, Cordes et en bien d'autres
villes très favorables au Catharisme. Vers 1280, des héréti-
cations avaient lieu sous les halles des marchands drapiers à
Carcassonne. Sans doute, tous les artisans n'étaient-ils pas
cathares. Les corporations étaient souvent en conflit, et il
suffisait que les tisserands fussent plutôt cathares, pour que
les corroyeurs, par exemple, fussent plutôt catholiques. Et
comment déterminer exactement les croyances de toute une
catégorie d'artisans-marchands qui, ayant pour clients les
riches bourgeois et les nobles — épris, comme nous l'avons
dit, de luxe vestimentaire — reflétaient, sans aucun doute,
les idées du moment? Les artisans qui préparaient à Toulouse les belles fourrures seigneuriales : loutre, martre,

zibeline, petit-gris, hermine, et en faisaient des manteaux, comment savoir dans quelle mesure ils étaient hérétiques? Ils l'étaient, comme les gantiers, les tailleurs, les orfèvres, quand la bourgeoisie l'était elle-même. Et il est permis de supposer que, lorsque l'Inquisition se mit en tête, vers 1238, de lutter contre le goût des « beaux vêtements », tous les artisans qui vivaient du luxe bourgeois et seigneurial se rangèrent parmi les ennemis de l'Église romaine.

Faute de documents précis, on ne peut donc fixer le dosage religieux de l'artisanat. Si les tisserands, les pareurs de draps, les teinturiers (?) semblent avoir été, dans l'ensemble, favorables au Catharisme, pour les autres, nous sommes réduits aux hypothèses et à enregistrer des cas isolés, non susceptibles de généralisation. Que savons-nous des maçons, des forgerons, des charpentiers? Nul doute que les Parfaits n'aient visité tous les artisans, et qu'il n'y ait eu des Croyants dans chaque corps de métier : c'est tout ce que l'on peut dire.

En 1245, peu de temps après la chute de Montségur, les habitants de Limoux, désireux de bénéficier des mesures d'apaisement prises par Innocent III en faveur des hérétiques qui avoueraient d'eux-mêmes leurs fautes, mais peu confiants en la générosité des Inquisiteurs, adressèrent leur confession au Pape, en la faisant transmettre par le prieur de Prouille et deux notables. La procuration est signée de cent cinquante-six noms, cent six de Limoux même et cinquante des villages voisins... On trouve parmi eux vingt-six artisans : un carrassier (transporteur de bois par flottage), cinq tisserands, un corroyeur, cinq forgerons, un fabricant de bourses de cuir, quatre mégissiers, un « marchand » (sans doute colporteur), un cordonnier, un perruquier, deux tailleurs, un boucher, deux pareurs de drap, un fabricant de tamis (*sedas*, en occitan).

Nous nous garderons bien d'interpréter les résultats de ce « sondage ». Remarquons plutôt, une fois de plus, combien il est difficile d'établir le véritable rang social de ces personnages. Le carrassier — qui amenait les bois flottés jusqu'à Narbonne, en descendant l'Aude — bien que travailleur manuel, pouvait être une sorte de petit-bourgeois, si ces bois lui appartenaient (Narbonne achetait fort cher les poutres, qui étaient converties en mâts de navires, en rames). Le fabricant de bourses de cuir est un marchand; de même le cordonnier qui ne se bornait pas à réparer les souliers, mais en fabriquait, qu'il vendait. De même le fabricant de tamis...

On peut tout au plus avancer l'hypothèse que, vers 1209, les artisans — tisserands surtout — séduits par le Catharisme sont plutôt des pauvres, tandis que vers 1260, ce sont plutôt des riches, peu différents des marchands et des petits-bourgeois. Après 1280, au contraire, on trouve une prédominance d'artisans ruraux, mêlés aux paysans. Ce sont les moins bien connus de tous. Ces artisans, isolés et subissant davantage l'influence de la communauté villageoise que celle de leur corps de métier, reflétaient, sans doute, l'esprit de la paysannerie. (Le forgeron qui confectionnait des outils agricoles était cathare quand tout son village l'était.) Comme le charpentier, le menuisier ou le fabricant de fromages — paysan à peine spécialisé qui vendait sa production au rustre comme au seigneur — ils étaient agriculteurs en même temps qu'artisans.

CHAPITRE VIII

LES PAYSANS

L'existence dans les campagnes

Le paysan du XIIIe siècle, en Languedoc, est un tenancier à qui le seigneur a concédé la jouissance d'une terre dont il conserve la propriété, en échange de redevances en nature ou en argent, et le paiement des droits féodaux; ou bien : un alleutier, c'est-à-dire un homme libre qui n'a point de seigneur à qui il doive l'hommage, et qu'on peut, de ce fait, considérer comme un bourgeois terrien. Il n'existait pratiquement plus, à la fin du siècle, de serfs, hommes *de corps et de caselage*, liés au seigneur à titre héréditaire. Sauf quand la guerre ravageait le pays, les uns et les autres n'étaient point trop misérables. Les maisons paysannes, bâties en dur ou en torchis et en bois, selon les régions, n'ont généralement qu'un étage, le *solier*; c'est là que s'abriteront les Parfaits de passage, quand viendra la persécution. De nombreux bâtiments annexes : étable, écurie, grange, porcherie, pigeonnier, d'où il est possible de gagner la campagne sans être vu, encadrent une cour assez vaste. La cuisine *(foganha)*, presque toujours au rez-de-chaussée, est le centre de la vie familiale; un couloir la sépare de l'étable. Plus rarement, elle est au premier étage et communique avec une salle divisée en chambres par des cloisons de bois. Les cloisons minces et les planchers disjoints permettaient d'entendre tout ce qui se disait dans les pièces voisines. Ce qui obligeait les paysans à parler bas, quand ils avaient des raisons de se méfier.

Il y avait naturellement beaucoup de vilains très pauvres qui ne possédaient qu'une cabane de bois. Comme ils ne pouvaient pas quitter la seigneurie sans abandonner tous leurs biens, il leur arrivait de « déguerpir » en emportant leur maison démontée, poutres, chevrons et portes, sur une charrette. Mais dans les années 1260-1280, nombreux sont déjà les tenanciers aisés qui disposent d'un ameublement convenable, lits, tables, armoires, coffres et bancs, et qui s'habillent et se nourrissent à peu près comme les petits-bourgeois des villes. Les légumes constituent toujours la base de leur alimentation, mais, le dimanche, ils mangent de la viande, fraîche ou salée, et du poisson de rivière. Les jours de fête, ils tuent le coq ou l'agneau. Beaucoup de ces paysans ont accumulé un petit capital. Certains même sont riches et jouissent de plus de bien-être véritable que le seigneur besogneux.

Superstition et magie

Dans la période qui va de 1200 à 1250 environ, le Catharisme ne semble pas avoir attiré beaucoup de paysans. Ils étaient peu instruits et consacraient peu de temps à la méditation. Les contemporains ne voient en eux que des défauts. On les dit peu scrupuleux, menteurs, voleurs et fraudeurs. Ce sont des déplaceurs de bornes — *des planteurs de bornes malhonnêtes*, dit Peire Cardenal. *Ils déclarent faussement les terres à cens* (font passer leurs censives pour des alleux?). Les catholiques, et même Peire Cardenal, chrétien réformiste, sont outrés de les voir travailler les dimanches et jours de fête. Saint Dominique dut faire un miracle pour confondre les moissonneurs de Montréal qui liaient tranquillement leurs gerbes, le jour de la Saint-Jean-

Baptiste : les épis se couvrirent de sang... Ces paysans n'ai-maient sans doute pas saint Jean Baptiste, que les cathares tenaient pour un démon; mais la même ardeur au travail, le même mépris des jours fériés sont attestés dans d'autres pays où il n'y avait pas d'hérétiques. Ils passent, en revanche, pour plus superstitieux qu'il n'était permis de l'être au Moyen Âge. *Ils croient aux sortilèges!* s'écrie Peire Cardenal : *crezon faitilhas!*

Ils se livraient, en effet, aux superstitions les plus archaïques. Ils observaient les jours interdits, se gardant bien de travailler tel ou tel jour néfaste, ou si les augures avaient été défavorables; revenant sur leurs pas si une belette avait traversé la route. Ils ne se mariaient, ne faisaient les semailles, ne coupaient le bois qu'en lune nouvelle. Quand quelqu'un mourait, ils conservaient de ses poils et de ses ongles « pour fixer la fortune dans la maison ». Dans le cadre de la vie domestique, ils pratiquaient, à des fins égoïstes, des opérations de magie imitative et contagieuse : les femmes faisant absorber aux hommes de leur sang menstruel pour les rendre fidèles; les mères envoûtant leurs gendres pour qu'ils obéissent à leurs filles. Tous redoutaient les sorciers, les mauvais sorts, les présages de malheur ou de mort : le chat qui crie, la chouette qui ulule... Nous savons bien que ces croyances étaient, alors, partagées par beau-coup de nobles, de bourgeois et même de clercs. Mais les Parfaits les rejetaient, ainsi que les penseurs hardis de l'époque et la plupart des troubadours. D'autre part, quand ils étaient Croyants, les paysans étaient portés, par cette même crédulité, à transformer en rites magiques les céré-monies, pourtant si pures, si abstraites, du Catharisme. Pour cette raison peut-être, les Bonshommes ont toujours préféré la ville à la campagne. Quand ils seront obligés de se réfugier dans les forêts, les Parfaits se feront médecins, ouvriront de petits ateliers, les Parfaites extrairont et tailleront le marbre, accompliront des tâches pénibles, plutôt que de travailler dans les champs. Cependant, comme les travaux agricoles

étaient souvent exécutés par les femmes, on voit exceptionnellement des Parfaites se louer pour la moisson ou pour
arracher les mauvaises herbes. Vers 1220, à Villepinte, un
certain Bernard Authier emploie plusieurs Parfaits pour
sécher son blé : il les fait coucher sur son aire.

La pénétration du Catharisme dans les campagnes

Dans l'ensemble, les cathares n'aimaient pas posséder
des terres, trop aisément confiscables et, aussi, parce qu'ils
étaient appelés à changer souvent de lieu pour exercer leur
apostolat et se soustraire aux recherches de l'Inquisition.
Les fermes étaient repérées trop facilement.

Pourtant ils fréquentaient les paysans, les endoctrinaient
et essayaient de modifier leur mentalité. Ils leur recommandaient, par exemple, de traiter les bêtes avec douceur. Les
Languedociens sont restés, jusqu'à ce jour, assez cruels pour
les animaux. L'étaient-ils moins au XIIIe siècle? Les femmes
se montraient sans doute plus sensibles que leurs maris :
Guillemette, voyant un Croyant, faisant fonction de Parfait,
battre méchamment son ânesse, ne contient pas son indignation : « Ça se dit *receveur des âmes*, et ça martyrise les
animaux! » Il n'est pas impossible que l'exemple donné par
les Parfaits les ait un peu attendris. Un hérétique que l'on
mène en prison, à travers les rues de Limoux, se met à
pleurer en voyant les bouchers tuer des veaux, près de
l'abattoir de la ville. Il pleurait sur le sort de tous ces gens
qui péchaient mortellement — et se perdaient — en mettant
à mort des êtres vivants, des bêtes.

Autant qu'on en puisse juger, ils étaient, ce qui est l'essentiel, fort charitables pour les hommes; et ils entouraient
d'égards les Parfaits persécutés. Ils les abritaient, les
cachaient, les nourrissaient, les faisaient évader, les gui-
daient dans les bois, non sans courir eux-mêmes mille dangers. On voit les plus pauvres leur donner des légumes, de

l'huile, du vin, des poissons cuits dans la farine, ou bien des vêtements, des matières premières pour exercer leur activité artisanale. Les dons en argent ne sont pas rares et étonnent par leur importance. Peut-être appliquaient-ils plus strictement que les autres Croyants le principe cathare que, « si l'on doit faire du bien à tout le monde, il faut surtout en faire aux membres de la secte ». Principe tout naturel dans les temps de malheurs, et dont la mentalité paysanne s'accommodait fort bien. Une femme qui a été emmurée naguère à Carcassonne avec un certain Raimon vend du blé sur le marché de Tarascon. Elle reconnaît en l'un de ses acheteurs Arnaud, le fils de ce Raimon. Aussitôt, elle lui mesure exactement son blé, mais a soin d'en ajouter une quarterée. Un autre paysan qui se trouve là lui dit : « Pourquoi ne me faites-vous pas bonne mesure à moi aussi? » La brave femme lui répond : « *A totas gens fai lo ben, Majoramen a n'aquels de la fe*[1]. — Est-ce que ma foi n'est pas aussi bonne que celle d'Arnaud? — Nous nous comprenons », dit-elle. Et Arnaud précise : « Non, ta foi n'est pas aussi bonne que la nôtre. »

Bien qu'on les ait accusés de grossièreté, certains de ces paysans se montrent d'une délicatesse raffinée. L'un d'entre eux, chez qui les Parfaits veulent aller souper, leur dit qu'il y a trop d'enfants dans sa maison, et il les conduit dans celle d'un de ses amis, où leur présence demeurera secrète, et où ils ne seront pas importunés par les pleurs et les cris.

Ces petits propriétaires, ces bourgeois agriculteurs, ces tenanciers étaient, pour la plupart, travailleurs et vertueux. Le Catharisme qui, quoi qu'on en ait dit, n'a jamais voulu dissoudre la famille, trouvait dans leurs foyers un climat de pureté qui ne régnait pas au même degré chez les nobles et chez les bourgeois. N'ayant pas les moyens d'entretenir des concubines, ils restaient généralement fidèles à leurs femmes, lesquelles, plus fines, souvent, et plus intelligentes qu'eux,

1. Fais le bien à tout le monde mais davantage à ceux de la foi.

s'occupaient du ménage et du travail agricole, avec le dévouement inlassable des vraies chrétiennes.

Dans la deuxième moitié du XIIIe siècle, les paysans deviennent plus aisés, plus instruits. Cette évolution a été remarquée par les contemporains. *Les vilains*, écrit Peire Cardenal, *qui n'avaient pas coutume d'avoir du sens, sauf pour travailler la terre, sont aujourd'hui devenus habiles, savants et délurés : avant de s'engager par serment, ils réclament un contrat...* Par un sentiment fort légitime d'autodéfense, ils deviennent méfiants et procéduriers et, désormais, un certain esprit critique les guide dans la défense de leurs intérêts.

Les dîmes et l'anticléricalisme paysan

Quand le paysan avait acquitté les redevances dues pour la censive, les droits féodaux, fourni les journées de corvée, payé le droit d'albergue [1], les droits sur le four, le pressoir, le moulin seigneurial, il n'était certes pas ruiné : il lui restait une petite avance. Mais les dîmes qu'il s'était habitué à ne plus payer — ou à payer au seigneur, ce qui, chose curieuse, l'indignait moins — constituaient pour lui un surcroît de charges qu'il jugeait intolérable. L'anticléricalisme était tel que les dîmes étaient sûrement plus impopulaires que les tailles. Il est vrai que les évêques avaient profité de la victoire de l'Église pour les augmenter ou en créer de nouvelles. C'est ce qu'avait fait, par exemple, l'évêque Fournier, à Pamiers, en instaurant les *carnalages* (dîmes sur les bêtes de boucherie). Ces dîmes provoquaient l'exaspération des paysans. Ceux du Sabarthès furent excommuniés, au début du XIVe siècle, pour avoir refusé de les payer. Entre l'Assomption et la Nativité de la Vierge, au moment où l'on rassemble les gerbes des dîmes de l'Église, voici les paysans

1. Droit qu'avait le seigneur d'aller loger dans la maison de son vassal, lui et sa suite, montures comprises, pendant un certain nombre de jours.

qui s'excitent mutuellement, les uns prenant la chose du bon côté et plaisantant, comme font souvent les Méridionaux, les autres se laissant aller à tenir des propos qui leur vaudront, le lendemain, d'être cités par l'évêque. Un curé de village, peu orthodoxe, avait dit un jour à un de ses paroissiens : « Après tout, mon brave, l'excommunication ne nous pèle pas tout vifs! » et il avait ajouté : « On ne voit pas dans les Écritures que Dieu ait jamais excommunié quelqu'un. Ce sont les clercs qui ont inventé cette histoire pour mieux dominer le peuple. » Le paysan met ce propos derrière l'oreille, et quelque temps après, comme il sort de sa maison, il avise Raimon Frézat, curé de Quié; il le rejoint, fait quelques pas avec lui sur la route de Tarascon : « Pouvez-vous me dire, monsieur le Recteur, où l'on trouve dans les Écritures que Dieu en personne a excommunié quelqu'un ou a ordonné de l'excommunier? » Le curé, fort embarrassé, ne répondit rien.

Un autre paysan, excommunié également à cause des *carnalages* — que, décidément, personne ne payait de bon gré —, trouve un dimanche la porte de l'église fermée. On lui dit qu'elle est fermée parce que les excommuniés ne doivent pas entrer. Il s'en va mélancoliquement dans le cimetière qui entoure l'église, s'assied sur la pierre où l'on bénissait les branches de buis, le jour des Rameaux, et retrouve là d'autres excommuniés, aussi penauds que lui : « Nous faisons les églises, leur dit-il, nous achetons tout ce qu'il faut pour les orner. Les églises sont à nous, et l'on nous en chasse! »

Ce n'étaient pas toujours des cathares qui parlaient ainsi, mais des chrétiens réformistes ou d'honnêtes gens qui regrettaient simplement le passé... et la liberté. « Allons à l'église! » dit un paysan. Raimon de Laburat lui répond : « Pour quoi faire? Ils ne nous laisseront pas entrer... Ah! je voudrais que l'église fût démolie, que les messes fussent célébrées en plein champ, sur une pierre, et que nous tous, les chrétiens, puissions assister au Service de Dieu tel qu'il l'a institué...

On ne nous empêcherait pas de l'entendre... Si seulement les clercs étaient aussi acharnés à combattre les Sarrasins et à venger la mort du Christ qu'ils le sont à exiger les dîmes et les prémices des carnalages... ils nous laisseraient en repos et ne nous réclameraient rien. »

Tout le menu peuple prenait le parti des paysans. Un cordonnier, Pierre Guilhem, élève le débat et le « politise » : c'est un patriote. « Jamais, dit-il, nos aïeux ni nos pères, en Sabarthès, n'ont payé les dîmes. Si le bon comte Raimon vivait encore, il ne tolérerait pas cet abus : il nous protégerait contre les clercs. » Et comme on lui objecte que les clercs sont tout de même utiles à quelque chose, en donnant les sacrements, par exemple, il répond : « S'il n'y avait ni baptême, ni pénitence, ni confession des péchés, il y aurait beaucoup plus de gens sauvés. Dix mille âmes se perdent, en Sabarthès, par la faute des clercs. »

Évolution de la mentalité des paysans

On rencontre quelquefois, chez ces pauvres paysans, une telle fermeté de pensée, que l'on en vient à se demander s'ils n'obéissaient pas à un mot d'ordre cathare, s'ils ne répétaient pas des formules de libelles. Peire Cardenal était très lu dans le comté de Foix. C'est lui qui, le premier, a comparé les Inquisiteurs à de gros loups *(lobasses)* et répandu mille traits de satire repris contre eux par le peuple. Il avait écrit, dans un de ses *sirventès* : *Si tu excommunies à tort* — il s'adresse à l'évêque — *je crois que tu te punis toi-même. Il ne convient pas que tu contraignes tes gens, sauf dans la mesure où la raison le permet* (mas tan com razon consen). Et ailleurs : *Toi qui établis contributions forcées* (toltas) *et tailles, et qui ruines et tourmentes ton peuple, ne penses-tu pas que tu sois dans le péché?* Tout porte à croire que des gens instruits se chargeaient d'expliquer Peire Cardenal aux ignorants.

On est frappé de la netteté avec laquelle les paysans prennent conscience, vers 1300, du caractère injuste des charges qui pèsent sur eux. Le Catharisme est l'expression de leur révolte. Sans doute le Catharisme des chaumières est, par ailleurs, dénaturé. Quand il n'incline pas vers la recherche magique du salut, il se change en un satanisme désespéré. Les sabbats ont leurs fidèles. Mais il correspond aussi à un progrès évident de l'esprit critique; à la première forme, accessible au peuple, du libre examen.

Le dernier Catharisme sera celui des paysans. La même résistance qu'ils avaient d'abord opposé aux Parfaits, par traditionalisme, ils l'opposent maintenant à l'Église romaine. Ces bergers mystiques qui, l'hiver venu, abandonnent les pâturages du Razès pour gagner les hauts plateaux catalans, ne sont pas indignes des derniers Parfaits et Parfaites qui, ici ou là, échappent encore à l'Inquisition. Ils attendent toujours d'eux le salut de leurs âmes, et de l'Esprit, la libération définitive.

La répartition du Catharisme dans la société languedocienne

Faute de données suffisamment exactes et nombreuses, on ne peut guère dresser de statistiques précises sur la répartition des Croyants par classes sociales, répartition qui a dû beaucoup varier selon les pays ou les époques. Charles Molinier a écrit, non sans raison, que, *de 1200 à 1250, toutes les classes avaient contribué au recrutement de la secte* — ce qui est vrai, et rend caduques, soit dit en passant, les interprétations matérialistes de type grossièrement simplificateur, si à la mode aujourd'hui. Les cathares sont des bourgeois, des nobles, des artisans et des paysans. La distribution par classe ne correspond, selon les « sondages » que constituent les enquêtes historiques, qu'aux lois mêmes du hasard. Dans la deuxième période, qui va de 1250 à 1300, elle comprend toujours des nobles, des bourgeois, des artisans et des paysans. Dans la troisième (1300-1350), l'appauvrissement du Catharisme en hommes ne permet plus de risquer une répartition, même approximative. Les phénomènes de survivance obéissent à des lois sociologiques particulières qui ont à tenir compte de l'isolement des communautés, du caractère arriéré de leur économie, de la psychologie, souvent très conservatrice et rétrograde, de leurs membres. Dans cette dernière période, on trouve encore des nobles, des bourgeois, des artisans et des paysans, mais ce sont des individus isolés, des cas d'espèces sur lesquels ne mordent plus les généralisations sociologiques. Il semble cependant que, dans les années 1209-1250, il y ait eu prédominance de nobles; dans les années 1250-1300, prédominance de bourgeois riches, de banquiers, d'industriels, d'hommes de loi, de petits propriétaires fonciers assimilables à des bourgeois; dans la dernière période (1300-1350), une majorité d'ouvriers des villes et des champs. Mais, répétons-le, à aucune de ces époques, les représentants des autres classes ne font absolument défaut.

En outre, il n'est pas inutile de faire remarquer, et cela complique encore les choses, que le Catharisme a été « politisé » de façons très différentes, selon les périodes envisagées : il a servi les intérêts de la noblesse, grande et petite, de 1209 à 1250, sans s'aliéner pour autant les sympathies de la bourgeoisie, ni celles du « peuple ». De 1250 à 1300, ses idéaux coïncident en partie avec ceux de la bourgeoisie, et la noblesse a alors tendance à se séparer de lui. De 1300 à 1350, années où il est en pleine décadence, il n'a plus de signification politique, ni sociale — sauf dans la mesure où, les progrès du matérialisme ingénu développant par ailleurs l'esprit critique des classes les plus pauvres, et la sorcellerie donnant une forme magique à la libération brute ou imaginaire des instincts, il continue à traduire en termes religieux le désir des humbles d'améliorer quelque peu leurs conditions de vie, et de briser la société qui les opprime, en dressant l'ordre du Bien contre l'ordre du Mal.

Toutes ces vues, nécessaires à la compréhension de l'esprit cathare, sont évidemment sujettes à revision. Il faudrait encore distinguer les hommes des femmes à l'intérieur même des classes. Dans la première période, les femmes nobles sont sûrement plus attachées au Catharisme que leurs maris, et, sans aucun doute, d'une façon plus authentiquement religieuse. Dans la deuxième, les bourgeoises jouent un rôle beaucoup plus effacé. Les hommes conspirent, ourdissent des complots politiques, mais ne jugent pas prudent de mettre leurs épouses dans le secret. « Ce n'est point leur affaire », disent-ils. Enfin, dans la dernière phase du Catharisme, les paysannes paraissent plus dévouées aux Bonshommes, plus charitables et plus directement engagées peut-être dans la religion clandestine que les paysans.

En définitive, nous sommes à peu près d'accord avec J. Duvernoy qui, après de longues et minutieuses recherches, arrive aux conclusions que le Catharisme est plus aristocratique et bourgeois que « populaire » (il n'y a, cependant, que 18 pour 100 de nobles parmi les Parfaits), et plus urbain que rural. Le chiffre des Croyants aurait atteint, pour la région du Toulousain et du Lauragais, 30 à 40 pour 100 de la population. Le chiffre des Croyants, entre 1209 et 1244, dans certaines localités rurales, aurait été « anormalement bas ».

DEUXIÈME PARTIE

LE CATHARISME PERSÉCUTÉ

CHAPITRE PREMIER

L'INQUISITION

Le début de la Croisade contre les « Albigeois »

Au cours des opérations militaires dirigées par Simon de Montfort, beaucoup de cathares furent massacrés, sans que l'on prît la peine de juger. Dans la mesure pourtant où l'on ne laissait pas tout à fait à Dieu le soin de « reconnaître les siens », ce sont les légats du Pape qui faisaient le tri : ils livraient au pouvoir temporel, c'est-à-dire à Simon de Montfort ou à ses lieutenants, les hérétiques qui refusaient d'abjurer. En 1210, après la prise de Minerve, le légat Arnaud Amaury déclara à Simon de Montfort : « Si je désire la mort des ennemis du Christ, je n'ose pas, étant moine et prêtre, les condamner à mort. » Il espérait que les chevaliers se chargeraient de la besogne : mais Simon ne voulut rien faire sans son aveu. Les Croisés s'indignaient qu'on laissât aux Bonshommes le choix entre l'abjuration et le bûcher. « Leur conversion ne sera pas sincère, disaient-ils; dès qu'ils seront libres, ils retourneront à l'hérésie! — Rassurez-vous, leur répondit le légat, bien peu se convertiront! » En effet, ces Parfaits, au nombre de cent quarante, ne daignèrent même pas écouter le prêche qu'on leur fit, et ils montèrent d'eux-mêmes sur les bûchers : *Les nôtres n'eurent pas la peine de les pousser*, écrit Pierre des Vaux-de-Cernay, *ils se préci-*

pitèrent de leur plein gré dans les flammes. Les Parfaites, rassemblées dans leur couvent, subirent elles aussi, sans broncher, l'exhortation romaine, refusèrent d'abjurer et montrèrent autant de courage que les hommes, à l'exception, paraît-il, de trois d'entre elles qui obtinrent leur grâce.

Simon de Montfort avait l'humeur changeante comme la plupart des hommes de son époque. A Minerve, il était allé en personne demander aux Parfaits de se convertir; à Termes, il fut d'une galanterie toute troubadouresque : il ne prit aux dames, qui avaient fui *dans la nuit noire*, et que ses soldats rattrapèrent dans la campagne, *ni une pougeoise* (monnaie du Puy), *ni un denier (Chanson de la Croisade)*. Mais d'ordinaire il donnait libre cours à son tempérament violent et cruel. Aux Cassés, en 1211, il fit brûler les soixante Parfaits qu'il trouva dans le château et qui ne voulurent pas abjurer. Ce supplice frappa beaucoup les imaginations, bien qu'il ne fût ni plus ni moins détestable que les autres crimes du fanatisme : en plein XVIe siècle, Montaigne le cite encore avec indignation. A Lavaur, Dame Guiraude, qui était si bien éduquée, dit la *Chanson de la Croisade*, que *jamais personne ne quitta sa demeure qu'elle ne lui eût fait donner de quoi manger à sa faim*, fut jetée, en travers, dans un puits, et on l'écrasa sous les pierres. *Ce fut un malheur*, s'écrie le poète, *un malheur et un crime! D'autres dames furent sauvées*, nous dit Pierre Belperron, *par un Français courtois et aimable*. Il y eut du mérite, car le déshabillage des femmes par le feu excitait au plus haut point la lubricité et les instincts sadiques de la soldatesque : certaines de ces hérétiques étaient jeunes et jolies : *E mota bela eretja ins en lo foc jitada* [1]..., comme le dit mélancoliquement le poète.

Tous les Parfaits de Lavaur — quatre cents, selon la *Chanson de la Croisade* — furent brûlés. Ils se jetèrent dans les flammes en s'exhortant mutuellement. On peut se

1. Et mainte belle hérétique jetée dans le feu...

demander avec Pierre Belperron — à qui nous empruntons ces réflexions — *comment les Croisés reconnaissaient les hérétiques. Une capitulation pouvait prévoir que les Parfaits seraient livrés. Mais Lavaur fut prise d'assaut. Il faut supposer que toute la population était tenue prisonnière et, sous la menace de représailles, invitée à désigner les hérétiques, ou que les évêques présents procédaient avec le clergé local à un rapide triage.* Sans doute les délateurs et les traîtres ne devaient pas manquer. Mais le plus simple, puisque tous les Croyants étaient suspects et presque toute la population croyante, c'était de considérer comme cathares tous ceux qui voulaient l'être, c'est-à-dire ceux qui n'abjuraient pas. En de telles circonstances, d'ailleurs, une erreur judiciaire ne devait pas troubler beaucoup la conscience des Croisés et des légats. Ces exécutions sommaires sont inséparables des horreurs de la guerre, mais il est juste d'en faire porter la responsabilité aux légats et aux évêques plus qu'aux chevaliers et aux soldats. C'est l'Inquisition « légatine » qui désignait à la fureur des Croisés ces malheureux hérétiques, qui eussent peut-être été épargnés dans les assauts et les combats.

L'action de saint Dominique

Saint Dominique, au temps où il prêchait contre les cathares dans la région de Fanjeaux, agissait lui aussi en tant que délégué ou représentant des légats. C'est en cette qualité qu'entre 1205 et 1215, il réconcilia plusieurs hérétiques du Mas-Saintes-Puelles, de Fanjeaux, de Villeneuve-la-Comptal, de Bram, de Saissac, qui reçurent de lui pénitences canoniques et absolution. Dès cette époque, les pénitents, avant de recevoir des lettres de réconciliation ou certificats de bonne catholicité, étaient astreints à faire de longs pèlerinages, à subir la flagellation devant la porte de l'église, pendant la messe, et à porter pendant plusieurs années deux croix cousues sur leur vêtement, l'une sur la poitrine et l'autre dans le dos. Un cathare converti devait s'abstenir toute sa vie de viande, d'œufs et de laitage, excepté les jours de Noël, de Pâques et de Pentecôte, où il lui était commandé, au contraire, d'en manger *pour preuve qu'il avait renoncé à ses erreurs et pour que la pénitence ne se confondît pas avec l'abstinence qu'il avait observée au temps où il était encore dans l'hérésie.* Ne fallait-il pas mettre à toute force une différence entre l'ascétisme romain et l'ascétisme cathare? Il lui était ordonné aussi de garder la chasteté : reconnaissons qu'un cathare sincère aurait pu se plier assez facilement à de telles obligations, si elles n'avaient point été assorties de beaucoup d'autres, plus inhumaines et moins compatibles avec la véritable spiritualité...

Il n'est pas question de mettre sur le compte de saint Dominique tous les excès que l'Inquisition a pu commettre aux XIIIe et XIVe siècles : elle ne fut organisée et confiée aux Dominicains qu'en 1232, alors qu'il était mort en 1221. Il est incontestable que, pendant tout le temps où le Languedoc demeura pratiquement soumis à des seigneurs cathares ou protecteurs de l'hérésie, sa tâche fut toute de prédication et ne comporta guère que risques et périls. Mais, par la suite, quand la Croisade l'eut emporté, et que Simon de Montfort fut le maître à Fanjeaux, on ne saurait nier, non plus, qu'en rejetant un hérétique, saint Dominique ne le désignât à l'attention du pouvoir temporel et ne le mît en danger de perdre et sa vie et ses biens.

L'Inquisition épiscopale

A partir du traité de Meaux [1] (12 avril 1229), par lequel le comte de Toulouse s'engageait à faire prompte justice des hérétiques déclarés, à les faire rechercher par ses bayles, et même à verser une prime (deux marcs d'argent pendant

---

1. Appelé également traité de Paris.

deux ans, puis un marc) à ceux qui les dénonceraient, les recherches inquisitoriales vont faire peser de lourdes menaces sur la vie quotidienne des Languedociens, surtout dans les comtés de Toulouse et de Foix et dans les anciennes vicomtés de Trencavel (soumises, elles, au pouvoir royal). L'Inquisition fut d'abord confiée aux évêques. Deux conciles, celui de Narbonne, en 1227, celui de Toulouse, en 1229, avaient prescrit aux archevêques, évêques et abbés de procéder à l'établissement de commissions inquisitoriales, qui devaient comprendre un prêtre et plusieurs laïcs. Ces commissions disposaient de pouvoirs étendus, et naturellement du droit de perquisition : elles pouvaient visiter à toute heure du jour et de la nuit les maisons, les granges, les caves, et demander aux seigneurs d'explorer les forêts et les lieux sauvages, où se cachaient les proscrits. Raimon VII dut accompagner ainsi l'évêque de Toulouse, Raymond de Fauga, dans une chasse nocturne aux hérétiques, dans la forêt d'Antioche, près de Castelnaudary. On en découvrit dix-sept, hommes et femmes, parmi lesquels Pacan, ancien seigneur de Labécède devenu « faidit ». Le comte, qui tenait à montrer qu'il respectait les engagements pris au traité de Meaux, les fit brûler à Toulouse. En règle générale, les hérétiques, arrêtés par la commission, étaient livrés à l'évêque, qui les remettait au bras séculier — au seigneur du lieu — lequel exécutait la sentence.

L'Inquisition épiscopale semble avoir été relativement modérée, ou négligente, dans la répression. Elle ne disposait pas encore de l'appareil policier perfectionné que les Dominicains mirent en place par la suite. Souvent les évêques, d'origine occitane, se sentaient plus enclins à protéger leurs compatriotes qu'à les persécuter. Le premier évêque de Pamiers, Bernard Saisset, que l'on disait apparenté au comte de Toulouse, favorisait en secret les hérétiques. Bertrand de Taix, vieil ennemi de l'Église et de la domination française, raconta un jour à Guillaume-Bernard de Luzeonac l'un des entretiens qu'il eut avec cet évêque : « Il me demanda, lui dit-il, lesquels je haïssais le plus, des Français ou des clercs. » Je lui répondis : « Les clercs, parce que ce sont eux qui ont appelé les Français dans notre pays. Sans eux, ils n'y seraient jamais venus. » L'évêque, lui, détestait davantage les Français que les clercs, et il complotait contre le pouvoir royal. Il fut finalement déposé et mis en prison.

Évêques et Dominicains

En 1232, Grégoire IX confia aux « Frères prêcheurs » — ou Dominicains — tout l'office de l'Inquisition. Les Dominicains passaient pour seuls capables de donner toute son efficacité à l'action inquisitoriale. Mais comme ils étaient trop sévères, le Pape leur adjoignit, en 1237, des moines franciscains, *afin*, dit l'*Histoire du Languedoc, de tempérer la rigueur des premiers par la mansuétude des seconds.* Les évêques, fort jaloux de leur autorité, se sentaient lésés dans leurs droits. Ils avaient, d'ailleurs, de bonnes raisons de redouter eux-mêmes ces Inquisiteurs implacables qui leur reprochaient d'être trop accessibles, en raison de leurs liens avec l'aristocratie occitane, aux intérêts de famille ou de caste. Cependant, on fit des règlements qui ménageaient leur susceptibilité : les Inquisiteurs n'exerceraient, en principe, leur office qu'avec le consentement des évêques. En fait, comme le dit M. Duvernoy, *les Inquisiteurs ne s'adjoignaient les évêques ou leurs représentants, que pour prononcer la sentence ou le sermon général.* Il en allait tout autrement quand l'évêque — Jacques Fournier, par exemple, à Pamiers — était lui-même actif et incorruptible. Cet évêque a joué dans la répression de l'hérésie de son diocèse un rôle beaucoup plus important que son adjoint, le Dominicain Gaillard de Pomiès, qui représentait l'Inquisition de Carcassonne. Parfois, l'évêque était lui-même Dominicain, comme Raymond du Fauga, ancien prieur provincial des Dominicains de Toulouse.

Très tôt affranchis de toute juridiction épiscopale, les Inquisiteurs jouirent d'une indépendance absolue : ils ne pouvaient, tant qu'ils étaient en fonction, être excommuniés ou suspendus sans mandat spécial du Pape. En cas de conflit avec l'évêque, ils décidaient toujours en dernier ressort. C'est à eux seuls qu'appartenait, d'ailleurs, le droit de donner l'absolution aux hérétiques qui abjuraient.

Ils mirent tout de suite sur pied une machine policière à quoi rien, dans le passé, ne peut être comparé. Ils avaient droit de regard partout, dans les hôtels bourgeois comme dans les châteaux — et jusque dans les églises où des hérétiques eussent pu se prévaloir de quelque ancien droit d'asile. Ils étaient remboursés de leurs frais par le trésor seigneurial ou royal, sur les biens confisqués aux hérétiques et sur le produit des amendes. En 1323, à Carcassonne, à l'occasion d'un procès en hérésie qui entraîna pour les coupables le supplice du bûcher, les évêques de Castres et de Mirepoix, les abbés de Villelongue, Montolieu, Saint-Polycarpe, convoqués par l'Inquisiteur, et l'Inquisiteur lui-même furent défrayés à raison de cinquante livres cinq sols; les juges et le conseiller d'office au sermon, à raison de neuf livres dix sols (« pour le boire et le manger »), toutes sommes payées par le trésorier royal. Les Inquisiteurs rétribuaient les ouvriers, les sergents qu'ils employaient à leur service : les sergents, délégués du bourg à la cité, « pour aller, assister et revenir », touchèrent une solde de douze deniers chacun : ils étaient seize. Les fossoyeurs chargés d'exhumer trois squelettes condamnés à titre posthume, et enterrés dans le cloître des Cordeliers, reçurent quinze sols cinq deniers; et les tailleurs de pierre qui ouvrirent les tombeaux bâtis en dur : deux sols trois deniers.

Ajoutons que les évêques et les recteurs étaient tenus de les assister en toutes circonstances et même, parfois, de les aider financièrement. Les magistrats, les bayles, les viguiers et généralement tous les officiers civils, devaient leur prêter main-forte, s'ils le requéraient. Enfin, les Inquisiteurs disposaient souvent d'une garde personnelle et d'un grand nombre d'agents spéciaux chargés de les protéger et de découvrir les hérétiques.

L'*Inquisiteur et ses pouvoirs*

L'Inquisiteur, soit qu'il résidât dans la ville, soit qu'il y fût en mission, siégeait dans une salle du palais épiscopal — comme l'évêque Fournier, à Pamiers, ou dans la maison des frères prêcheurs, ou dans un logis spécial concédé par le Roi ou par un seigneur : par exemple, à Carcassonne, l'hôtel de Mirepoix, qui communiquait avec l'une des tours de l'enceinte. En principe, l'Inquisiteur menait seul l'enquête et les interrogatoires, et rendait seul la sentence; mais il était assisté d'un ou de plusieurs Dominicains qui étaient ses conseillers et les témoins de la régularité de sa procédure. A Pamiers, le Dominicain Gaillard de Pomiès était à la fois le représentant de l'Inquisition de Carcassonne et le « lieutenant » de Monseigneur l'évêque.

Les Inquisiteurs se déplaçaient souvent avec leur tribunal. On voit les frères Pierre Sellan et Guillaume Arnaud, de Toulouse, se transporter à Cahors, à Moissac; les frères Arnaud Catalan et Guillaume Pelhisson, à Albi, etc.

L'arrivée de l'Inquisition dans une ville était un événement qui interrompait, sans doute, la monotonie de la vie quotidienne, mais rappelait aussi à tous ses habitants combien les temps étaient malheureux et leur sécurité précaire. Tout le monde tremblait — catholiques et hérétiques, les gens de cœur comme les lâches, car, sur une dénonciation bien machinée, on pouvait perdre sa liberté, ses biens ou sa vie. Dès son installation dans la ville, l'Inquisiteur demandait aux prêtres de réunir les catholiques — ils l'étaient tous! — et il leur faisait un sermon. Puis il donnait aux hérétiques une « semaine de grâce » — ou plus — pour se dénoncer. Beaucoup de gens, terrorisés par la menace du bûcher, faisaient des aveux spontanés. Ils étaient frappés de peines relativement légères, ou même réconciliés aussitôt, si l'Inquisiteur avait promis de les absoudre sans autre forme de procès. Mais ils devaient s'engager à dénoncer les autres cathares, Croyants et Parfaits. Ce à quoi les Inquisiteurs tenaient le plus, c'était d'avoir en mains les premiers maillons de la chaîne. Deux témoignages de ce genre suffisaient, en principe, à faire inculper un suspect. En réalité, la dénonciation d'un seul mettait sa liberté et son existence en danger. Les témoins étaient interrogés seuls et ce pouvaient être des personnes perdues d'honneur. Les noms des délateurs étaient tenus secrets (afin qu'ils n'aient pas à craindre des représailles de la part de leurs victimes).

Un système policier

En outre, l'Inquisition disposait d'une véritable police secrète à sa solde — les *exploratores* — qui excellait à espionner, à surprendre les conversations, à rechercher les fugitifs dans les bois et les cavernes, avec l'aide de chiens dressés à ce genre de chasse. Dans une *Nouvelle* — œuvre d'un propagandiste catholique et, à ce titre, assez suspecte —, un hérétique, Sicard de Figueiras, converti par le Dominicain Izarn, nous est présenté comme désireux d'entrer, par zèle de néophyte, ou par intérêt, au service de l'Inquisition : *Je les ferai tous pendre*, dit-il (parlant de ses anciens coreligionnaires), *par mes écuyers, qui connaîtront bien les routes et les chemins de traverse, les cluzeaux et les grottes, les passages et les sentiers à suivre, et fort bien aussi les cavités où ils cachent leur argent.* Les délateurs d'occasion — qui recevaient une prime importante — ont toujours été nombreux : ils devenaient vite des professionnels. L'espèce la plus redoutable était celle des cathares spoliés, ou des héritiers dépouillés de leur héritage pour fait d'hérésie, qui entraient au service de l'Inquisition dans l'espoir et sur l'assurance qu'on leur donnait, qu'ils recouvreraient leurs biens et qu'ils seraient définitivement absous.

La capture du dernier Parfait, Bélibaste, par le traître Arnaud Sicre nous offre un bon exemple d'une de ces opérations de grande envergure montées par l'Inquisition de Pamiers au début du XIVe siècle. Arnaud Sicre appartenait à une famille cathare qui avait été persécutée et spoliée. Désirant ardemment rentrer en possession de sa fortune, il s'était fait fort, auprès de l'évêque Jacques Fournier, de retrouver Bélibaste, qui s'était réfugié à San Mateo (diocèse de Tortosa), de capter sa confiance, et de le ramener, sous un prétexte quelconque, dans le diocèse de Pamiers ou dans une des villes de Catalogne appartenant au comte de Foix, vicomte de Castelbon et seigneur de Tirvia (dans la province de Lérida), et soumise donc à la juridiction inquisitoriale. L'évêque fournit à Arnaud Sicre tout l'argent qu'il voulut, lui donna la permission de se comporter en tous points comme les hérétiques, *pourvu qu'il n'en partageât point les erreurs ni de cœur ni d'esprit.*

L'histoire de l'arrestation de Bélibaste

Le récit d'Arnaud Sicre est un véritable roman policier auquel ne manquent ni les épisodes picaresques ni les péripéties dramatiques. Le traître monta son affaire avec une habileté diabolique, faisant des prodiges d'hypocrisie et de bassesse. Comme ses compagnons, Pierre Mauri et Bélibaste, se méfiaient tout de même de lui, parce qu'il paraissait tout ignorer du Catharisme, ils décidèrent, un soir, de lui administrer le sérum de vérité : ils le poussèrent à boire. Mais il ne tomba point dans le piège.

J'avais vu, dit-il, *que Pierre Mauri mélangeait en cachette deux vins pour m'enivrer. Je fis donc semblant d'être ivre et, à la fin du repas, je me laissai tomber à côté de la table. Pierre Mauri me porta jusqu'à mon lit; je fis alors semblant de vouloir uriner sur l'oreiller. Il me tira du lit et, me portant presque, me traîna dans la rue. Là, nous étions seuls, il me dit à voix basse : «Arnaud,*

veux-tu que nous conduisions l'hérétique jusqu'en Sabarthès?
Nous en aurions cinquante ou cent livres tournois, dont nous
pourrions vivre honorablement; ce scélérat ne tient que des propos
pernicieux. » Je lui répondis, en faisant l'ivrogne qui peut à peine
articuler ses mots : « Oh! Pierre, vous voulez trahir Monseigneur! Je
ne vous aurais jamais cru capable d'un pareil tour : vous voulez
donc le vendre! Je ne vous laisserai pas faire! » Puis je rentrai
en grommelant, me jetai sur le lit, feignis d'être ivre mort. Alors
Pierre Mauri me déchaussa, me déshabilla, remonta la couverture;
je faisais toujours semblant de dormir. Croyant que je dormais,
Pierre Mauri et Bélibaste parlèrent sans se gêner : Pierre Mauri
raconta ce que je lui avais dit, comment je lui avais répondu, bien
que je fusse ivre; il ajouta : « On peut avoir confiance en lui, il
ne nous trahira pas. »

Le lendemain, Pierre Mauri me dit : « Comment avez-vous
passé la nuit? — Bien, lui répondis-je, car nous avions bu de
bon vin. — De quoi avons-nous parlé? » Je lui dis que je l'ignorais.
« Et qui vous a mis au lit? vous a déshabillé et déchaussé? — Moi,
parbleu, lui dis-je. » Et l'hérétique répondit : « Oh! mon ami,
vous n'étiez guère en état de le faire! »

Devant cette perfidie — qu'il raconte à l'évêque avec tant
de naturel — on regrette que le Dieu des cathares n'ait pas eu
assez de pouvoir pour foudroyer Sicre sur l'heure. Le pauvre
Bélibaste, qui n'attire d'ordinaire ni l'admiration ni la sympathie, sort finalement grandi des épreuves qui l'attendent. Il
n'était certes pas le Fils de Dieu, comme il se plaisait à le dire,
mais Arnaud Sicre, lui, était bien Judas...

Comme nous cheminions, deux pies s'élancèrent l'une contre
l'autre en se battant, se posèrent sur un arbre, puis traversèrent
la route. Bélibaste s'était assis, las et découragé par ce mauvais
présage. Je lui dis de se lever et de marcher. Il me répondit qu'il
était fatigué. « Arnaud, Arnaud, Dieu veuille que tu m'amènes
en bon lieu! » Je lui dis : « Je vous mène en bon lieu », et j'ajoutai :
« Si je voulais vous dénoncer, ne pourrais-je pas le faire ici aussi
bien qu'ailleurs? » Il me répondit : « Si mon Père me veut, s'il
me réclame, que sa volonté s'accomplisse! »

Il se leva et nous parvînmes à Agramunt. De là nous allâmes à Trago, puis de Trago à Castelbon et de Castelbon jusqu'à Tirvia. En chemin, Bélibaste me parlait sans cesse de ses chimères hérétiques. A Tirvia, je le fis arrêter.

L'évêque et les Inquisiteurs de Carcassonne donnèrent l'absolution à Arnaud Sicre, et le rétablirent dans tous ses droits. Il reçut des lettres de catholicité des mêmes seigneurs évêque et inquisiteurs, scellées de leur sceau. *Par ces motifs, nous, évêque et inquisiteurs susdits, par la teneur des présentes, absolvons entièrement et tenons quitte ledit Arnaud de tout ce qu'il a pu, avec ledit hérétique (Bélibaste) ou autres fugitifs pour hérésie, dire, faire et mettre en œuvre pour ladite cause, sans y ajouter foi ou y adhérer, et disons ledit Arnaud avoir, pour la capture dudit hérétique procurée par ses soins, mérité de nous-mêmes et de nos successeurs grâce et faveurs spéciales, en témoignage et à l'appui desquelles nous lui avons accordé les présentes lettres auxquelles sont appendus nos sceaux.*

Fait à Carcassonne, le 14ᵉ jour de janvier, en l'année du Seigneur 1321. (Traduction de J. Duvernoy.)

L'interrogatoire des suspects

L'Inquisiteur fait comparaître devant lui, en prenant un air bienveillant, car il ne doit pas montrer de haine, celui ou celle qu'il suspecte d'hérésie. Quelquefois, il l'interroge d'abord sans lui faire prêter serment. Il veut l'amener par là à dire la vérité et lui éviter de se parjurer. Le suspect, qui ne sait pas ce qu'on attend exactement de lui, peut faire des révélations inattendues. Et l'Inquisiteur compte sur ces hasards. C'est ainsi que Jacques Fournier, enquêtant sur la sorcière Gaillarde Cuq, fut amené à examiner le cas de Béatrice de la Gleize, fille de Philippe de Planissoles, laquelle révéla que le curé de Montaillou et son frère Bernard, ancien bayle du comte de Foix, étaient depuis longtemps hérétiques. Puis l'Inquisiteur renvoie chez lui le suspect, lui laisse quelques jours de réflexion, et le cite à nouveau pour déposer, cette fois, sous serment. Si le prévenu ne se présente pas, un ordre d'arrestation est aussitôt lancé à tous les officiers de justice. Béatrice de Planissoles, dame noble du comté de Foix, est interrogée, sans prestation de serment, le 26 juillet 1320, par l'évêque Fournier et citée le 29 juillet à déposer sous serment : entre-temps, elle a été laissée en liberté provisoire. Mais elle ne se présente pas au jour dit. Elle est arrêtée le 1ᵉʳ août, au Mas-Saintes-Puelles, par les sergents de l'Inquisition. En cinq jours, la malheureuse était passée de la position de suspecte à celle d'hérétique, en aggravant son cas.

Les personnes, plus ou moins suspectes, appelées à témoigner, étaient soumises à la même procédure. Du fait qu'on avait été en rapport avec les hérétiques, on était considéré, *a priori*, comme *fauteur d'hérésie*. Si l'on faisait défaut, sans avoir fourni une excuse valable, on était présumé coupable.

On peut s'étonner que l'Inquisition, si terrible par ailleurs, n'ait pas usé plus souvent de la détention préventive et qu'elle ait laissé au coupable, entre deux citations, le temps matériel de préparer sa fuite. D'autant plus facilement que, parfois, la citation était faite pour une date assez éloignée. Il arrivait exceptionnellement que des personnes suspectes d'hérésie eussent un délai d'un mois pour répondre à la citation à comparaître. Mais si elles n'y répondaient pas, elles étaient *ipso facto* condamnées comme hérétiques, *quand même on n'eût rien pu prouver contre elles*. Il s'agissait souvent de nobles ou de riches bourgeois dont les grands biens auraient été confisqués, s'ils avaient fait défaut. En règle générale, les délais étaient beaucoup moins longs et l'Inquisiteur prenait ses précautions : il interdisait au suspect, pendant les huit jours de réflexion qu'il lui laissait, de sortir des limites de la ville, ou bien il le gardait dans son palais, où il le laissait libre d'aller et de venir, comme aux arrêts. S'il avait de bonnes raisons de penser que celui-ci songeait à s'enfuir, il n'hésitait pas à le faire écrouer.

Le suspect subissait un long interrogatoire, parfois plusieurs, sous serment. L'évêque Fournier interrogeait toujours lui-même. Mais d'autres Inquisiteurs faisaient recueillir les premières dépositions par leurs adjoints, ne se réservant que la fin de l'enquête et le jugement. Geoffroy d'Ablis, qui passait pour intraitable et qui l'était sans doute, était, cependant, facile à abuser ou à attendrir, quand il était de bonne humeur. Il savait mal la langue d'oc, se reposait sur ses lieutenants des détails fastidieux de l'instruction et se bornait à absoudre ou à condamner selon un formalisme strict qui, manquant par trop de souplesse, innocentait les coupables — ou les malins — pourvus de faux témoignages favorables, et accablait les pauvres bougres calomniés par de faux témoignages à charge. Au début du XIVe siècle, les cathares de l'entourage de Bélibaste, qui avaient désormais tout à craindre du zèle et de la perspicacité de Jacques Fournier, se rappelaient en riant leur passage à l'Inquisition de Carcassonne et la façon dont une de leurs amies avait trompé Geoffroy d'Ablis. A la fin d'un repas qui réunit le Parfait Bélibaste, Arnaud Sicre (le traître qui devait le livrer), Pierre Mauri, cathare convaincu, et sa femme Raymonde, Bélibaste fait raconter à Condors, sœur de Raymonde, pour égayer l'assistance, comment s'était déroulé son interrogatoire. « *Quand je fus en présence de Geoffroy d'Ablis*, dit-elle, *je lui fis tout de suite l'aveu de quelques menus faits intéressant l'hérésie, en prenant mon air le plus naïf, en faisant la sotte. L'Inquisiteur écouta ma confession avec bienveillance en me donnant de petites tapes sur l'épaule pour m'encourager. Je lui pris alors les genoux en le suppliant d'avoir pitié de moi. Il me rassura, me dit de ne plus avoir peur et qu'il ne me ferait aucun mal. Il tint parole et, peu de temps après, il me rendit la liberté. Je ne lui avais pas révélé la moitié de ce que j'avais fait — ni de ce que je savais sur les autres Croyants. Si j'avais tout dit, combien de gens auraient connu le malheur!* » *Cette histoire*, ajoute le Registre d'Inquisition, *fit rire tout le monde.* Tous ces rieurs devaient être arrêtés, peu de temps après, par l'évêque Fournier.

L'emprisonnement au « Mur »

Un Inquisiteur, un peu perspicace et connaissant bien son métier, voyait vite si le prévenu avait menti, s'il n'avait pas dit tout ce qu'il savait, ou s'il avait déformé sciemment les faits. Il le faisait alors incarcérer au *Mur* (prison de l'Inquisition), pour l'effrayer, puis il l'interrogeait à nouveau. Entre-temps, il avait entendu, séparément, les témoins et les délateurs, sans jamais les confronter avec l'accusé, car, comme le dit l'*Encyclopédie* : *On ne confronte pas les accusés aux délateurs, et il n'y a point de délateur qui ne soit écouté. L'accusé est obligé d'être lui-même son propre délateur et d'avouer des délits qu'on lui suppose et que souvent il ignore.*

Les gens qui étaient ainsi « emmurés », entre deux interrogatoires, n'étaient point traités, en principe, comme ceux qu'un jugement définitif condamnait à la prison perpétuelle ou de longue durée. Mais comme on les emprisonnait, précisément, pour les forcer à passer aux aveux complets, nous serions tentés de croire qu'on torturait aussi un peu pour les leur arracher. Et il n'est pas exclu que certains interrogatoires au Mur, hors de la présence de l'Inquisiteur, aient été précédés de tortures. Sans doute, l'évêque ou l'Inquisiteur ne manquent jamais de demander aux prisonniers s'ils n'ont pas été l'objet de mauvais traitements, si leurs aveux n'ont pas été provoqués par la crainte des supplices. Mais cela ne prouve pas grand-chose : si les Inquisiteurs torturaient leurs victimes, ils ne le disaient pas, et l'on sait que dans d'autres pays d'Europe, où il est sûr que la torture était employée, l'accusé devait renouveler ensuite ses aveux « librement », librement c'est-à-dire sous la menace d'être torturé à nouveau, s'il faisait mine de les rétracter. Il semble, pourtant, que la torture n'ait été employée que très rarement en Occitanie : il n'en est jamais question dans les *Registres d'Inquisition* qui nous ont été conservés.

Certains gardiens de prison pouvaient — à l'insu des Inquisiteurs — donner libre cours aux instincts sadiques qui se développent souvent chez ceux qui disposent du pouvoir de terrifier les autres. Mais les Inquisiteurs veillaient à faire cesser ces abus, surtout lorsque c'étaient de simples suspects, internés à titre probatoire et temporaire, qui en étaient les victimes. Aux *Allemans* — le *Mur* de l'Inquisition à Pamiers — comme à la *Mure* de Carcassonne, les hommes et les femmes étaient séparés. Les hommes entre eux, les femmes entre elles pouvaient se parler assez librement. Les suspects, mis simplement en surveillance, restaient parfois libres de leurs mouvements, à l'intérieur de la *Mure*, hommes et femmes mêlés. Ils ourdissaient ensemble des plans de fuite, de véritables conspirations. Les gardiens se chargeaient avec assez d'exactitude de remettre aux prisonniers les aliments, les habits que leurs parents et amis leur faisaient parvenir.

Un dialogue de sourds

Les interrogatoires étaient menés selon un modèle établi d'avance et à peu près invariable — assez objectif, somme toute, mais trop rigide, ne portant que sur les « faits » et négligeant les intentions. On demande au prévenu s'il a vu des hérétiques, s'il leur a parlé, s'il en a reçu chez lui, s'il est allé chez eux, s'il a assisté à leurs prédications, s'il les a « adorés », s'il a mangé du pain bénit par eux, s'il a conclu avec leur Église le pacte de *Convenensa*, s'il a pris part à un *Consolamentum*. Comme il devait livrer les noms de toutes les personnes qu'il avait rencontrées, ou simplement aperçues, à une cérémonie cathare, la déposition d'un seul Croyant amenait l'arrestation d'un grand nombre d'autres et, souvent, celle des Parfaits eux-mêmes.

Les Inquisiteurs ne cherchent pas à approfondir la signification des doctrines qu'on leur expose. On les sent pénétrés de leur propre infaillibilité dogmatique et pleins de mépris pour toutes les rêveries hétérodoxes. Ils n'ont en général aucune curiosité philosophique... Quelques-uns, cependant,

posent des questions hors programme — non prévues au
formulaire — qui témoignent d'un certain souci métaphysique, ou du désir de mieux comprendre l'hérésie. C'est ainsi
que Jacques Fournier demande un jour à Béatrice de la
Gleize si elle n'a pas entendu dire que le Diable fût appelé
Ylé (*hylé*, matière, en grec). La dame répond naturellement
que non : elle n'entendait pas le grec, et les Bonshommes
qu'elle fréquentait, non plus. La chose avait de l'importance, car, selon qu'on fait de Satan un être matériel ou un
être spirituel, le dithéisme cathare change radicalement de
signification. Une autre fois, l'évêque découvre chez Pierre
Mauri une indiscutable contradiction : ce berger peu instruit
vient de déclarer que toute l'œuvre diabolique est « transitoire », que les démons et les mauvais esprits cesseront
d'exister à la fin des Temps et se confondront au néant...
Mais il déclare tout de suite après que les démons seront
enfermés dans l'enfer, leur royaume, pour l'éternité. Comment cela est-il possible? Pierre Mauri répond naïvement
qu'il ne s'est jamais posé la question. Et Jacques Fournier
n'insiste pas. Peut-être, ce soir-là, retiré dans sa chambre,
a-t-il pensé à la façon dont les cathares résolvaient la
contradiction, et en est-il venu à admettre que le mauvais
principe peut bien être éternel en tant que facteur de corruption, et cependant transitoire dans ses manifestations indé-
finies, lesquelles ne laissent pas d'être temporelles, chan-
geantes, multiformes et toujours renaissantes, comme la
matière chaotique sur quoi elles s'appuient. Quand on laisse
vagabonder son imagination, on se prend à rêver qu'un Inquisiteur eût pu se laisser troubler par l'argumentation profonde d'un Bonhomme. Quel beau sujet de roman historique!
Mais les hérétiques de la fin du XIIIe siècle étaient de piètres
philosophes, et trop de distance séparait leurs conceptions
de celles des catholiques. Jacques Fournier est plus à son
aise avec les vaudois et les Juifs, et il ne dédaigne pas de
discuter avec eux.

Les hérétiques n'avaient point d'avocats, point de défenseurs. Les Conciles de Valence (1248) et d'Albi (1254) interdisaient leur présence aux côtés des prévenus, comme étant de nature « à retarder la marche du procès ». Tout « défenseur » était considéré comme *fauteur d'hérésie*. Quand, exceptionnellement, paraît un avocat, son rôle se borne à conseiller au suspect d'avouer. Car l'essentiel était que le cathare avouât et abjurât. Les Inquisiteurs ne mettaient aucune différence entre celui qui n'avait *rien* à avouer et celui qui ne *voulait pas* avouer. L'aveu et l'abjuration obligatoire terminaient le débat. Rien n'empêchait, cependant, un hérétique mis en cause de consulter en secret, avant la citation ou entre la citation et la comparution, un avocat de sa foi. Le maître ès lois, Guillaume Garric, de Carcassonne, l'honneur de sa profession, se faisait un devoir de donner des conseils utiles aux Croyants qui venaient le trouver clandestinement. Il passait pour l'ami du Catharisme, l'était effectivement, et en fut sévèrement puni.

Après avoir confronté dépositions et témoignages, et pris, s'il le jugeait bon, conseil de son lieutenant, l'Inquisiteur rendait enfin la sentence. Il la rendait seul et il n'y avait point d'appel. D'aucune sorte. Un notaire l'enregistrait soigneusement, ainsi que les dépositions, les témoignages, l'abjuration. La lecture de la sentence était l'occasion d'une solennité religieuse : elle avait lieu un dimanche, en présence des magistrats et de tout le clergé; on convoquait, à cette occasion, l'évêque du lieu quand l'Inquisiteur ne l'était point lui-même, mais aussi les évêques et abbés du voisinage, dont les frais de déplacement étaient payés sur les biens confisqués aux hérétiques. Cette solennité s'appelait *sermon public* ou *Acte-de-foi (Autodafe)*. Elle attirait toujours un grand concours de peuple.

Le règne de la terreur

Il est difficile d'évaluer impartialement l'étendue des abus, des excès, des injustices indiscutables commis par l'Inquisition; ce qui est sûr, c'est qu'elle a été haïe des populations dans tous les pays où elle s'est installée. Dans certaines régions, pourtant, et à certaines époques, elle s'était montrée relativement modérée. Dans le comté de Foix, par exemple, avant l'arrivée de Jacques Fournier, il y avait eu peu de bûchers allumés. Et sous Jacques Fournier, juge sensé et équitable (dans le cadre, naturellement, de l'institution que nous avons le devoir de réprouver en tant que telle), on constate que les condamnations à mort ont été beaucoup moins nombreuses que les condamnations à l'emprisonnement ou à des peines plus légères. Mais ailleurs, la répression de l'hérésie prit parfois une forme si cruelle, si inhumaine, qu'elle souleva contre l'Église des populations qui ne demandaient qu'à vivre en paix avec elle. Parce qu'elle s'en prenait indifféremment à tout le monde, elle semblait vouloir s'acharner sur les vaincus. Il n'est pas étonnant que les Méridionaux lui aient voué en retour, pendant deux siècles, une haine tenace, ainsi, d'ailleurs, qu'aux occupants français qui avaient permis l'installation de ses tribunaux. Ils se seraient sans doute résignés, à la longue, à voir les Parfaits monter sur les bûchers. Ces saints hommes n'ont jamais été bien nombreux, ils l'étaient encore moins à la fin du XIIIe siècle et l'on savait qu'ils avaient fait une fois pour toutes le sacrifice de leur vie. Mais l'erreur de l'Inquisition fut d'instaurer une terreur générale, à laquelle personne — catholique ou cathare — ne pouvait être absolument sûr d'échapper; elle faisait peser sur toutes les classes de la société des menaces terribles devant lesquelles les gens de bien se sentaient beaucoup plus désarmés que les lâches et les traîtres; elle ne laissait personne vivre en repos. Sans doute, la vie quotidienne d'un Languedocien des années 1230 ne s'écoulait pas dans des alarmes continuelles, mais on peut affirmer que personne, à cette époque-là, ni à Toulouse, ni à Pamiers, ni dans le plus petit village languedocien, n'a pu se flatter de passer une semaine entière sans que, d'une façon ou d'une autre, l'Inquisition se rappelât à lui.

Pour rétablir l'ordre catholique, il avait d'abord fallu prendre des mesures préventives, exiger de toute la population qu'elle se montrât, extérieurement, respectueuse de l'Église, de façon à forcer les rebelles à se révéler. L'Inquisition n'y manqua point. La messe devint obligatoire, pour les seigneurs comme pour le peuple. Les curés prenaient les noms de ceux qui n'y allaient pas et les frappaient d'une amende de douze deniers (dont six allaient à l'Église et six au seigneur du lieu). Celui qui ne communiait pas trois fois par an était suspect. Parfois on demandait aux enfants — aux garçons à quinze ans, aux filles à douze — d'abjurer en bloc toutes les hérésies et de s'engager par serment à demeurer fidèles à l'Église, de sorte que tout hérétique devenait une sorte de *relaps*. Ce serment, que Schmidt qualifie d'absurde, ne l'était pas tellement, du fait que, selon les Conciles de Toulouse (1229), Béziers (1246), Albi (1254), il devait être renouvelé tous les ans et, par conséquent, finissait par être exigé des adultes.

Il faut compter aussi parmi les mesures préventives d'ordre général (Concile de Toulouse, 1229), l'interdiction de discuter des points de la foi catholique sous peine d'excommunication, et cette mesure gênait fort les Méridionaux qui aimaient parler de religion et de métaphysique. Tous les livres écrits en langue d'oc, les traductions de la Bible en occitan étaient interdits. La disparition de tous les ouvrages théologiques cathares — à l'exception de deux traités, dont l'un ne nous est parvenu que sous la forme, incomplète, de citations réfutées — s'explique aisément par le fait que celui qui en détenait devait les apporter à son évêque dans un délai de huit jours. Les livres étaient brûlés. (A différentes reprises, on confisqua même les *Talmud*, bien que les Juifs eussent alors un statut reconnu.) Ne restaient entre les mains des fidèles que les *Psaumes*, le *Bréviaire*, les *Livres d'Heures*...

Toutes ces mesures préventives et générales parurent inopérantes. Les Croyants et même, dans une certaine mesure, les Parfaits adoptaient le comportement extérieur des catholiques. Il n'y avait plus d'hérétiques! Quant aux livres défendus, les Croyants continuaient à les lire, quitte à les tenir soigneusement cachés, ainsi que les grimoires magiques (on en retrouve aujourd'hui encore dans des niches secrètes, en démolissant de vieux murs).

Les châtiments

La répression ne s'exerça jamais utilement que sur les individus qui se désignaient eux-mêmes comme coupables, ou qui étaient démasqués par les espions ou les délateurs. Les peines que l'Inquisition prononçait contre eux étaient proportionnées au délit ou au « crime », et empreintes d'une indulgence relative lorsqu'ils s'étaient livrés de plein gré. Les fauteurs d'hérésie, les suspects, les simples Croyants étaient généralement condamnés à des pénitences lourdes, longues, mais temporaires. Ils devaient porter des marques d'infamie : deux croix jaunes cousues sur leurs habits, l'une sur la poitrine, l'autre dans le dos. Les croix doubles marquaient une aggravation de culpabilité. Ils restaient sous la surveillance active des recteurs qui chaque dimanche, entre la lecture de l'Épître et celle de l'Évangile, les frappaient de verges. Souvent, on leur imposait des pèlerinages à Saint-Jacques-de-Compostelle, une visite annuelle aux églises de Toulouse, ou même l'obligation d'aller combattre les Sarrasins en Palestine. (On supprima cette dernière pénitence, quand on s'aperçut qu'elle peuplait la Terre sainte d'hérétiques.) Enfin, ils pouvaient être mis en prison pour plusieurs années : ils y étaient soumis à un régime plus humain que celui qui était réservé aux emmurés à vie. A Carcassonne, les prisonniers temporaires pouvaient recevoir la visite de leur femme, obtenir exceptionnellement des permissions de sortie. Leurs peines, enfin, pouvaient être commuées.

Quelques exemples, pris sur le vif, donneront une idée de

la façon dont ces peines étaient distribuées : Bernard d'Ortel, de Ravat, professe une erreur grave : il ne croit pas à la résurrection des corps après le Jugement dernier : il est condamné à cinq ans de prison. Emmuré le 12 août 1324, sa détention est commuée en port de croix le 16 janvier 1329. Guillemette Benet, d'Ornolac, n'est coupable que de matérialisme vulgaire : à l'époque des vendanges, elle est tombée du haut d'un mur et s'est blessée au nez : le sang coule. Une fille du voisinage accourt et la relève. « L'âme, l'âme, lui dit Guillemette, qu'est-ce que c'est, sinon du sang! » Une autre fois, pour son malheur, elle précise mieux sa pensée : comme son fils, en bas âge, se meurt, elle l'observe. Il ne sort de sa bouche qu'un souffle bientôt éteint. « Si je voyais quelque chose sortir de la bouche à l'heure de la mort, je croirais que l'âme est quelque chose, mais comme il n'en sort que du vent, je crois que l'âme n'est rien du tout, ou plutôt qu'elle n'est, tant que les hommes et les animaux vivent, que du sang. » Guillemette avait sur l'existence de l'âme à peu près les mêmes idées que Claude Bernard, mais six siècles avant lui! Cette matérialiste du dimanche fut condamnée au *Mur* le 8 mars 1321, mais sa peine fut commuée en port de croix doubles le 16 janvier 1329.

Ces châtiments, étant donné l'esprit de l'époque, et celui de l'Inquisition, ne sont pas excessifs. Il en est d'autres qui nous paraissent plus iniques. Pour avoir dit qu' « en Lombardie personne ne fait de mal aux hérétiques », Pierre Lafont, de Vaychis, portera les croix doubles et fera divers pèlerinages (5 juillet 1322). Un certain Raimon de l'Aire, de Tignac, croit, comme Guillemette, que l'âme n'est que du sang. Mais son matérialisme est plus savant : il ne pense pas que le Christ ait eu une naissance surnaturelle, et il professe un anticléricalisme raisonné. Il est condamné au *Mur strict* le 5 juillet 1322. Les esprits forts, qui refusaient de payer les dîmes, étaient particulièrement visés. L'évêque appelait hérétiques les mauvais contribuables. Comme le note M. Duvernoy, Pierre Lafont était suspect de résistance au paiement des dîmes, ce qui contribua sans doute plus à le faire condamner que ses propos sur la Lombardie. Jean Jaufré, de Tignac, est peut-être un Croyant, mais c'est sûrement au refus de payer les dîmes qu'il doit, lui aussi, d'être condamné au *Mur strict* (5 juillet 1322); et Arnaud Tesseyre — mais ce dernier avait montré, en outre, du mépris pour l'excommunication — à la prison perpétuelle (5 juillet 1322). Tous ces mauvais payeurs se voient lourdement frappés : Raimond de Laburat, de Quié : *Mur strict* (19 juin 1323), Pierre Guillaume, l'aîné, d'Unac : *Mur* (16 janvier 1329).

En somme, l'évêque est plutôt indulgent pour le matérialisme naïf : les péchés de la chair (quand ils ne sont pas le fait d'un hérétique); sévère, mais « juste » (selon l'esprit de l'Inquisition) à l'égard des Croyants déclarés; très dur pour les opposants à la dîme. Cela montre bien que, tout en défendant les droits de l'Église, il veut aussi le maintient de l'ordre économique féodal. Il en use envers les cathares comme les Byzantins envers les Bogomiles, plus ennemis d'ailleurs de la Féodalité que ne l'étaient les Albigeois.

L'hérésie : source de profits pour l'Église romaine

L'hérétique est frappé d'anathème et excommunié. Une atmosphère lugubre s'appesantit sur la bourgade, lorsque, toutes les cloches se mettant à sonner, on éteint les cierges dans l'église et qu'il est procédé à la lecture de la sentence. En entendant, au lieu du paisible *Angelus* — cher à Millet, et à Salvador Dali — les cloches sonner à toute volée dans le crépuscule, *à la gloire de Dieu et à la détestation de l'hérésie*, les paysans se signent et tremblent. L'un des leurs est retranché de la communauté. Le curé, afin peut-être d'éviter les tentatives de corruption, ne doit plus accepter de l'hérétique, même en instance de pénitence, ni aumônes ni offrandes; il lui refusera la sépulture dans les cimetières consacrés.

Aux peines religieuses s'ajoutaient les peines civiles, encore plus graves. Les biens des hérétiques étaient confisqués, meubles et immeubles. En réalité, on saisissait les terres et on démolissait les maisons. Pas seulement celles des Croyants, mais aussi la maison voisine, si un Parfait y avait été reçu; celle aussi où il avait été arrêté, même si la bonne foi de son propriétaire avait été surprise, et eût-il été le meilleur des catholiques. (On lui faisait payer, par surcroît, une amende de cinquante livres!) Ces mesures, inutilement vexatoires, plongeaient les familles dans la consternation. On n'en admire que plus le courage et le dévouement de ces petits propriétaires du Languedoc ou du comté de Foix qui, en abritant chez eux les Bonshommes traqués, s'exposaient à perdre la liberté et leurs pauvres biens. On comprend aussi que des âmes moins généreuses aient reproché amèrement à un Pierre Authier, l'un des derniers ministres cathares, d'avoir attiré, par ses prédications, le malheur sur le pays.

A moins que son curé ne fût secrètement cathare — cela arrivait parfois — et ne le protégeât, tel village pouvait être en partie rasé, parce que presque toute la population avait trempé dans l'hérésie. C'est ainsi que, dans le village de Montaillou, près de Prades, de nombreuses maisons furent démolies, après que leurs habitants eurent été cités par l'évêque et condamnés pour la plupart. Tout ce que contenait les maisons était vendu au profit de l'Église, ainsi que les matériaux de la démolition. Il était interdit de les reconstruire sur le même emplacement, qui ne devait plus servir que de dépôt d'ordures. *Quiconque osera contrevenir à cet arrêt, en bâtissant sur ces lieux, en les cultivant ou en les fermant d'une clôture, sera frappé d'anathème!*

On confisquait aussi les terres nobles, les seigneuries, les biens des chevaliers qui s'étaient gravement compromis dans l'hérésie. Une partie des confiscations servait, nous l'avons vu, à nourrir les prisonniers, à construire des *Murs*, à rétribuer le personnel de l'Inquisition; une autre allait à l'évêque, à l'église du lieu; sur les terres soumises à l'autorité du Roi, le Trésor prélevait sa part; ailleurs, le Trésor seigneurial. Cela explique que de hauts barons, favorables au début à la cause cathare, mais ayant réussi par la suite à échapper à l'excommunication et à la spoliation, n'aient point vu d'un trop mauvais œil se multiplier les confiscations, dont le produit augmentait leurs revenus. On appelait ces confiscations les *encours*.

Rappelons enfin que les hérétiques, même relevés de l'excommunication, ne devaient exercer aucune charge publique, ni voter dans les élections consulaires. Ils ne pouvaient pas porter témoignage (sauf contre d'autres hérétiques). Leurs testaments étaient frappés de nullité; ils n'étaient plus habilités à léguer, à recevoir un héritage. En quelques régions, on interdisait aux médecins de les soigner. Il ne paraît pas que la réconciliation, l'abjuration ni même l'accomplissement de la pénitence imposée aient effacé l'« infamie » et rendu aux hérétiques, sauf en quelques régions où le seigneur fermait les yeux, le plein exercice de leurs droits civils.

Les abjurations

Quelques Parfaits sont revenus spontanément, sans y avoir été contraints, au Catholicisme. On leur infligeait une pénitence sévère, mais, quelquefois, on les tenait quittes en raison du service signalé qu'ils rendaient ainsi à l'Église. Guillaume Pelhisson raconte comment Raimon Gros, appartenant à une famille cathare du Lauragais, *se rendit un beau jour, le 2 avril 1237, dévotement et humblement, spontanément converti à la vraie foi, sans avoir été convoqué ni cité, à la Maison des Dominicains de Toulouse, pour y accomplir en toutes choses la volonté des frères. Le frère Bonsolas, sous-prieur remplaçant le prieur Pierre Sellan, qui s'était transporté à Montauban pour y faire l'Inquisition, le réconcilia sur l'heure et le reçut convers,*

Les Inquisiteurs étaient d'autant plus indulgents pour ces convertis de la dernière heure qu'ils leur livraient plus de renseignements. La confession de ce Raimon Gros fut si généreuse que les frères mirent plusieurs jours à la coucher par écrit. Elle provoqua beaucoup d'autres aveux, et la tâche de l'Inquisition toulousaine en fut grandement facilitée. *Ce que voyant, les frères se réjouirent beaucoup, et les partisans de l'hérésie furent épouvantés en voyant toute l'étendue de leur iniquité.* Raimon Gros déclara « honnêtement » tout ce qu'il savait sur les hérétiques et leurs amis, entièrement et avec ordre. *Ce qui n'eût pu se faire,* ajoute Guillaume Pelhisson, *sans l'aide de la divine Providence.*

Il arrivait aussi — mais très rarement — que des Parfaits arrêtés par l'Inquisition abjurassent le Catharisme. Dans ce cas, ils s'engageaient par serment à défendre l'Église de toutes leurs forces, et on les relevait de l'excommunication : ils étaient réconciliés. Mais d'ordinaire ils étaient condamnés à la prison perpétuelle où, semble-t-il, on ne les torturait pas. Il est difficile de savoir si ces hérétiques, réconciliés, étaient mis au Mur strict *(strictus)* : c'est-à-dire dans un local très étroit, privé d'air, les pieds et les mains liés, et ne recevant qu'une nourriture insuffisante; ou au Mur très strict *(strictissimus)*, qui n'était guère, comme le dit P. Belperron, que l'antichambre du tombeau; ou au Mur large *(largus)*, où leurs mouvements n'étaient pas entravés.

Il semble qu'ils aient été enfermés dans des cellules spéciales, séparés des autres « criminels », comme les relaps ou fugitifs, qui se livraient d'eux-mêmes et demandaient à être réconciliés, et qui étaient, de ce fait, punis de l'*immuratio* à vie. (Les relaps qui étaient *pris* étaient ordinairement brûlés, comme les Parfaits qui refusaient d'abjurer.)

Les irréductibles

La plupart des Parfaits — la très grande majorité et cela est tout à l'honneur du Catharisme — n'avouaient pas, ne prêtaient pas serment, n'abjuraient pas. Il n'y avait donc rien à attendre d'eux. Ils étaient retranchés de l'Église et du Ciel. Le Concile de Vérone (1184) avait décrété que les hérétiques qui refuseraient de se convertir seraient livrés à la justice séculière. Rappelons que la justice séculière ne les interrogeait pas, ne les jugeait pas : elle n'avait qu'à punir. Et les Parfaits étaient punis de mort; le pouvoir séculier ne faisait qu'exécuter la sentence. La justice, royale ou seigneuriale, n'avait donc pas plus de responsabilité dans la mort des Bonshommes que n'en avaient le bourreau et l'aide-bourreau. Les Parfaits étaient brûlés sur les bûchers. Ce genre de supplice frappait terriblement les imaginations, mais n'était pas plus cruel qu'un autre. On disait dans les milieux cathares que « cela ne faisait pas souffrir » et que Dieu rendait insensible à la douleur le corps de ceux qui s'étaient exercés toute leur vie à la mépriser.

Les hérétiques, dont on avait ignoré, leur vie durant, qu'ils l'étaient, étaient déterrés et brûlés. Quelquefois les héritiers, dont on n'avait pas confisqué tout l'héritage, devaient subir eux-mêmes une pénitence ou payer une forte amende. Ceux dont on pouvait prouver qu'ils avaient sciemment fait enterrer un hérétique au cimetière de l'église, étaient excommuniés. *Pour être absous*, dit Schmidt, *il fallait qu'ils exhumassent de leurs mains le cadavre, et qu'ils le jetassent en dehors de la terre bénite.* Nous n'avons rien trouvé de tel dans les textes. Mais il est certain qu'en Occitanie le lieu où avait été déposé un hérétique ne devait plus jamais servir de sépulture : il était souillé.

En principe, la condamnation d'un hérétique frappait d'incapacité ecclésiastique et civile ses descendants jusqu'aux petits-fils compris. C'est-à-dire qu'ils ne pouvaient recevoir aucune charge ni aucun bénéfice ecclésiastique, ni dignité ni fonctions dans l'État ou dans la cité (Concile de Béziers, 1234). En réalité, cette prescription était difficile à observer : les hommes ont la mémoire courte. On connaît des exemples de petits-fils d'hérétiques qui ont occupé des fonctions importantes dans le royaume et qui, peut-être, sous couvert, parfois, de défendre les intérêts de la Monarchie, ont exercé contre la Papauté des représailles « patarines ».

CHAPITRE II

LES CATHARES DANS LA CLANDESTINITÉ

Les conséquences du traité de Meaux

On doit faire commencer à l'année 1229, c'est-à-dire au traité de Meaux, l'entrée du Catharisme dans la clandestinité, puisque le comte de Toulouse, Raimon VII, y promettait d'être désormais fidèle au Roi et à l'Église, et de combattre les hérétiques, *sans épargner ses vassaux, ses parents, ses amis.* Pour la première fois, les cathares ne peuvent plus compter sur l'appui, ni, en principe, sur la bienveillance de leur seigneur légitime. Le double jeu va maintenant marquer toute leur vie quotidienne : les hérétiques sont condamnés à faire semblant d'être catholiques; les catholiques, à faire la preuve qu'ils ne sont pas cathares.

A toutes les époques, beaucoup de Croyants sincères s'étaient crus libres d'adhérer au Catharisme, sans sortir de l'Église romaine. Un curé de village, secrètement converti au dualisme moral, pouvait, de très bonne foi, célébrer spirituellement la messe, en se représentant le Christ, non point comme réellement présent dans l'hostie, mais comme incarné, et souffrant dans tous les êtres de ce monde, tel le *Christus patibilis* du Manichéisme ancien. Beaucoup de prêtres et d'évêques, victimes entre 1205 et 1211 de l'épuration pontificale, ne furent coupables que d'un excès de spiritualité.

Nous voulons bien que certains d'entre eux aient été des simoniaques perdus d'honneur, dont les Papes devaient débarrasser la Chrétienté, comme le Catharisme l'eût fait lui-même, s'il avait triomphé. L'abbé de Fos, par exemple, sur lequel Innocent III fit faire une enquête, passait son temps à la chasse comme un seigneur de village, se passionnait pour des procès, *et commettait des actes que, pour l'honneur du clergé, il vaut mieux taire.* Mais Bernard-Raimon de Roquefort, évêque de Carcassonne, déposé en 1211, avait hérité de sa mère, cathare convaincue, des vertus dignes des premiers temps du Christianisme. Guillaume de Roquessels, évêque de Béziers, déposé en 1205, s'était montré disciple véritable du Christ en refusant de persécuter les hérétiques de son diocèse. Et à Bernard de la Barthe, archevêque d'Auch, chassé lui aussi de son siège en 1214, on ne pouvait reprocher que sa douceur et sa tolérance. C'était un bon chrétien anticlérical (heureux temps où les anticléricaux étaient des clercs!). Les sentiments qu'il exprimera plus tard, en vers — car il était aussi troubadour — à propos de la signature du traité de Meaux :

> *Bonne paix me convient si elle est durable;*
> *Mais si elle est imposée, elle ne me plaît guère :*
> *De paix honteuse viennent plus de maux que de biens...*

sont d'un humaniste qui ne sépare pas les valeurs chrétiennes de celles de la civilisation qui lui est chère.

Au début de la Croisade, comme à la période finale du Catharisme, on trouve à peu près le même nombre d'abbés, de religieux, de prêtres gagnés à l'hérésie. S'il n'y avait pas eu persécution, on en eût vu certainement beaucoup plus adhérer à l'ésotérisme cathare, à la façon de ces abbés qui, au XVIIIᵉ siècle, se faisaient recevoir dans la Franc-Maçonnerie, sans abandonner leur foi catholique. C'est contre de tels « spirituels » que l'Église a sévi beaucoup plus que contre les prêtres indignes. Les temps, il est vrai, n'étaient pas encore à la tolérance ni à la conciliation.

Une coexistence pacifique

La confrontation des idées hétérodoxes avec la théologie romaine, l'influence grandissante de la culture « française », contre laquelle réagissait la pensée occitane, tout cela favorisait, non sans apporter d'ailleurs quelque désarroi dans les esprits, le syncrétisme philosophique dont le Moyen Âge a toujours été pénétré. La notion même de péché en sortait obscurcie. Comment d'honnêtes religieux auraient-ils pu admettre que Dieu réprouvait les saints hommes cathares, et accueillait dans son paradis des criminels confessés de la veille? Jean Guiraud, et plus récemment Yves Dossat ont publié des listes d'ecclésiastiques fauteurs d'hérésie. Elles ne manquent pas d'éloquence, et elles laissent presque penser qu'il y avait autant de catholiques dans l'Hérésie que d'hérétiques dans le Catholicisme. L'abbé de Montolieu et beaucoup de ses moines, les curés de Villegly, des Ilhes, de Pradelles, de Pennautier, de Villemoustaussou, d'Aragon assistaient, en 1280-1285, aux cérémonies présidées par le Parfait Pagès; ils recevaient le *Consolamentum* ou faisaient promesse de le recevoir à l'heure de la mort. De même, des diacres, des prêtres du chapitre de Carcassonne croyaient se donner une chance supplémentaire de salut en se faisant imposer les mains par un Bonhomme. Impossible de taxer ces ecclésiastiques de sottise ou d'ignorance — leur intérêt pour le Catharisme prouve au moins qu'ils étaient curieux de métaphysique — ni de lâcheté, car ils eussent couru moins de dangers en restant bons catholiques qu'en se compromettant avec l'hérésie. Leur souci était bien d'ordre mystique. Le brassage d'idées qui s'était opéré au XIIIe siècle avait effacé les limites entre l'orthodoxie et l'hétérodoxie. La croyance en l'éternité du monde, par exemple, se confondait pour ceux qui avaient assez de pénétration philosophique avec l'idée que le monde a toujours existé dans la Sagesse divine, comme l'avait cru Origène. Ils voyaient bien que de

nombreuses propositions cathares, condamnées, avaient été
soutenues aussi par le Catholicisme à différents moments de
son histoire : celle, par exemple, que « par la foi seule,
l'homme ne peut en aucun cas être sauvé ». Ajoutons que
l'ascétisme catholique n'était pas très différent de l'ascétisme cathare : le second pouvait facilement se donner pour
un ensemble de mortifications supplémentaires que le moine
s'imposait à titre personnel. Cela explique que des abbés
— et quelques religieux — aient pu se livrer à des pénitences hétérodoxes sans que les frères s'en soient même
aperçus.

C'est l'hermétisme qui constituait le domaine idéal où
toutes les croyances se conciliaient. Les prêtres catholiques
s'occupaient de magie, d'astrologie, de géomancie, de « sym-
bolisme ». Que les plus mauvais aient employé leur science à
des fins égoïstes et condamnables, cela ne doit pas surprendre.
Dès qu'une femme se sentait un peu amoureuse, elle accusait
le curé de l'avoir ensorcelée, trop heureuse de n'avoir pas à
chercher d'autre excuse : Comment résister au Diable? Elle
mettait ensuite sa conscience en repos en dénonçant le séduc-
teur endiablé. C'est ainsi que le Carme Pierre Ricord, idole
des dames de Pamiers au XIVe siècle, fut jugé et incarcéré...
Mais les meilleurs de ces clercs étaient des collectionneurs de
secrets plus hautement spirituels. On dit que le chapelain
d'Amaury de Montfort était initié au Catharisme; nous ne
le pensons pas, mais il est possible que, dans son recueil de
pensées magiques, il ait fait figurer telle ou telle proposition
dualiste, d'autant plus précieuse à ses yeux qu'elle lui expli-
quait ce qu'il n'avait point compris jusque-là; et qu'elle
éclairait son Catholicisme. Il est certain que, pour beaucoup
d'esprits du Moyen Âge, le *Consolamentum* était considéré
en soi, et quelle que fût l'opinion qu'on professât sur le
Catharisme, comme un excellent moyen d'obtenir le salut.
Et comme deux précautions valent mieux qu'une, on l'ajoutait aux sacrements catholiques.

Le « *double jeu* »

Les Occitans de la fin du xiiie siècle s'habituèrent au
double jeu sans avoir toujours présent à l'esprit le syncrétisme magique — ou hermétiste — qui lui enlevait toute
hypocrisie. Il s'agissait simplement d'échapper aux espions.
Et, l'ingéniosité méridionale aidant, on ne pécha plus que
par inadvertance. Fallait-il faire le signe de la croix, on
disait gravement en portant la main à son front : *Aici lo
front;* au menton : *aici la barba;* en se touchant une oreille,
puis l'autre : *Aici una aurelha e aici l'autra!* Les Bonshommes
eux-mêmes faisaient les gestes romains qu'il fallait. Le Parfait Raimon de Castelnau reçut l'extrême-onction d'un
prêtre catholique. Quand celui-ci l'interrogea sur les articles
de foi, il lui répondit : « Je crois tout ce que croient les bons
chrétiens », et il fit une fausse confession, racontant n'importe quoi. A son enterrement, Bélibaste, muni d'un gou-
pillon, aspergeait tout le monde d'eau bénite : « Quelques
gouttes de pluie, disait-il; on en reçoit beaucoup plus quand
on voyage! » Comme Arnaud Sicre lui demandait un jour
s'il croyait que l'hostie fût le corps du Seigneur : « Bien sûr
que non! lui répondit-il, mais il faudrait vraiment manquer
d'appétit pour ne pas pouvoir avaler ce petit gâteau... Je
vais à l'église pour faire semblant d'être catholique, disait-il
encore; on y peut prier le Père céleste aussi bien qu'ailleurs! »

Pierre Clergue, le curé de Montaillou, converti au Catharisme, est le type même — et absolu — du cathare clandestin. (Mais à vrai dire, aussi, du mauvais cathare.) C'était
sûrement un homme très cultivé, capable de sentiments
délicats, mais d'une lubricité sans bornes. Certes, il ne se
conduit pas plus mal avec les dames que beaucoup de curés
de son époque, qui ne jugeaient pas utile de prendre des airs
d'hérétiques pour les séduire, ni pour les pousser à assassiner
leur mari gênant, comme fit le chapelain de Rieux-en-Val.

Mais il ajoute, lui, à son goût de l'amour, le goût du sacrilège : En temps de Carême, Béatrice de Planissoles se rend à
l'église de Montaillou, où Pierre Clergue entendait les confes-
sions derrière l'autel de la Vierge. *Dès que je fus à genoux
devant lui*, raconte Béatrice, *il se mit à m'embrasser en me
disant qu'il n'y avait point de femme au monde qu'il aimât
autant que moi... Stupéfaite et indignée, je partis sans m'être
confessée...*

Ce qui faisait si peur à Béatrice, c'est qu'on lui avait
répété *qu'une femme qui se donne à un prêtre ne voit jamais
la face de Dieu*. On racontait que les concubines des curés
étaient, après leur mort, changées en juments et chevau-
chées par le Diable. On les appelait : « les juments du Diable ».
Cela n'empêchait pas les recteurs de trouver des compagnes
complaisantes et même, dans les pays où le Nicolaïsme [1] était
toléré, de leur assurer un statut légal qui les assimilait
presque à des épouses légitimes. *J'aimerais mieux me donner
à quatre hommes qu'à un seul prêtre*, déclara Béatrice.

Pierre Clergue sut la rassurer, puisque peu de temps après
elle devenait sa maîtresse, une nuit de Noël. *Comment
osez-vous commettre un si grand péché pendant une nuit aussi
sainte?* lui dit-elle. *Peu importe la nuit*, répondit Pierre
Clergue, *le péché est le même!* Et elle remarqua qu'il célé-
brait la messe le lendemain sans s'être fait absoudre, puisqu'il n'y avait pas d'autre prêtre.

Il mit le comble au sacrilège en priant Béatrice de venir
le rejoindre à l'église Saint-Pierre de Prades, où il avait préparé un lit : *Comment pourrons-nous faire cela dans l'église
Saint-Pierre? — Hé, madame, quel tort faisons-nous à saint
Pierre?*

Toutes les incertitudes, les contradictions du siècle avaient,
pour ainsi dire, submergé cet homme. Était-ce un matérialiste, un épicurien, un sceptique? Avait-il, à force de méditer

---

1. On a appelé Nicolaïtes des clercs qui, bien que revêtus des ordres sacrés,
refusaient de pratiquer la continence et vivaient avec des concubines auxquelles
une sorte de statut légal, et quasi matrimonial, était reconnu.

sur la coexistence des deux principes, parié sur le mauvais ?
N'avait-il gardé du Catharisme que les croyances qui favorisaient ses passions ? De toute façon, ce n'était pas un liber-
tin vulgaire : il pensait. Il était même capable d'amour réel
et de tendresse. Longtemps après son aventure avec Béatrice,
il alla la voir à Varilhes. Elle était gravement malade. Il
s'assit sur le bord de son lit, lui demandant comment elle se
sentait, et lui prit doucement la main. *Il fit sortir ma fille*
— c'est Béatrice qui parle — *et me demanda où j'en étais
avec mon cœur. Je lui répondis que j'étais bien faible et que,
de peur d'avoir à raconter tout ce que nous avions dit ensemble
de peu catholique, je n'osais pas me confesser. Il me dit de ne
pas avoir peur, que Dieu connaissait mon péché et avait seul
le pouvoir de m'absoudre; et que d'ailleurs je n'avais pas
besoin de me confesser, parce que je serais bientôt guérie.*
Là-dessus, Pierre Clergue prit congé de cette femme qu'il
avait beaucoup aimée. Il ne la revit plus, mais il lui envoya,
peu de temps après, un pain de sucre — denrée fort rare à
cette époque — et un verre gravé...

Le curé de Montaillou avait réussi, pendant quelques
années, à faire vivre son village sous la loi cathare. Comme
il jouait le rôle d'un agent de l'Inquisition, tantôt il répondait à l'évêque qu'il n'y avait chez lui que de bons catholiques, tantôt, si on le pressait trop, il dénonçait comme
cathares les rares catholiques du lieu. Ce qui eût été de bonne
guerre et n'eût pas trop assombri d'humour noir la farce
absurde que devait représenter à ses yeux ce monde satanique, s'il ne s'était servi aussi de son pouvoir romain pour
se débarrasser de ses ennemis personnels. Il avait fait mettre
au *Mur* de Carcassonne un certain Pierre Maurs et son frère
Guillaume. A peine relâché, Guillaume, ivre de rage, aborde
le curé et lui dit : *Si tu ne me tues pas, je te tuerai : c'est
désormais entre nous une guerre à mort. — Crois-tu, lui dit
alors Pons Clergue, père du curé* — aussi bon catholique ou
aussi mauvais cathare que son fils — *que tu vas pouvoir
braver l'Église et notre sire le Roi de France ?* Guillaume et

Pierre Maurs essayèrent par la suite de faire assassiner le
curé par un Catalan qu'ils avaient soudoyé. Mais ils n'y
parvinrent pas.

Ce personnage singulier fut, à la fin, victime des femmes.
Elles firent échouer ses chefs-d'œuvre de double jeu. L'une
d'elles parla trop. Pierre Clergue fut arrêté et mourut en
prison vers la fin de l'année 1321. Son frère Bernart Clergue,
ancien bayle du comte de Foix, fut condamné au *Mur strict*,
avec fers aux pieds et aux mains, au pain et à l'eau, le
13 août 1324.

La vie à Toulouse vers le milieu du XIIIe siècle

Un marchand qui n'aurait pas revu Toulouse depuis de
longues années eût été, en 1240 ou 1245, fort surpris de voir
les changements qui s'y étaient produits en vingt ans. La
ville s'était en partie renouvelée. Des chevaliers, des bourgeois l'avaient quittée; d'autres chevaliers, mais aussi des
paysans et des artisans s'y étaient installés. Comme dans
la plupart des villes d'Occitanie, les nobles avaient beaucoup
souffert de la Croisade. Les tours de leurs hôtels avaient été
démolies; eux-mêmes, condamnés à s'exiler : c'était une des
conditions imposées en 1209 à Raimon VI par le légat Milon.
Certains erraient dans les campagnes, d'autres se cachaient
dans la ville et y vivaient pauvrement. Certes, l'entourage
du comte se composait toujours d'anticléricaux notoires :
chevaliers et troubadours, et jusqu'en 1249 la résistance
populaire et bourgeoise fut stimulée par les sentiments de
revanche que tout le monde prêtait à Raimon VII. L'inquié-
tude ou la terreur que l'Inquisition faisait planer sur tous
mettait de la hargne dans la vie quotidienne du troubadour
comme dans celle de la grande dame, dans celle du Croyant
comme dans celle du bon catholique resté fidèle à ses comtes.

Les Consuls et les bourgeois, sans adhérer absolument à
l'hérésie, étaient, pour la plupart, ennemis de la domination

française et cléricale. Certains quartiers — le bourg, par exemple —, où la population était plus mêlée, et composée, en grande partie, d'immigrants, semblaient plus cathares que la cité. En réalité, la qualité seule de l'opposition variait avec les quartiers : ici, elle prenait une forme plus populaire, plus franche; là, plus bourgeoise, plus secrète et peut-être plus efficace. Partout clercs et Français étaient haïs — bien que l'appareil strict de l'administration française ne fût pas encore en place : il ne le sera qu'à la mort de Raimon VII, en 1249.

Si l'on en croit Guillaume Pelhisson, Inquisiteur et chroniqueur, les catholiques vivaient dans l'insécurité, *du fait de la collusion des riches bourgeois, des chevaliers et des agents du comte avec l'hérésie.* Il y avait, pourtant, beaucoup de catholiques à Toulouse. Il existait même une « Confrérie blanche », ainsi nommée parce que ses membres portaient une croix blanche sur la poitrine, qui — depuis que l'évêque Foulque l'avait créée, au temps de Simon de Montfort — se montrait fort agressive, surtout contre les Juifs et les banquiers. Naturellement, il s'était constitué en face d'elle une « Confrérie noire », et les deux sociétés « secrètes » en venaient fréquemment aux mains. Des querelles de quartiers envenimaient ces luttes fratricides. Il est difficile de savoir qui détenait la « majorité », comme on dirait aujourd'hui. Peut-être bien les catholiques. Mais beaucoup d'entre eux avaient mauvaise conscience et, quoiqu'ils fussent les adversaires du Catharisme, ils craignaient d'être assimilés à des traîtres, quand ils ne prenaient point parti pour leur comte. Il est vrai que d'autres aussi, qui avaient été expulsés comme partisans des Français, ou qui avaient émigré pour se soustraire aux charges du siège, et dont les Consuls avaient fait vendre les biens, devaient pactiser avec l'envahisseur, par désir de vengeance. Mais étaient-ils très nombreux? Dans l'ensemble, haute bourgeoisie et Consulat demeuraient hostiles à l'Inquisition.

Des réunions secrètes se tenaient dans les hôtels bourgeois comme dans les échoppes des quartiers populeux. On s'y donnait rendez-vous pour célébrer un *Consolamentum*, pour écouter le prêche d'un Bonhomme ou d'un diacre errant. Toulouse était, en ce temps-là, une ville à demi campagnarde, ouverte sur les champs, parsemée de jardins. Tel Parfait pouvait habiter hors des murs et se rendre en ville, sous un déguisement. Quelques églises étaient quasiment abandonnées et désertes le soir : on y rencontrait des Béguins de saint François, rejetant toute forme de propriété individuelle ou communautaire, et vivant comme des vagabonds. Les cathares se glissaient dans leurs rangs, et prêchaient, parfois, devant ces révolutionnaires du bon Dieu.

Des prophéties encourageantes, concernant la fin de la papauté, commençaient à circuler. On répétait que l'Empereur « ferait boire ses chevaux sur l'autel de saint Pierre »; et les nouvelles se répandaient avec une étonnante rapidité. Sur la foi d'un *sirventès* d'Uc de Saint-Circ, on s'attendait vers 1240-1243 à ce que l'empereur Frédéric II vînt délivrer le Toulousain, venger Béziers et Carcassonne.

Humour et anticléricalisme

Il est probable que des officines secrètes recopiaient et diffusaient les pamphlets du parti cathare. Jouant le rôle de nos journalistes, les troubadours, Peire Cardenal et Montanhagol, les amplifiaient et leur donnaient forme littéraire. Catholiques et Cathares se livraient une guerre de bons mots et de terribles calomnies, où les troubadours — qui avaient plus d'esprit — l'emportaient aisément. C'est Peire Cardenal qui a rendu célèbre dans toute l'Europe — grâce à Boccace, il est vrai — l'excellente histoire de ce médecin de la ville qui, ayant épousé la nièce de l'évêque de Toulouse, eut le bonheur d'être père deux mois après les noces; ou le mot lancé contre les « Béguines » de Prouille, *dont quelques-unes*, affirme-t-il, *se mettaient à porter des fruits après être demeurées longtemps stériles.* Ses satires contre l'Inquisition étaient récitées jusque dans les montagnes du comté de Foix :

> *Les clercs se donnent pour des bergers*
> *et ce sont des assassins*
> *sous leurs airs de sainteté...*

Dans les maisons bourgeoises, les jeunes femmes et les chevaliers riaient à gorge déployée — malgré la gravité de l'heure — en lisant le poème où il raille le goût des Jacobins pour les bons vins et la bonne chère : *Après le repas, écrit-il, ils ne gardent pas le silence, ils disputent sur le vin, quel est le meilleur... Ils ont établi une cour pour juger les procès, et est aussitôt réputé vaudois, celui qui essaierait de les en détourner... Ils veulent savoir les secrets de toute personne, de façon à pouvoir mieux s'en faire craindre.* C'est sans aucun doute Peire Cardenal qui a inventé les grands thèmes de l'humour anticlérical. *Si j'étais mari, j'aurais bien grande frayeur qu'un homme sans braies s'assît à côté de ma femme, car elles et eux ils ont des jupes de même ampleur et la graisse avec le feu fort rapidement se trouve allumée.*

C'est lui qui a répandu le type du Dominicain gros mangeur, gros buveur, paillard et... très mauvais chrétien. *Ce sont,* dit-il, *des voleurs, des traîtres, gardant ce qui est à eux et prenant ce qui est à moi, retenant les aumônes destinées aux pauvres..., des Inquisiteurs injustes, cruels et vénaux : contre deniers vous trouverez absolution auprès d'eux, si vous avez commis quelque malhonnêteté... Ils enseveliront des usuriers pour de l'argent, tant ils sont cupides, mais le pauvre besogneux en aucun temps ne sera à ensevelir, ni à visiter, ni à bien accueillir... Ah! s'il était puissant...* Jamais l'anticléricalisme n'avait pris une forme aussi véhémente pour dénoncer la soif de domination des Prêcheurs : *Le monde, ils l'auront à eux, soit par vol ou don reçu, indulgence accordée ou promesse hypocrite, absolution ou excommunication, prédication ou siège en règle avec machines de guerre; enfin, le monde ils l'auront ou avec Dieu ou avec le Diable!...*

Les lois somptuaires de l'Inquisition

Que beaucoup de Toulousains aient pensé, vers 1240, comme Peire Cardenal, et se soient répété ses terribles satires, cela ne paraît pas douteux, surtout dans les milieux nobles et bourgeois, et parmi les officiers de la cour comtale, où le regret de l'antique *Parage* se tournait volontiers en scepticisme et se colorait d'un libertinage qui n'était lié que par accident à la résistance cathare. Ces mondains ne s'embarrassaient pas de philosophie : leur épicurisme s'exprimait seulement par la passion des beaux vêtements, avec laquelle se conjuguait naturellement, chez les riches, le goût de la générosité, c'est-à-dire de la prodigalité.

Les femmes étaient splendidement vêtues. Des franges d'or, de perles, de pierres précieuses — aux vertus magiques — étincelaient sur leurs robes de soie passementées d'or. L'or brillait sur toutes les pièces du vêtement. Sur la tête, elles portaient des voilettes et des diadèmes d'or; à la taille, une ceinture dorée. Les cottes et les gonelles fendues rattachées de çà et de là par des fermails de pierreries, et le garde-corps largement échancré à la mode catalane s'entrouvraient à chaque pas pour laisser paraître des chemises richement brodées de pierres précieuses, d'or et d'argent, qui ne voilaient qu'à peine leurs charmes, car, toutes chargées qu'elles fussent de bandeaux, de cordelières, de ceintures, de bourses, et en dépit des manteaux, garnaches et gonelles, *elles trouvaient le moyen de s'en aller fort décolletées, montrant leurs seins et tout ce qu'elles pouvaient de leur chair* (de leur *carunhadas*, comme dit le peu délicat et misogyne poète Matfre Ermengau)...

La mode des fourrures somptueuses, vair, zibeline, était passée des grands seigneurs aux bourgeois; ils se les procuraient à grands frais. Vers 1230, ils portaient des vêtements blancs, doublés d'agneau blanc, garnis de bordures d'écureuil noir. Ils avaient des chausses de soie ornées de rosaces, des chemises et des braies en toile de Reims, aux subtiles coutures de fil fin; des bliauts de soie froncés par juste proportion, et des chaussures de soie à fleurs, ornées de rosaces de maintes couleurs.

Or, vers 1236 ou 1237, l'Inquisition s'avisa de proscrire le luxe vestimentaire, en s'appuyant, sans doute, sur l'une des stipulations de 1209 qui imposait à Raimon VI de ne plus se vêtir, ni lui ni ses vassaux, d'étoffes de prix, mais seulement de grossières capes brunes *(mas capas grossas brunas), qui durent plus longtemps*, ajoute avec humour le poète. Cette clause ne semble pas avoir été appliquée strictement, mais on pouvait toujours s'en servir pour rendre suspects les gens trop bien habillés que l'on voulait perdre.

Ces mesures eurent pour résultat de dresser toute la population commerçante contre les Inquisiteurs. La prodigalité des grands seigneurs, les cadeaux qu'ils faisaient à leurs maîtresses, les beaux costumes des hommes et des femmes faisaient vivre les tailleurs, les couturières et les joailliers. Comme il était de bon ton de s'endetter et de se ruiner, les usuriers y trouvaient aussi leur compte. Enfin, quand les troubadours recevaient de larges dons, les jongleurs en avaient leur part, et tout ce monde dépensait joyeusement son argent dans les tavernes de Toulouse.

Nous ne pensons pas que les Inquisiteurs aient obligé les dames à se vêtir de « capes brunes ». Mais les Consuls durent faire fermer les jupes, lacer étroitement les garde-corps, et remonter les cols. C'est alors que le troubadour Montanhagol entreprit une véritable « campagne de presse ». Il eut l'habileté de donner à cette crise économique dont les Inquisiteurs étaient responsables les proportions d'un débat idéologique. Car il avait bien compris que le dessein de l'Église, en s'attaquant au luxe et à la « générosité », était de discréditer aussi l'Amour — cette hérésie des mondains — qui, sans se confondre avec le Catharisme, avait été, au dire de l'Inquisition, la cause de la dissolution des mœurs grâce à laquelle l'hérésie s'était propagée. Il trouva un allié en Peire Cardenal qui, dans le même temps, rendant coup pour coup, reprochait aux Dominicains *leurs molles tuniques tissées de laine anglaise, leurs vêtements légers et amples, à la chape bien étalée, faits de camelot en été et épais en hiver, avec de légères chaussures, pourvues de semelles à la française quand il fait grand froid, en fin cuir marseillais, et bien solidement lacés de main de maître, car lacer négligemment, n'est-ce pas, est grande sottise?*

Les arguments de Montanhagol s'inspiraient du bon sens : *Si une dame ne fait rien de pis, ce n'est pas pour une belle toilette qu'elle perd Dieu et son amour... Et ce n'est pas parce qu'ils ont, eux, des vêtements noirs, ou un froc blanc, qu'ils conquerront le ciel s'ils ne font rien de mieux...*

Les remontrances des Consuls, l'animosité de la population et les pamphlets de Montanhagol empêchèrent les Inquisiteurs d'aller trop loin dans cette voie vertueuse. Vers 1242-1250 — Montanhagol nous l'apprend lui-même —, l'Inquisition se relâcha de sa rigueur et toléra à nouveau les beaux vêtements. *Je vois un certain progrès*, dit le poète, *une certaine recherche en ce qui concerne les vêtements, la parure, tout l'extérieur : on tend à être bien mis.*

Cette remarque est significative : elle prouve bien que de 1237 à 1242 ou 1250, il y avait eu crise à Toulouse : on y était mal habillé. Le commerce avait dû souffrir des guerres de 1240 et de 1242. Les prêts sur gages et les prêts commerciaux étaient devenus rares du fait des persécutions que subissaient les banquiers, qualifiés d'usuriers. Mais en 1250, la vie renaît. Les modes, maintenant, viennent de France. Comment l'Inquisition pourrait-elle continuer à les régenter? Et comment contraindre les femmes? Elles durent, sans doute, fermer leurs robes — *cels que ara son fenduts se clausaran del tot* — et renoncer à ces jupes fendues sur le côté qui leur donnaient déjà l'allure d'élégantes du Directoire. Mais les dames de Toulouse, avec leur *banda*, ou mentonnière, qui leur couvrait les oreilles (Flamenca est obligée de desserrer la sienne à la messe, pour entendre les mots d'amour que lui murmure le jeune clerc), avec leurs robes fermées et trop amples, restaient plus charmantes que jamais, au grand dépit des Inquisiteurs qui, pourtant, au dire de Montanhagol, *aimaient bien ce qui était beau.* On pense, en les évoquant, à la radieuse apparition que Guido Cavalcanti contempla en 1300 dans l'église de la Daurade : il crut voir une hérétique — ou le symbole de l'Hérésie ligotée — parce qu'elle portait elle aussi la robe lacée très serrée, *accordellata estretta,* de nos belles cathares. *Amour,* dit-il, *l'appelait Mandetta.*

L'agitation populaire

La tyrannie des Inquisiteurs — et pas seulement leurs lois somptuaires — devenait insupportable à tous, et surtout fort dangereuse. Les rapports s'aigrissaient entre eux et la population. A toute occasion, les Consuls manifestaient leur mauvaise humeur contre les frères, et les bourgeois, humiliés par la défaite politique, s'habituaient peu à peu à les braver. *Les hérétiques et leurs partisans,* écrit Guillaume Pelhisson, *s'arment de plus en plus d'efforts et de ruses contre les catholiques... Et ainsi ces hérétiques firent plus de mal à Toulouse et dans la région à cette époque que du temps où la guerre sévissait. Ce que voyant, les frères prêcheurs* (les Dominicains) *et les catholiques se désolaient.*

La vie quotidienne, c'était alors les incidents comiques ou tragiques qui éclataient à chaque instant dans la rue. On commençait à voir arriver quelques Français à Toulouse : des professeurs parisiens, chargés d'y introduire l'étude de la théologie, l'enseignement de la foi et des arts libéraux. Les hérétiques, ou simplement les « fortes-têtes », les accostaient, leur apportaient la contradiction, « contestaient » leurs théories, se moquaient d'eux, riant de leur accent, de leurs arguments inaccoutumés formulés en français ou en mauvais occitan.

Mais c'est toujours aux Dominicains qu'on en voulait le plus. Un jour, l'un d'eux prêcha en public, affirmant « qu'il y a des hérétiques dans la ville, qu'ils y tiennent des réunions ». Cela suffit : le peuple s'émeut et manifeste, faisant montre de sentiments catholiques indignés : « Comment, nous! des hérétiques! » Les Consuls convoquent aussitôt le Prieur à la maison commune, lui ordonnent de dire aux frères qu'ils ne doivent plus prêcher ainsi et qu'il leur arrivera malheur s'ils osent répéter encore qu'il y a des hérétiques à Toulouse. Il est bien assuré qu'il n'y en a aucun.

Mais les cathares n'avaient pas toujours le dessus. Une dispute éclata, un jour, entre Bernard Poitevin et un fabricant d'agrafes, Bernard de Soler. La boutique retentit de leurs cris : « Sale hérétique! » dit Poitevin à Bernard de Soler, qui l'était sans doute. L'hérétique porte plainte devant les Consuls : insulte, diffamation. Traduit devant le conseil, sous les huées et les menaces de la population, Poitevin est condamné à un exil de trois ans, à une amende au bénéfice de Bernard de Soler, en réparation de l'injure, et à une autre au bénéfice de la communauté et des Consuls. Après quoi, on lui fait jurer qu'il a calomnié son adversaire, lequel est honnête homme et bon catholique.

Le pauvre Poitevin demande un sursis aux Consuls et l'obtient. Il court chez les frères, qui lui conseillent d'en appeler à l'évêque; ils lui déclarent qu'ils le défendront de toutes leurs forces. Les deux parties comparaissent donc devant l'évêque Raimon. L'hérétique était accompagné d'une foule de bourgeois, de notables, d'avocats, qui poussaient des clameurs contre Poitevin. Mais les Inquisiteurs faisaient peur à tout le monde, et l'appui populaire et consulaire ne sauva pas Bernard de Soler. Les frères Pierre Sellan et Guillaume Arnaud, Inquisiteurs, défendirent fermement Poitevin, le soutien extérieur prit peur; tout le monde se dispersa, et Bernard de Soler dut s'enfuir en Lombardie.

Ce qui frappe, à Toulouse, c'est la disponibilité perpétuelle de ces bourgeois de la cité, de ces boutiquiers, de ces hommes de loi, de ces artisans du bourg, de ces brassiers, demi-ruraux, demi-citadins. On sent qu'ils ne pensent qu'à manifester, quitte à disparaître au tournant de la rue, si la menace devient grave. Pendant de longues années, les Consuls, disposant d'un pouvoir assez fort pour contrecarrer ou gêner dans une certaine mesure l'action répressive des Inquisiteurs, ont encouragé ces soulèvements populaires.

Beaucoup de Toulousains ne se résignaient pas à n'être plus libres dans leur ville, ni à tenir leur langue ni à mener le double jeu comme les bourgeois prudents, ou même les Consuls, qui se montraient fort dévots, assistaient avec un zèle feint à toutes les cérémonies religieuses, et faisaient des fondations pieuses.

Cité par les Inquisiteurs, Jean Tisseyre, qui habitait le faubourg, ne peut se retenir : il harangue le peuple : « Messieurs, écoutez-moi : je ne suis pas hérétique. J'ai une femme et je fais l'amour avec elle. J'ai des enfants, je mange de la viande. Je mens et je jure; donc, je suis bon chrétien. Ne croyez pas un mot de ce que les frères racontent : que je ne crois pas en Dieu. Ils vous le reprocheront à vous aussi, et ils n'y manqueront pas, parce que ces maudits Inquisiteurs veulent supprimer tous les honnêtes gens et enlever cette ville à son bon maître, notre comte. »

La foule rassemblée rit d'abord aux éclats (il est exact, comme le souligne Tisseyre avec humour, qu'on avait intérêt, en ce temps-là, à mentir, à jurer, à étaler sa vie sexuelle : il valait mieux passer pour un catholique couvert de péchés — péchés dont on se confessait — que de s'exposer à être jugé trop mystique sur la vue de son teint plombé); la foule s'indigne, le nom du comte est applaudi. Cependant, le procès suit son cours, on recueille des témoignages, et Tisseyre est bel et bien condamné. Mais comme le viguier Durand de Saint-Bart l'emmène au bûcher, voici que le peuple s'attroupe et gronde. Bientôt, c'est toute la ville qui se soulève contre les religieux : « Ils accusent d'hérésie des gens qui ont femmes et couchent avec elles! »

Le plus curieux de l'histoire, c'est que Tisseyre, pour bon vivant et plaisantin qu'il fût, devint sincèrement et héroïquement cathare. On l'avait fourré dans la même prison que des hérétiques amenés de Lavaur. Ces hérétiques raniment sa foi et entreprennent de le convertir. Ils y réussissent, et lui donnent le *Consolamentum*. Alors, devant l'évêque, les Consuls, le viguier et les bourgeois du parti hérétique, il proclame qu'il croit tout ce que les cathares croient, et qu'il leur restera désormais fidèle jusqu'au bout. En vain, l'évêque l'adjura de revenir sur ses déclarations : il refusa et fut brûlé avec les autres.

Presque chaque jour, il y avait des incidents de ce genre. Des spectacles nouveaux rassemblaient les curieux. Toulouse était une ville de pèlerinages. Beaucoup de porteurs de croix jaunes venaient de toutes les régions d'Occitanie à Saint-Sernin s'acquitter de leur pénitence. On les entourait, on les questionnait. Ils formaient des groupes bruyants. Parfois, la ville était traversée par des croisés forcés. C'étaient des cathares repentis qui passaient en Terre sainte pour y expier leurs péchés, ou y accomplir la pénitence imposée. Ils prenaient un air innocent, mais, dans l'ensemble, ne songeaient qu'à se venger du traître qui les avait dénoncés, à conspirer contre l'Église, et à répandre, jusqu'en Palestine, leurs croyances dualistes.

L'espoir d'une libération

L'Inquisition commettait mille excès qui entretenaient l'agitation populaire à Toulouse et dans les autres grandes villes du Languedoc. Le soulèvement armé de Trencavel en 1240, la coalition de 1242 contre le Roi avaient été commentés avec passion. On s'était remis à espérer, et l'espoir fut long à disparaître. En 1242, alors que les alliés ont déjà fait leur paix avec le Roi de France, que les Anglais sont déjà battus, que le Roi d'Aragon n'a même pas bougé, le Toulousain Montanhagol met encore toute sa confiance en la valeur du comte Raimon; et la bourgeoisie toulousaine pense comme lui. En 1246, la Provence est devenue française : Montanhagol croit fermement que Jacques Ier, roi d'Aragon, va s'allier avec Raimon pour en chasser les Français. Sans doute, Raimon VII a cherché jusqu'à sa mort le moyen de rendre nulles les stipulations du traité de Meaux, soit par un mariage, soit par un coup de force heureux : il avait dû communiquer cet espoir à ses sujets.

Cela explique l'ampleur de la résistance méridionale, surtout dans les grandes villes, et l'audace de certains pamphlets. Ceux de Montanhagol contre l'Inquisition restent les plus virulents. Ils sont aussi très habiles. Le poète essaie maintenant d'opposer le Catholicisme au Catholicisme, en reprenant la belle pensée de saint Bernard qui avait dit, en 1144 — juste un siècle avant —, à la foule qui traînait un hérétique au supplice : *J'approuve le zèle, mais je ne conseille pas d'imiter le fait, car il faut amener les hommes à la foi par la persuasion et non pas par la force. Au lieu de tuer ou de bannir les hérétiques, il faudrait plutôt les prendre, non pas par les armes, mais par des arguments propres à réfuter leurs erreurs et à les ramener à la vraie foi.*

Montanhagol démarque ici saint Bernard : *Ce n'est pas que l'Inquisition me déplaise*, dit-il; *j'aime que l'on poursuive l'erreur et que par des paroles persuasives, sans haine, on ramène à la foi les hérétiques égarés...* Mais tout de suite, chez lui, la satire reprend ses droits : *Ils ne désirent rien (les prêcheurs), et pourtant ils s'en vont emportant tout, sans se soucier du dommage qu'ils font à l'un et à l'autre. Sirventès, va vite au vaillant comte de Toulouse. Qu'il se souvienne de ce que lui ont fait les clercs, et que, désormais, il se garde d'eux!* Ce *sirventès* doit être daté de 1233-1234, époque où l'esprit public était très monté, en Languedoc et à Toulouse, contre l'Inquisition.

La rébellion des Consuls

En 1235, des procès intentés contre des morts, suivis d'exhumations, avaient poussé à bout les populations de plusieurs villes languedociennes dans le Quercy, dans le Toulousain et à Toulouse même. C'est pourquoi les Consuls demandèrent à Raimon VII d'intervenir auprès des frères prêcheurs pour que désormais ils s'en abstinssent. Ils refusèrent. On leur adjoignit un Franciscain, Étienne de Saint-Thibery. *On supposait sans doute*, écrit Jean Guiraud, *que la miséricorde d'un disciple de saint François tempérerait l'Inquisition.* Il n'en fut rien : procès posthumes et sentences contre les vivants se multiplièrent.

En réponse, les Consuls faisaient de leur mieux pour favoriser les évasions. Beaucoup de suspects purent s'enfuir et gagner Montségur. Alors Guillaume Arnaud voulut frapper un grand coup : il cita des bourgeois, des ecclésiastiques, pour la plupart grands personnages, comme fauteurs d'hérésie et complices de ces évasions. Ils étaient douze, parmi lesquels Morand le Vieux, ancien Consul, Arnaud Gui, ancien consul également, un chevalier, un médecin, des notables.

C'est ici que commence la stupéfiante rébellion : ils refusèrent tous de comparaître et lancèrent des menaces contre le premier qui oserait les « citer ». Et comme Guillaume Arnaud s'obstinait à les vouloir poursuivre, les Consuls lui ordonnèrent, avec l'approbation du comte, de cesser toute inquisition ou de quitter la ville. *Alors*, dit Guillaume Pelhisson, *les Consuls et leurs complices firent un soulèvement, assaillirent le couvent, expulsèrent le frère inquisiteur de son couvent et de la ville, non sans l'avoir quelque peu molesté.*

Toute la communauté l'accompagna en procession jusqu'à la tête du pont de la Daurade, de l'autre côté de la Garonne. Là, les Consuls lui déclarèrent que s'il voulait abandonner l'Inquisition, il pourrait demeurer en ville comme les autres frères. Sinon, ils lui ordonnaient, en leur nom et au nom du comte, de quitter sans délai la ville et le territoire du comté.

Guillaume Arnaud partit pour Carcassonne, qui appartenait au Roi. De là, il excommunia les Consuls comme hérétiques et fauteurs d'hérésie; en même temps, il mandait aux curés de Toulouse et au prieur de Saint-Étienne de citer les Consuls à comparaître devant lui pour être interrogés sur leur foi et sur leurs menées. Les Consuls firent aussitôt arrêter le prieur et les curés qui les avaient cités et les gardèrent à l'hôtel de ville une partie de la nuit. Après quoi, ils les chassèrent de Toulouse en menaçant de mort quiconque oserait leur porter une nouvelle citation.

Ces mesures, extrêmement hardies, prises par les Consuls s'étendirent à l'évêque et aux chanoines de Saint-Sernin. Il fut interdit de les ravitailler. L'évêque dut quitter la ville lui aussi.

Cependant, les Prêcheurs restaient. Le prieur les réunit au son de la cloche, leur demanda s'ils étaient prêts à mourir pour la foi de Notre-Seigneur Jésus-Christ. Après s'être confessés et avoir recommandé leurs âmes à Dieu, quatre frères acceptèrent la périlleuse mission de porter les citations. Quand ils arrivèrent à la maison de Morand, ses fils les accablèrent d'injures, les jetèrent à la porte en les rouant de coups, et en les menaçant même de leurs poignards. Ils les auraient blessés, si un bourgeois bon catholique, Pierre de Coursa, ne les eût retenus.

Les Consuls décidèrent alors de chasser tous les frères de la ville. « Il vaut encore mieux, dirent-ils, les expulser que les tuer! » Les frères — une quarantaine — étaient en train de manger quand les Consuls arrivèrent avec une grande foule d'hérétiques. Sans leur laisser le temps de finir leur repas, les Consuls se firent ouvrir les portes et signifièrent au prieur, de la part du comte et au nom de la ville, qu'ils eussent à sortir avec tout le couvent, sans quoi ils seraient expulsés de force. Le prieur, tenant la croix et le reliquaire, et les frères refusèrent d'évacuer le couvent et s'assirent. Alors, on prit le prieur par les côtes et on le jeta hors du cloître. On dut emporter, en les prenant par les pieds et par la tête, deux frères qui s'étaient couchés à terre et refusaient de bouger.

Le prieur et l'évêque Raimon du Fauga allèrent à Rome et firent un rapport à Grégoire IX sur l'attitude des Consuls et du comte. Le Pape, qui avait reçu également des rapports des évêques du Midi et de son légat, l'archevêque de Vienne, envoya à Raimon VII une lettre sévère, où il lui reprochait ses actes et ceux des Consuls. En même temps, ce qui était plus grave, le Pape écrivait au roi de France Louis IX pour qu'il obligeât Raimon VII à exécuter le traité de Meaux qui lui faisait obligation d'extirper l'hérésie de ses États.

Pendant que l'Inquisiteur faisait, à Carcassonne, le procès des Consuls et les condamnait sans les entendre, le 11 novembre 1235, Raimon VII prit peur et céda, comme à l'accoutumée. Il permit à l'évêque de rentrer à Toulouse, ainsi qu'aux frères prêcheurs. Cependant, il envoya à Louis IX une lettre assez habile dans laquelle il le priait d'intervenir auprès du Pape pour qu'il retirât leurs pouvoirs aux Inquisiteurs et les donnât, soit aux Mineurs (Franciscains), soit aux évêques. En conséquence, l'archevêque de Vienne, légat, demanda à l'Inquisition de se montrer plus indulgente, et l'on augmenta les prérogatives des évêques. Mais, en fait, rien ne fut changé, sinon que, par une élégante fiction, l'Inquisition était maintenue en fonction « avec le consentement et par la volonté du comte de Toulouse ».

Les procès posthumes

Les exhumations attiraient toujours les badauds, et exaspéraient les bons citoyens. Lorsque le Parfait Raimon Gros, à Toulouse, en 1237, eut abjuré l'hérésie, ses révélations permirent aux frères d'identifier comme cathares de nombreux bourgeois ou nobles — hommes et femmes — qui avaient été enterrés dans les cimetières de la ville. *Leurs os et leurs corps,* écrit Guillaume Pelhisson, *furent traînés par la ville au son des trompes. On proclamait leurs noms, que l'on faisait suivre de l'avertissement :* Qui atal fara, atal perira : *Qui fera ainsi, ainsi périra! Tous furent brûlés au Pré- au-Comte, en l'honneur de Dieu, de la Sainte Vierge, sa mère, et de saint Dominique!*

Il en était de même dans toutes les villes du Languedoc; ces macabres exhibitions se poursuivirent jusqu'à ce que l'hérésie eût complètement disparu. Aucune protestation ne put en modérer l'abus. A Cahors, Pierre Sellan et Guillaume Arnaud condamnèrent ainsi quelques défunts, qui furent traînés à travers la ville et brûlés. Des scènes touchantes eurent lieu un peu partout : ici, un fils vole au cimetière le corps de son père; là, c'est le corps d'Humbert de Castelnau qui disparaît mystérieusement. Quelquefois, la chose arriva à Carcassonne vers 1270, on ne put pas retrouver les osse- ments, qui avaient été dispersés : alors, on mit dans des sacs des rondins de bois, on les promena à travers la ville sur des claies selon le rite habituel, puis on les brûla.

Naturellement, il arrivait que le personnage dont on pro- fanait ainsi la tombe eût été un véritable hérétique. Un certain Galvanne — « grand archimandrite » (?) des vau- dois — mourut au bourg de Toulouse. Maître Roland l'apprit : il fit un sermon, convoqua les frères, les clercs et quelques témoins. Ils se rendirent à la maison dans laquelle Galvanne était mort, la détruisirent de fond en comble, en firent un dépôt d'ordures, puis procédèrent à l'exhumation et enle- vèrent le corps du cimetière de la porte Villeneuve, où il avait été enterré. Ils le menèrent en grande procession jus- qu'au Pré-Carbonnel où ils le brûlèrent, toujours *en l'hon- neur de Notre-Seigneur Jésus-Christ, de saint Dominique et de l'Église romaine catholique, notre mère.* Cela se passait en 1231.

En vain les Consuls, dans quelques villes, avaient essayé de remettre en vigueur d'anciens actes, datant d'avant la Croisade qui interdisaient — sagement — qu'on fît des procès d'hérésie aux morts. Mais, naturellement, l'Inquisition passait outre.

Il ne restait aux parents des morts, animés d'un zèle pieux à leur égard, que la ressource de dissimuler les corps, de les voler au cimetière, ou de faire laver les défunts de toute accusation en corrompant les viguiers, ou simplement le fossoyeur. Parfois c'est la foule, indignée, qui s'opposait aux exhumations. A Albi, en 1234, l'Inquisiteur Arnaud Catalan avait ordonné de faire déterrer les ossements d'un hérétique nommé Jussière. Le bailli, assez courageusement, s'y opposa. Le moine requit quelques prêtres, se rendit lui-même au cimetière, retroussa sa robe et, armé d'une pelle, se mit en devoir d'ouvrir la tombe de ses propres mains. Le peuple, furieux, laissa éclater son indignation : on chasse l'Inquisiteur, on le frappe, aux cris de « Mort aux traîtres! » on s'apprête à le jeter dans le Tarn. Cependant, le bayle réussit à le délivrer. Il sortit de la ville, non sans avoir excommunié les habitants...

Un jour, maître Roland de Crémone, apprenant que Pierre Donat avait été enseveli, avec son surplis, dans le cloître Saint-Sernin, s'y rendit aussitôt avec les frères et les clercs. Le corps fut exhumé et jeté au feu. On est surpris du nombre de prêtres catholiques, reconnus hérétiques par la suite, que les cimetières des cloîtres abritaient. C'est à croire que la puissance relative du Catharisme venait, en grande partie, de ce qu'il avait réussi à se donner, aux yeux de beaucoup de clercs, pour un spiritualisme ésotérique réservé à une élite.

Dans le comté de Foix, au XIVe siècle, il était possible de s'entendre avec le procureur du comte. Pierre d'En Ugol aurait eu, dit-il, beaucoup de honte si le corps de sa mère Mabille avait été exhumé et brûlé. L'arrangement qu'il fit avec le procureur lui coûta une forte quantité de poivre : on donnait déjà des épices aux juges, ou l'équivalent en argent de ces produits, alors rares.

Cette rage d'exhumer les morts frappait même les grandes dames. Le 2 novembre 1269, les Inquisiteurs de Catalogne, frère Pierre de Cadreyta et frère Guillaume de Colonico, rendirent une sentence déclarant que la comtesse Ermessinde, héritière de la vicomté de Castelbon, et femme de Roger-Bernard II, comte de Foix — qui semble, effectivement, avoir été cathare —, *avait protégé et défendu les hérétiques, qu'elle leur avait donné asile... qu'elle était morte entre les mains des Parfaits...* Les juges ordonnèrent que ses restes, s'ils pouvaient être reconnus, seraient exhumés et transportés hors du cimetière des fidèles.

On continua ainsi à brûler les morts, un peu partout, pendant presque tout le xive siècle.

Pour les vivants, une existence secrète et précaire

De 1237 à 1244 — année où la chute de Montségur désorganisa les rouages administratifs de la Secte — le Catharisme réussit, somme toute, à se survivre dans la clandestinité. Les fidèles parvinrent au prix de gros dangers, tant qu'ils furent assurés de la protection, intermittente et souvent peu efficace, de la cour comtale et des Consuls, et de l'appui moral d'une grande partie de la population, à vivre dans l'atmosphère de leur foi leur vie de tous les jours. Sans doute, tout le monde se méfiait-il de tout le monde, mais, moyennant d'infinies précautions, le Croyant pouvait accomplir tous ses devoirs religieux, et mourir, ce qui était pour lui l'essentiel, entre les mains des Bonshommes. Il était toujours possible, à la ville comme à la campagne, de recevoir le *Consolamentum*. Dans les villes, à Toulouse, à Albi, à Carcassonne, il fallait nécessairement recourir au *nuncius*, c'est-à-dire à l'homme qui savait où se cachaient les Parfaits et pouvait aller les chercher. La clandestinité compliquait beaucoup les choses. Autrefois, quand les Parfaits étaient libres d'agir à leur guise, ils choisissaient le moment opportun : il fallait que le malade fût à la dernière extrémité, afin qu'il ne retombât point dans le péché, et cependant en état de dire le *Pater*. On devine que, du fait des obstacles qu'ils rencontraient sur leur route, les Parfaits risquaient d'arriver trop tard ou trop tôt. M. Yves Dossat cite deux cas bien caractéristiques, celui de Roger Isarn, frère d'Hélis de Mazerolles, auquel, en 1223, Guilhabert de Castres ne put donner le *Consolamentum* à Fanjeaux, et, dix ans plus tard, celui de Dame Brunissende qui, malade à Beauteville, vers 1244, ne fut pas *consolée*, parce qu'elle n'était plus en état de parler. Le *nuncius* faisait de son mieux. A Toulouse, il est probable que des Parfaits habitaient la ville même, ignorés de l'Inquisition. D'autres se cachaient le jour dans la campagne, et ne pénétraient dans la ville qu'à la nuit tombante, et quand on les avait prévenus.

Peut-être la pratique de la *Convenensa*, connue dès 1238, est-elle liée, comme le pense M. Dossat, à la difficulté qu'on éprouvait alors à faire venir les Parfaits à point nommé. On sait que, si l'on avait fait ce « pacte », il suffisait d'être vivant pour recevoir le *Consolamentum*, même si l'on n'était pas en état de dire le *Pater*.

Enfin, en certains cas, le Croyant se faisait transporter à Montségur, ou s'y rendait par ses propres moyens, s'il était assez dispos, pour y recevoir le *Consolamentum* et y attendre la mort. Mais le voyage était long et périlleux.

A Toulouse, comme partout, il fallait craindre que les espions n'avertissent l'Inquisiteur assez tôt pour interrompre la cérémonie. Dans ce cas, Parfait et *nuncius* prenaient la fuite, sans avoir toujours le temps de prévenir le malade du danger qu'il courait, à supposer qu'il fût en état de comprendre ce qui lui arrivait.

Le 4 août 1235, on vient dire à l'évêque (dominicain) de Toulouse, Raimon du Fauga, qu'une grande dame a reçu le *Consolamentum* dans une maison située non loin du couvent des frères, dans la rue de l'Orme-sec, aujourd'hui rue Romiguières. Cette *magna matrona* était la belle-mère d'un certain Peytavi Borsier, qui était *nuncius*, et *questor* — c'est-à-dire agent financier — des hérétiques, à Toulouse.

L'évêque et le prieur allaient passer à table : ils se lavaient les mains. Ils courent tout de suite au domicile de la dame. Celle-ci souffrait de graves fièvres malignes. On lui dit : « Madame, c'est Monseigneur l'évêque qui vous vient voir! » Et aussitôt, sans laisser à personne le temps de la mettre en garde, l'évêque et le prieur entrent dans la chambre. S'asseyant à son chevet, l'évêque commence à l'entretenir du mépris des choses de ce monde. Comme elle s'attendait à recevoir la visite de l'évêque cathare et qu'elle était déjà *consolée*, elle ne fut pas trop étonnée, et lui parla comme on parle à un Bonhomme. Avec beaucoup d'adresse, l'évêque lui tira des déclarations qui étaient toutes hérétiques. « En l'état où vous êtes, lui dit-il, j'imagine que vous ne vous souciez plus beaucoup des misères de cette vie, et que vous ne vous mettriez pas en peine de mentir. Aussi bien, je vous exhorte à rester ferme dans votre croyance. Vous ne devez pas, par crainte de la mort, en confesser d'autre que celle que vous croyez de cœur et fermement. — Monseigneur, lui répondit-elle, je crois comme je vous l'ai dit, et ce n'est pas pour ce qui me reste de pauvre et misérable vie que je changerai ma foi. — Vous êtes donc une hérétique! Sachez que c'est la foi des hérétiques que vous avez confessée. Abandonnez vite vos erreurs, malheureuse, et croyez ce que croit l'Église catholique et romaine! Je suis votre évêque, l'évêque de Toulouse, et c'est la foi catholique que je veux, que j'ordonne que vous croyiez! » Longtemps il l'admonesta et l'exhorta devant les personnes présentes, mais ce fut en vain. La dame s'obstina dans l'hérésie. Alors l'évêque fit venir le viguier, des témoins catholiques, et il la condamna. Le viguier ordonna qu'elle fût immédiatement transportée, dans son lit, au Pré-au-Comte, où les sergents, disent les textes, *furent très contents de la brûler.*

Après quoi, les frères et l'évêque s'en revinrent à leur réfectoire, où ils mangèrent avec satisfaction le repas qui les attendait et que cette affaire avait interrompu, rendant grâce à Dieu et à saint Dominique. Cette confession imprudente de la dame entraîna l'arrestation de Peytavi, son gendre, et celle de Bernard Auderic, de Drémil, qui était le *socius* de Peytavi. Leurs dépositions compromirent beaucoup de bourgeois toulousains, dont les alarmes redoublèrent.

La délation

Espions et délateurs étaient partout, surveillaient tout. Les Toulousains devaient peser leurs mots, et cela leur coûtait beaucoup, parce qu'ils étaient expansifs. Parfois les traîtres étaient aussi des agents provocateurs : ils sévissaient à la campagne comme à la ville. Un artisan, rentrant de son travail, assiste, sur la place du village, à une discussion fort animée, où dominent les criailleries des femmes : elles sont en train de déchirer une voisine dont le mari est cornard. Son mauvais génie lui souffle d'intervenir, et, comme il ne pense que par proverbes, il hasarde celui-ci :

> *Tostemps es e tostemps sera*
> *Qu'om ab autrui molher jaira* [1]

Le propos est aussitôt rapporté à l'évêque : « Monseigneur, il croit en l'éternité du monde; il a dit : « On « verra *toujours.* » Il est possible que cet Arnaud de Savinhan, tailleur de pierre de son métier, ait vraiment — et naïvement — cru, par ailleurs, en l'éternité du monde; et il avait une réputation bien établie d'anticlérical. Mais enfin s'il s'était tu, ce jour-là, il n'aurait pas été condamné au *Mur.*

Il pouvait être dangereux, vers 1320, d'avoir des chimères dans la tête, de compter des fantômes parmi ses relations et de le crier partout. Quand il avait bu, Arnaud Gélis, surnommé Bouteiller, ancien sacristain de l'église cathédrale de Pamiers, faisait fonction de « messager des âmes » : les

---

1. On a toujours vu, on verra toujours homme coucher avec femme d'autrui.

morts lui apparaissaient et le chargeaient de diverses commissions pour les vivants. Feu le chanoine avait bien besoin de messes, feu la bourgeoise réclamait le voile neuf que ses héritiers avaient remplacé par un autre tout usé avant de la mettre en bière, et tel défunt scrupuleux se tourmentait pour une petite dette qu'il n'avait pas pu payer.

L'évêque Fournier fait arrêter Arnaud Gélis et l'interroge avec curiosité. Ce bavard, qui raconte que les morts accomplissent leur pénitence sur cette terre en courant la nuit dans les campagnes et en visitant les églises, est peut-être un hérétique qui s'ignore. Ne professe-t-il pas, comme les cathares, que le Christ, au jour du Jugement, sauvera tous les chrétiens, pour mauvais qu'ils aient été, et même les Juifs?

Arnaud Gélis dut son salut à sa réputation d'ivrognerie et peut-être au surnom de Bouteiller qu'elle lui avait valu dans ce monde-ci et dans l'autre. « Au cours de leurs randonnées nocturnes, confia-t-il à l'évêque, les morts ont la faiblesse de s'introduire dans les maisons des riches bourgeois : ils visitent les caves et y choisissent les meilleures bouteilles. Ils me font quelquefois l'honneur de m'accepter dans leur compagnie. Comme ils ne boivent qu'en intention, c'est moi qui vide leurs verres. »

La sentence ne nous est point parvenue. L'évêque dut rire et renvoyer Bouteiller à ses ivrognes de fantômes; et comme il savait que la vérité est quelquefois dans le vin, mais jamais l'hérésie, il ne lui infligea sans doute qu'un petit pèlerinage au sanctuaire le plus proche.

Peire Vidal, de Foix, rencontre un jour sur la route de Tarascon à Ax un curé de village et un clerc, qui se joignent à lui. Le clerc lui pose à brûle-pourpoint, et comme pour engager la conversation, la question suivante : « Croyez-vous, mon ami, que ce soit un péché mortel de connaître une femme dont on n'est pas le mari? » Peire Vidal a la simplicité de répondre : « Si la femme est une prostituée, s'ils ont convenu du prix, et que l'arrangement les satisfasse tous deux, je ne crois pas que l'homme pèche avec elle. — C'est un mauvais garçon! » dit le clerc au curé. Et tous deux s'empressent de le dénoncer à l'évêque Fournier, lequel, en cette circonstance, se montra presque aussi indulgent que Peire Vidal lui-même pour les péchés de la chair : il ne le condamna qu'aux croix simples, dont il le libéra un an après.

La solidarité des cathares et l'organisation de la résistance

Le « parti » cathare essayait de se défendre contre les traîtres et les espions, tantôt d'une façon spontanée, tantôt en préméditant ses coups. Les boutiquiers, les artisans, les femmes du peuple étaient toujours prêts à intervenir pour sauver quelque victime des Prêcheurs. De même les vilains dans les campagnes perdues. Les temps étaient à la délation, mais ils développaient, en contrepartie, et dans toutes les couches de la société, une admirable solidarité entre persécutés et victimes. Un jour, à Toulouse, le viguier et l'abbé de Saint-Sernin se saisissent d'un Croyant très considéré dans son quartier. Au moment de l'amener, c'est une autre affaire : une émeute éclate, un certain Esquivet, aidé par les artisans du bourg, l'arrache aux mains des soldats.

Le Vendredi saint de l'année 1235, beaucoup d'hérétiques étaient venus s'accuser eux-mêmes. On en força d'autres à parler. Arnaud Domenge, menacé de mort par le viguier, livra dix hérétiques contre une promesse de libération : il s'agissait de dix Parfaits ou Croyants réfugiés au château des Cassés, ce château de sinistre mémoire où Simon de Montfort avait déjà brûlé soixante Parfaits en 1211. On s'empara de sept de ces malheureux. Mais trois réussirent à s'échapper, avec l'aide des paysans de l'endroit accourus à la rescousse.

Les femmes se montraient les plus enragées et les plus fines. Celles de Roquefort (près de Sorèze) voient passer, un soir, un sergent de l'abbaye conduisant à Sorèze deux Croyantes qu'il avait arrêtées, Raymonde Autière et sa compagne. Aussitôt, elles prennent des bâtons et des fourches, rossent le sergent et délivrent les deux hérétiques. Le sergent court à l'abbaye, raconte à l'abbé ce qui s'est passé. L'abbé revient à Roquefort avec son sergent, rassemble les femmes, les presse de questions. C'est ici que le récit semble presque sorti d'un fabliau, comme le dit M. Dossat, qui traduit ainsi la suite : *Elles répliquèrent que le sergent n'avait pas capturé deux Parfaites, mais bien deux femmes mariées du château que, sottement, il avait prises pour deux hérétiques. Elles montrèrent deux d'entre elles comme étant celles qui avaient été arrêtées. Bien entendu, le sergent ne les reconnut pas et il persista dans son point de vue. Mais comme il ne put apporter aucune preuve, il ne fut pas cru et resta le dindon de la farce. On peut difficilement croire*, ajoute M. Dossat, *que l'abbé fût réellement dupe de cette comédie.* N'aurait-il pas été un peu cathare, lui aussi?

Le « parti hérétique » avait mis sur pied une organisation clandestine chargée de percevoir des fonds et de les utiliser au mieux des intérêts de la Secte; peut-être avait-elle aussi pour but de protéger et de faire évader les inculpés, en suscitant au besoin des émeutes libératrices. Cette organisation, vraisemblablement soutenue par les Parfaits, devait bénéficier de l'appui et de la complicité des Consuls et de beaucoup de barons de la cour comtale. Comment expliquer, sinon par l'existence d'un véritable réseau de contre-espionnage, que tant de traîtres aient été découverts et exécutés, alors que les Inquisiteurs gardaient jalousement le secret des dépositions et des délations? Arnaud Domenge qui, par lâcheté, avait livré les dix hérétiques des Cassés fut assassiné un soir dans son lit, dans sa maison d'Aigrefeuille. Les cathares essayaient de terroriser à leur tour les terroristes. Un certain Guilhem Jean avait proposé aux Dominicains de Pamiers de faire tomber Pierre Authier entre leurs mains. Comment les amis du Parfait furent-ils informés de ce complot? Deux d'entre eux surprennent le délateur en pleine nuit, l'entraînent dans les montagnes et le jettent dans un précipice. On cite des agents de l'Inquisition qui n'osaient plus sortir de la maison des frères ni des couvents où ils s'étaient réfugiés. Il va sans dire que ces jeux et doubles jeux, ces délations et ces fausses délations destinées à égarer les Inquisiteurs (on dénonçait les bons catholiques!) compliquaient dangereusement la vie du Croyant. Malheur à celui qui avait une trop jolie femme ou dont la boutique trop bien achalandée faisait mourir d'envie le concurrent!

S'ils étaient peu zélés et amis de la tranquillité, les Croyants pouvaient sans doute s'affranchir, étant donné les circonstances, de la plupart de leurs obligations à l'égard de la Secte, mais les *nuncii*, hommes de confiance des Parfaits, se tenaient en rapport avec eux, allaient les voir en secret et, le cas échéant, les rappelaient à leurs devoirs. Il n'est pas croyable que certains enlèvements de Parfaits arrachés à point nommé aux mains des sergents, certaines émeutes « spontanées », n'aient pas été préparés minutieusement : des gens sûrs encadraient les manifestants et ils étaient sans doute « convoqués ».

La Secte avait à sa disposition des *ductores*, Croyants dévoués qui connaissaient les chemins de traverse, et se chargeaient de guider les Bonshommes dans la campagne. En 1253, ces *ductores* permettent à Pierre Delprat d'échapper aux sergents du bayle de Saint-Rome. *Ils le firent échapper au travers de la brèche d'un mur par une maison voisine, et le cachèrent jusqu'à la nuit dans une vigne* (d'après Y. Dossat). Lorsque ces guides étaient pris par l'Inquisition, ou s'ils trahissaient, c'était une catastrophe : la liste des refuges, des relais, des maisons amies était à refaire. Pierre Authier ne réussit pendant si longtemps à échapper à l'Inquisition que parce qu'il disposait, un peu partout, dans le comté de Foix, de gîtes sûrs dont les propriétaires, les *receptores*, étaient des chrétiens éprouvés. Dans certains villages, tous les paysans étaient autant de *receptores*.

Le soir venu, on attend l'arrivée des Bonshommes. Tout le monde est réuni dans la cuisine, la *foganha;* silence et chuchotements. Soudain on gratte à la porte; la femme va ouvrir. C'est le *ductor*, qui demande à voix basse s'il n'y a pas d'indiscrets. S'il n'y en a pas, il introduit les Parfaits. Mais souvent ceux-ci se présentent sans s'être fait annoncer : ils connaissent bien le pays. Ils ont traversé le village enténébré, d'un pas rapide, le capuchon relevé. La porte se referme sur eux précipitamment. Révérence, *melhorier* [1], gestes pudiques des femmes retenant leurs jupes, couvrant leurs cheveux. Les Parfaits ôtent leur manteau, et l'on aperçoit leur tunique de drap bleu sombre. On les fait asseoir près du feu, sur le banc à dossier — ou coffre à sel — qui est la place d'honneur. L'entretien prend tout de suite un tour familier, chacun posant des questions sur ce qui l'intéresse. (Dans ces pauvres cabanes, le libre examen était alors pratiqué de façon naturelle et spontanée.) Puis l'un des Bonshommes se met à prêcher, commentant des scènes de l'Évangile, l'histoire de Marie et de Marthe, à l'intention des femmes, ou quelque mythe dualiste.

Quelquefois, des voisins et des voisines, qui ont l'*entendensa del ben* [2], ont été prévenus assez tôt afin qu'ils puissent venir écouter le sermon. On frappe encore à la porte. Qui est-ce, puisque tous les amis sont déjà là? C'est une voisine qui, elle, n'a pas été invitée, mais qui a remarqué « qu'il se passait quelque chose ». Il faut bien lui ouvrir. On lui donne vite le feu qu'elle est venue chercher. Mais elle a le temps d'apercevoir les deux Bonshommes, immobiles sur leur banc, comme des statues, à peine éclairés par les flammes de la cheminée. Il est inutile d'essayer de lui mentir. « Ce sont de braves gens, lui dit la paysanne, de bons chrétiens : ils vivent saintement et ne touchent jamais une femme. Eux seuls ont le pouvoir de sauver les âmes. » Et on lui fait

1. *Melioramentum* ou adoration liturgique du Parfait par le Croyant.
2. Qui sont affiliés à la secte; qui ont la connaissance du vrai Bien.

promettre de ne rien dire, pas même à son mari. Si l'on voit qu'elle a quelque sympathie pour la Secte, on n'hésite pas à lui demander — peut-être un peu, aussi, pour la compromettre et l'obliger à se taire — d'aider les Bonshommes, « qui le méritent bien, puisqu'ils sont persécutés et ne peuvent pas travailler ». C'est entendu : elle leur apportera de l'huile, du blé, un pâté de poisson...

Des Croyants plus prudents ne recevaient les Parfaits que dans les logis annexes de la ferme : la grange ou le pigeonnier. A la première alerte, ils se laissaient glisser dans la nuit. D'autres disposaient de caves ou de silos, où les Parfaits pouvaient se cacher le temps que durait la visite inopinée d'un bavard ou d'un voisin soupçonné d'être vendu aux Inquisiteurs. Il y avait des trappes s'ouvrant sur des passages souterrains, des armoires dissimulant des loges secrètes, d'énormes coffres où l'on pouvait s'enfermer. La sécurité des Parfaits était peut-être mieux assurée à la campagne qu'à la ville, sauf à Toulouse dans certains quartiers populeux, dans l'île de Tounis, par exemple, au Bazacle, où ils pouvaient trouver facilement refuge chez les artisans et les jardiniers. Les hôtels bourgeois ne pouvaient offrir aux Parfaits, comme refuges temporaires, que leurs vastes caves voûtées qui, dans certaines villes, communiquaient entre elles et permettaient de gagner une maison éloignée ou les égouts.

Quand un Croyant jugeait le moment venu de demander le *Consolamentum*, il faisait prévenir le Parfait, comme nous l'avons dit, par le *ductor* ou le *nuncius*. La cérémonie se déroulait la nuit, à l'abri des regards indiscrets, dans la chambre même du malade ou dans une pièce retirée, éclairée par une seule chandelle. (Il en fallait au moins une à côté de l'Évangile de Jean.) A l'époque qui nous occupe, les Parfaits faisaient moins de difficultés pour consoler les mourants, et les rites étaient généralement abrégés. Quand le village n'était pas sûr, le *Consolamentum* avait lieu n'importe où, en pleine campagne, derrière une haie, ou dans une de ces cabanes de pierre si nombreuses en Languedoc. Comme avant la persécution, les parents remettaient à la Secte le legs que lui avait fait le consolé et ils joignaient leur offrande personnelle : de l'argent, des habits ou des vivres.

L'antagonisme religieux dans les familles

Il arrivait parfois que les familles fussent divisées par des querelles religieuses. Cela rendait plus difficile encore la pratique clandestine du Catharisme. Un mari pouvait avoir tout à craindre d'une femme bavarde et fanatisée par les clercs — ou une femme, de son mari. Une fille d'humeur indépendante, châtiée un peu rudement, devenait un terrible danger pour ses parents : elle les menaçait de se convertir au Catholicisme. Dans les villages du comté de Foix, quand on s'apprêtait à recevoir les Bonshommes, la mère avait soin d'éloigner la servante et sa propre fille, si elles n'étaient pas absolument dévouées à la Secte. Elle les envoyait garder les moutons ou prendre de l'eau à la fontaine. Une jeune femme raconte que les Parfaits s'arrêtaient souvent chez sa mère Bruna. Un jour, comme elle descendait du premier étage, elle en vit un dans la salle du rez-de-chaussée, dont elle ne put cependant distinguer les traits. Sa mère lui dit avec humeur : « Tu nous épiais, n'est-ce pas, petite sotte! Tu te tenais à l'écoute! » Et elle l'envoya ramasser les navets.

De telles scènes ont dû être fréquentes et parfois dramatiques. Dans un village de Catalogne où quelques Croyants s'étaient regroupés autour d'un Parfait émigré, une femme nommée Ermessinde avait une fille — Jeanne — qui passait à leurs yeux pour possédée du démon. Et elle l'était, puisqu'elle était bonne catholique! Il était impossible de parler de Catharisme devant elle. Lorsqu'elle voyait paraître le Bonhomme, elle lui criait : « Je vais vous abattre une hache sur la tête. » Un jour que sa mère était malade : « Pourquoi ne faites-vous pas venir votre évêque? lui dit-elle insolem-

ment, il vous guérirait! » Et elle lui répétait que si jamais ils
retournaient à Montaillou (Ariège), elle irait aussitôt trouver
l'Inquisiteur pour le dénoncer, elle et tout le monde. Dans la
propre maison de sa mère, elle osa dire à Bélibaste : « Vous
vous donnez pour le Fils de Dieu, où sont vos miracles? »
L'hérétique lui répondit simplement : « Ma fille, puisque je
ne vous fais point de mal, pourquoi m'en faites-vous? »

Cette Jeanne devenant une peste, la communauté cathare
dut envisager de s'en débarrasser. Les Parfaits de la belle
époque n'auraient jamais conseillé, ni permis un meurtre;
mais les circonstances avaient changé : ils n'autorisaient pas
les Croyants à tuer, mais ils les laissaient faire. « La mauvaise herbe doit être arrachée du champ », disait Bélibaste,
ou bien : « Si des ronces poussent devant la porte de la
maison, il faut les couper ou les brûler. » Les Croyants
comprenaient à demi-mot ce genre de paraboles. Les Parfaits prenaient sur eux le péché.

La mère mit donc de l'ellébore dans l'énorme platée de
choux que ladite Jeanne mangeait à chaque repas. Mais
celle-ci était bâtie à chaux et à sable : le poison ne fit aucun
effet sur elle. « On la tuera avec le fer, ou bien en la précipi-
tant du haut d'un rocher », dirent ses deux cousins, qui se
chargeaient de l'exécution. Mais Guillemette, la tante de
Jeanne, les en dissuada : « Méfiez-vous! Si elle se doute de
quelque chose, elle vous tuera : elle est plus forte que vous
deux réunis. » Finalement, Pierre Mauri et un autre Croyant
furent désignés pour l'assassiner : pendant que l'un lui par-
lerait, l'autre la percerait d'un coup de lance. Mais, à la
réflexion, ils craignirent d'être découverts, et arrêtés pour
meurtre. « Il vaut mieux, dirent-ils, l'empoisonner au
réalgar (sulfure d'arsenic). » Il faut croire que cette virago,
capable de tenir tête à deux hommes armés, avait été fabri-
quée par le diable — et que le diable la protégeait — car,
lorsque Pierre Mauri voulut se procurer du réalgar, soi-
disant pour soigner ses ânes, l'apothicaire refusa de lui en
donner. « Amenez vos bêtes, lui dit-il, je leur appliquerai

moi-même le remède. » L'un des conjurés — incapable de
commettre un péché — avait averti secrètement le phar-
macien. Ainsi Jeanne échappa à la mort.

De pareils conflits existaient aussi — plus rarement
semble-t-il — entre maris et femmes. C'est pour cette raison
que les Bonshommes veillaient à ce que les hommes prissent
toujours pour femme des membres de la Secte. En cas de
mésentente, les conjoints divorçaient. Les Parfaits se
hâtaient de prononcer la dissolution du mariage, avant que
la haine soit arrivée aux solutions extrêmes.

Les « caisses de secours »

En dépit des mésententes qui pouvaient éclater dans certains foyers, la plupart des ménages cathares, unis dans la
même foi religieuse, semblent avoir fait face, d'un même
cœur, aux obligations multiples qui pesaient sur eux et
parfois fort lourdement. La Secte disposait de *questores*,
sortes d'agents financiers, chargés de recueillir les dons en
nature et de les centraliser dans des « dépôts de vivres »,
que géraient des Croyants dévoués. Les paysans les plus
pauvres donnaient toujours quelque chose, et les femmes,
sur qui reposait pourtant le soin de faire manger toute la
maisonnée, n'étaient pas les moins généreuses. Les *questores*
percevaient aussi le montant des contributions volontaires
en argent : *talhas* et *collectas*. Si le mot *collecta* évoque les
dons librement consentis, celui de *talha* fait penser à une
sorte d'impôt. Nous ne pensons pas que les Cathares aient
jamais voulu, ni pu lever un véritable impôt sur leurs
fidèles. Mais en faisant appel à leur sens du devoir et au
sentiment de solidarité qui les unissait comme membres de
l'Église « persécutée », ils ont sans doute réussi à faire
consentir par tous une contribution fixe, proportionnée à
leurs ressources, et cela d'autant plus facilement que les
Croyants y trouvaient aussi leur compte.

Dès que le malheur le frappait, le Croyant avait, en effet, recours à l'organisme financier de la Secte. L'Inquisition menaçait-elle de faire exhumer sa mère comme hérétique, la première réaction d'un fils était de tenter de corrompre le bayle; celui-ci, dans quelques régions, et notamment dans le comté de Foix, était d'autant plus aisément corruptible qu'il était plus ennemi des Français. Pour cela, il fallait de l'argent que le Croyant n'avait pas toujours : il l'empruntait, si la chose était possible, au trésorier de la communauté locale. Les faux témoignages, qui servaient souvent à perdre un ennemi, constituaient également un excellent moyen de défense : il fallait payer le faux témoin. Après une exhumation à la suite d'un procès posthume, ou parce qu'il avait donné l'hospitalité à un Parfait, ce Croyant tremblait de voir sa maison détruite. Le procureur du comte de Foix — en 1310 — arrangeait vite les choses, moyennant épices : quinze livres tournois. S'il n'avait pas la somme, le Croyant pouvait l'emprunter au *questor*. Les maisons condamnées à la destruction n'étaient pas rachetables, en principe, mais les juges que l'on payait consentaient à des ventes fictives : les voisins s'entendaient pour racheter en vente publique, sinon les maisons, du moins les terres. La solidarité aristocratique jouait plus efficacement encore : les biens confisqués aux chevaliers étaient acquis par les bourgeois du pays et rendus plus tard à leurs propriétaires. Mais en certains cas, c'est le trésor cathare qui mettait des fonds à la disposition de ces nobles pour qu'ils rachètent leurs domaines par personnes interposées.

Il arriva un moment où ni les Parfaits ni les Croyants gravement compromis ne furent plus en sécurité nulle part, sauf à Montségur. On ne pouvait même plus se cacher dans les couvents catholiques : un Croyant qui avait pris l'habit à l'abbaye de Belleperche n'en fut pas moins condamné et dut, pour ne pas être arrêté, fuir en Lombardie. L'atmosphère était devenue tellement irrespirable que beaucoup de Croyants et de Croyantes envisageaient de s'expatrier. Il

semble que la Secte ait avancé de l'argent aux émigrants
dépourvus de ressources, surtout aux Parfaits, et financé
des départs organisés.

Comment — sans l'aide d'une organisation secrète, capable
de fournir des *ductores*, des passeurs, des escortes et de prévoir relais et refuges — de simples paysans, et même de
petits seigneurs qui n'étaient jamais sortis de leurs villages
(ils se font prendre à l'auberge ou dans la rue, quand ils se
rendent seuls de Pamiers à Toulouse) auraient-ils pu entre-
prendre de si longs et périlleux voyages?

Il y avait, dans toute l'Occitanie, une circulation de fonds
surprenante pour l'époque, encore que le volume monétaire
ait eu tendance à s'accroître à la fin du XIIIᵉ siècle, ainsi
d'ailleurs que les prix. *A l'époque de l'émigration*, écrit
M. Dossat, *il fut nécessaire d'envoyer de grosses sommes en
Lombardie. Trois cents sous d'or furent transportés au préalable de Lavaur à Roquevidal dans un sac fait de deux draps
cousus. Le transfert de soixante-cinq deniers d'or de Lavaur à
Prades, près de Saint-Paul-Cap-de-Joux, dans un petit sac,
souleva la curiosité de Bernard de Montesquieu, car ce fils de
chevalier n'avait jamais vu de monnaie d'or; il prit même
une pièce d'or dans sa main.* Pauvreté de la noblesse occitane! Et quel contraste ne fait-elle pas avec le capitalisme
déjà si orgueilleux, et si sûr de lui, des cathares et des bourgeois, qui ne croient plus qu'en l'or, parce qu'il émigre avec
les émigrants!

C'est en partie grâce à cette circulation d'or cathare que,
pendant la dizaine d'années qui s'écoule entre l'établissement
de l'Inquisition et la chute de Montségur, les Croyants ont
eu le sentiment de n'être pas absolument désarmés devant
la répression. Tant que les Parfaits, du haut de leur pic
inviolé, dirigèrent la résistance occitane, nombreux furent,
parmi leurs fidèles, ceux qui, au prix d'une lutte quotidienne,
en brouillant les cartes, en punissant les traîtres, en répondant à la violence par la violence, en corrompant les corrup-
teurs, purent sauver leur vie sans perdre leur âme.

CHAPITRE III

LA VIE A MONTSÉGUR

Les origines cathares de Montségur

Au début du XIIIᵉ siècle, vers 1202 ou 1203, ou plus tôt, des « chrétiens » et des « chrétiennes » s'étaient établis sur la montagne de Montségur, à mille deux cent sept mètres d'altitude, pour y mener la vie contemplative. D'anciennes traditions attachées au rocher avaient peut-être déterminé leur choix : on y voyait les ruines informes d'une tour rectangulaire, qui avait succédé elle-même à un ouvrage plus ancien. Une citerne, ouverte à flanc de montagne, à deux cents mètres à l'ouest de la tour, suffisait aux besoins en eau de la petite communauté. En 1203, Forneria, hérétique revêtue, mère d'un chevalier de Mirepoix, possédait là une maison. Son fils Arnaud-Roger lui apportait des provisions de pain, de vin et de poisson, car il n'y avait pas de village dans les environs immédiats. Celui qui existe actuellement s'est créé beaucoup plus tard, quand le lieu fut devenu une sorte de marché. La montagne devait jouir de quelque prestige, puisque Forneria, qui avait de grands biens et aurait pu se retirer au couvent de femmes de Lavelanet, avait préféré y rejoindre ses compagnes et quelques Parfaits. Ils pratiquaient en commun la pauvreté évangélique, au milieu des arbres, bas, mais touffus, et tout près du ciel, dans des maisons qui n'étaient, en réalité, que des cellules de bois et de pierre.

Auda de Fanjeaux habitait elle aussi, vers 1209, une de ces cabanes, où son fils Isarn-Bernard venait la voir quelquefois. Cette noble dame avait reçu le *Consolamentum* à Fanjeaux, des mains de Guilhabert de Castres, en même temps qu'Esclarmonde de Foix, Fays de Durfort et Raymonde de Saint-Michel. Ces Parfaites, des femmes qui s'étaient séparées de leurs maris en recevant la vêture ou des veuves, trouvaient dans la communauté cathare la sécurité matérielle et morale et pouvaient y dépenser utilement ce qui leur restait de forces. Quelques-unes ne demeuraient pas toute l'année à Montségur, mais venaient simplement y rendre visite à leurs amies. C'est ainsi qu'en 1211, Hélis de Mazerolles, sa sœur Fays et deux autres dames montèrent au château, y rencontrèrent Guilhabert de Castres et l' « adorèrent » dans la « Maison des hérétiques ». La mère de Sicard de Durfort y séjourna aussi, avec son fils, en 1214.

La forteresse : capitale religieuse et lieu de refuge

En 1204, cette communauté, surtout féminine à l'origine, devint assez nombreuse pour que Raimon de Mirepoix, Raimon Blasquo, et le clergé cathare local jugeassent le moment venu de demander à Raimon de Pereille, seigneur de la Roque d'Olmès et de Pereille, de reconstruire le château de Montségur. Il ne s'agissait, à cette date, que de procurer un abri plus confortable à la communauté et de lui assurer une protection contre un coup de main toujours possible des brigands ou des routiers. Raimon de Pereille accepta, non sans hésitations. En échange d'une tour ruinée, il eut un château neuf et sûr, sans qu'il lui en coûtât cher, car l'Église cathare prit sans doute à sa charge tout ou partie des travaux de reconstruction.

Les travaux durèrent de 1204-1205 à 1209-1211, sans que

la montagne eût vu disparaître ses cénobites. On restaura la grosse tour rectangulaire, qui devint donjon, et comme la petite citerne — ou puits — située sur le versant ouest était malsaine, insuffisante et exposée à être détruite en cas de siège, on en construisit une autre occupant, de façon insolite, presque la moitié de la grande salle primitive. Puis on édifia une enceinte, en forme de pentagone irrégulier, sans tours, sans ornements, sans meurtrières, et ne comportant que quelques corbeaux, destinés, aux points menacés, à soutenir des hourds. Le château avait deux portes; l'une, au nord, donnait accès au petit village des Parfaites, l'autre, au sud, était la porte d'entrée du château. Le village cathare, installé sur des terrasses, entre le mur d'enceinte et l'abîme, défendu par des palissades, était, pour ainsi dire, accroché au château, de sorte que la porte du sud devenait une porte intérieure. Un fortin, situé à deux ou trois cents mètres à l'est, complétait la défense de l'ensemble constitué par le bourg cathare et le château, et lui donnait de l'air de ce côté-là.

A l'intérieur, la basse-cour du château était en partie occupée par des locaux appartenant à la Secte, ou servant de magasins. Ils ne laissaient libres, au centre, qu'une petite cour et une sorte de couloir ou de rue allant d'une porte à l'autre. Avant le siège de 1244, cette cour faisait pour ainsi dire partie du bourg, dont on ne pouvait sortir qu'en la traversant. La grande porte, par laquelle on entre encore aujourd'hui dans l'enceinte, s'ouvrait sur le chemin montagnard, alors mieux entretenu. Elle était surélevée et protégée par une bretèche dont les corbeaux sont toujours visibles. Les vieux paysans de Montségur se souviennent d'avoir vu, devant cette porte, un affaissement de terrain et les vestiges d'une contrescarpe, et ils prétendent qu'il y avait là une *cava*, un fossé, large et profond, mais ne protégeant que l'entrée du château. L'existence de cette *cava* — que l'on devait franchir sur un pont mobile — n'est pas invraisemblable.

Une barbacane de pierre et de bois protégeait le chemin. On pouvait sans doute transporter à dos de mulet les malades et les provisions de toutes sortes que l'on accumulait à Montségur, jusqu'à la porte de cette barbacane, peut-être jusqu'à celle du château. Il est sûr que plusieurs Parfaits sont venus à cheval, mais nous ne savons pas où ils laissaient leurs montures.

En 1232, Guilhabert de Castres demanda une entrevue à Raimon de Pereille. Elle eut lieu au Pas-de-la-Porte (entre Saverdun et Auterive). Raimon de Pereille était accompagné de nombreux chevaliers et sergents d'armes; Guilhabert de Castres avait rassemblé une trentaine de Parfaits, parmi lesquels Bernard de la Mothe, Jean Cambiator, Hugues de la Bacone, Trento. Une escorte de chevaliers dévoués, dont Pierre de Mazerolles, assurait la protection des Parfaits. Tout le monde se rendit au château de Massabrac et y passa la nuit. Guilhabert de Castres avait froid : on lui fit du feu. A l'aube, Raimon de Pereille et ses chevaliers conduisirent les Bonshommes à Montségur, dont il est probable que Raimon de Pereille n'avait pas fait encore sa résidence habituelle, quoique sa femme demeurât déjà sur la montagne. Guilhabert de Castres supplia alors Raimon de Pereille de recevoir les cathares dans le château, de façon que leur Église eût un siège central, une sorte de capitale, d'où elle pourrait envoyer ses missionnaires, répandre son apostolat, et assurer la défense des persécutés. Raimon de Pereille fut longtemps réticent : il prit conseil de ses chevaliers, les sires de Châteauverdun, de Lavelanet, de Mayreville, tous conscients des dangers que cette affaire allait leur faire courir, mais estimant aussi que la puissance de la Secte contribuerait, le cas échéant, à les protéger, et finalement il accepta. De fait, ils furent excommuniés peu de temps après : Raimon de Pereille, sa femme Corba, son frère Arnaud-Roger et son gendre Pierre-Rogier de Mirepoix, qui assumera bientôt le commandement militaire du château.

A partir de ce moment, Montségur change complètement

de caractère. Il n'est plus seulement l'asile d'une poignée
de Parfaits et de Parfaites, mais la capitale religieuse du
Catharisme, la maison-mère, d'où l'apostolat, mission essen-
tielle de la Secte, allait rayonner sur tout le Languedoc ; le
« lieu sûr », enfin, où les Croyants pourraient trouver à
toute heure des Parfaits pour les conseiller, les réconforter,
leur donner le *Consolamentum*. Les établissements religieux
s'y agrandirent : il y eut un *ostal des Bonshommes*, que les
Inquisiteurs appellent « Maison des hérétiques », où les
Parfaits vivaient en communauté, et, à côté, un couvent
de femmes, où celles-ci prenaient leurs repas en commun.
Sans doute, ces couvents existaient-ils déjà en 1204 ou 1205 :
c'était l'ensemble des cabanes juxtaposées. Mais, après 1231,
des logis plus vastes furent aménagés. On voit encore sous le
donjon les vestiges d'une grande salle, avec marches taillées
dans le roc, qui a peut-être servi de réfectoire ou de lieu de
réunion. La demeure de Guilhabert de Castres était, à ce
qu'il semble, attenante à la « Maison des Parfaits ».

Un monde étrange

Il est impossible de faire cadrer d'une façon satisfaisante
pour l'esprit les renseignements que fournissent les textes
avec l'état actuel des lieux. Il y a eu, à Montségur, jusqu'à
deux cents ou trois cents Parfaits (on en a brûlé au moins
deux cents en 1244). La garnison, chevaliers et mercenaires,
ne devait pas être inférieure à cent cinquante hommes,
auxquels il faut ajouter les familles et le personnel, assez
réduit, des deux seigneurs. L'imagination ne parvient pas à
loger tout ce monde-là, sans admettre l'hypothèse qu'il
existait, au XIIIe siècle, sur la montagne et dans les vallées
environnantes, soit au lieu dit *Camp de la Gleisa*, soit sur
l'emplacement du village moderne, de nombreuses maisons
bâties en dur, que l'Inquisition aurait détruites en 1244.
Le donjon, relativement exigu, ne pouvait guère abriter

que Raimon de Pereille, Pierre-Rogier de Mirepoix et sa famille, et quelques dames et chevaliers de leur entourage. Corba, femme de Raimon de Pereille, habitait probablement avec Marquesia de Lantar, sa mère, et Esclarmonde, sa fille infirme, au couvent des Parfaites, hors du château. Mais Philippa, femme de Pierre-Rogier de Mirepoix, ayant avec elle son enfant en bas âge, Esquieu, une vieille nourrice, une donzelle et la « servante » de son mari, devait partager la salle supérieure du donjon avec Arpaïs de Ravat, sa sœur, Cecilia, femme d'Arnaud-Roger de Mirepoix, et Azalaïs de Massabrac. Les hommes occupaient sans doute le rez-de-chaussée. Le fils naturel de Pierre-Rogier, Roquefère, et un chirurgien trouvaient place, eux aussi, dans un recoin de cette salle. La promiscuité devait être fort gênante. Si l'on se représente que, pour aller puiser de l'eau à la citerne, il fallait traverser la pièce d'habitation; que le donjon, siège du commandement militaire, était rempli, à certaines heures, de messagers et de sergents d'armes, on peut se faire une idée de l'encombrement qui y régnait du matin au soir.

Quelques chevaliers et sergents avaient amené avec eux leurs femmes légitimes ou leurs concubines. Elles n'ont jamais été très nombreuses. On peut supposer qu'elles campaient dans les baraquements qui encadraient la cour du château. Peut-être toutes ensemble, dans une sorte de dortoir? peut-être dans des chambres individuelles où les rejoignaient leurs maris ou amants?

Tout le monde, à Montségur, était très inconfortablement logé. La salle inférieure du donjon, refroidie l'hiver par le voisinage de la citerne, était assez malsaine. Celle du haut où s'entassaient les dames, était mieux aérée, et disposait d'une grande cheminée. Le soir, on s'éclairait aux chandelles : les Parfaits fournissaient à Pierre-Rogier de la cire pour en fabriquer.

Les cabanes, où vivaient les Parfaits, en partie creusées dans le roc, étaient couvertes d'un toit à versant unique reposant sur des murs de pierre ou de bois. Elles étaient fort étroites et sans fenêtres, et ne prenaient l'air et le jour que par la porte (on retrouve fréquemment, dans les ruines, les gonds et les pentures). L'hiver, elles étaient chauffées par de simples feux allumés entre deux pierres, comme à l'époque néolithique, ou par des braseros, comme à l'époque romaine. La fumée s'échappait par un trou du toit, ou par la porte. Le mobilier se composait d'un grabat, d'un coffre, où les Parfaits déposaient leurs livres et leurs vêtements, d'un escabeau. Sur une étagère creusée dans le roc, on voyait une écuelle, une marmite, une lampe à huile en terre cuite.

Où étaient les couvents, l'hospice, les écoles auxquels les textes font parfois allusion? Ces établissements n'ont pas laissé de traces : peut-être étaient-ils de dimensions très modestes. Si l'on se représente assez bien, à Montségur, la vie de chaque Parfait, ou plutôt de deux Parfaits dans leur cellule, on ne peut guère situer d'après les vestiges archéologiques les salles où se seraient déroulés les repas en commun, les cérémonies, les conférences. Et l'on en vient à penser que la nature du lieu et les circonstances obligeaient peut-être les cathares à vivre chacun pour soi, chacun préparant son repas — la communauté n'étant qu'idéale et de voisinage. Les couvents, c'étaient les cabanes communiquant entre elles; l'hospice, l'ensemble des cabanes où chaque groupe de Parfaits s'occupait de ses malades. Quant à l'école, elle pouvait être logée n'importe où. Il ne semble pas, d'ailleurs, qu'il y ait jamais eu beaucoup de jeunes gens à Montségur, et les filles, peu nombreuses, vivaient avec leurs mères.

L'été, il est vrai, les cérémonies pouvaient plus facilement se tenir en plein air, dans quelque endroit découvert, face aux magnifiques horizons.

On signale très peu d'enfants à Montségur. Nous n'y trouvons guère que le fils de Pierre-Rogier, Esquieu, et celui de Bérenger de Lavelanet, qui avait dix ans lorsqu'on l'interrogea, après la capitulation. Tout laisse supposer que les femmes enceintes étaient aussitôt évacuées, renvoyées dans leurs châteaux ou mises à l'abri dans les fermes des environs. Le village des Parfaits était surtout composé de vieillards et de femmes âgées.

Quant aux hommes d'armes, il est probable qu'ils logeaient dans les hangars du château ou dans des baraques de bois. Lorsqu'ils étaient de garde, ils dormaient où ils se trouvaient, sur les courtines, roulés dans leurs manteaux.

La cour du château devait présenter un aspect animé et pittoresque. Les femmes y faisaient la cuisine en plein air, près du magasin à vivres que l'on voit encore appuyé à la face intérieure du rempart de l'est. L'odeur des viandes grillées apportée par le vent devait déplaire aux Parfaits et aux Parfaites, ainsi d'ailleurs que le voisinage de ces chevaliers, grossiers et charnels, dont les femmes ou les maîtresses n'avaient pas renoncé à l'amour. C'est pourquoi ils préféraient, sans doute, leurs cellules de pierre, enfouies dans la verdure silencieuse, à ce raccourci du monde satanique qu'était le château, avec ses criailleries, ses colères, ses passions.

Les contacts religieux, diplomatiques et militaires avec le monde extérieur

Montségur, cependant, n'était pas toujours aussi encombré : sa population a dû être flottante et extrêmement variable. A certaines époques, il ne restait au château que les Parfaits et les Parfaites les plus âgés, et un petit corps de chevaliers de garde. Tout le reste — Parfaits et chevaliers — était en mission. Les évêques avaient voulu qu'il en fût ainsi. Bertran Marti, qui réside à Montségur depuis 1238, est toujours par monts et par vaux. En 1240, on le trouve auprès des chevaliers de Gaja et de Laurac, dont il ranime le courage. Puis il s'enferme dans Montréal assiégée et s'en échappe. Jusqu'à sa mort — il périt sur le bûcher en 1244 — il continue à faire ce qu'il faisait déjà en 1233, quand il parcourait les bourgs et les châteaux du Lauragais, de Mas-

Saintes-Puelles à Fanjeaux. Guilhabert de Castres, bien qu'il soit en principe fixé lui aussi à Montségur, où il a une maison, montre la même ardeur apostolique. Il vient se retremper sur la montagne sainte et en repart aussitôt pour de nouvelles missions. En 1233, il console un chevalier à Hautpoul, il se rend à Montréal et à Dourne, dans le pays de Sault, où il est, un temps, l'hôte des sires de Niort; en 1237, il visite Saint-Félix-de-Caraman. Il parcourt en tous sens son diocèse idéal qui redevient, grâce à son inlassable activité et au dévouement des fidèles, un véritable diocèse. Ce n'est qu'à partir de 1237 qu'il cesse ses pérégrinations. Il est très vieux, et il ne quitte plus la forteresse où, en 1241, il donne encore le *Consolamentum* à Arnaud Dejean. Il dut mourir peu de temps avant le siège de 1244, puisqu'il ne figure pas, comme Bertran Marti, parmi les victimes du bûcher de Montségur.

Entre deux tournées épiscopales, les Parfaits s'occupaient de réorganiser la Secte. Tout de suite après avoir obtenu de Raimon de Pereille que Montségur leur soit cédé, Guilhabert ordonne Trento comme évêque de l'Agenais, avec Vigoros de la Bacone comme Fils majeur. Il institue Jean Cambiator Fils majeur de Toulouse, avec Bernard Bonafous comme diacre. Les réunions qui se tenaient à Montségur, étant donné le nombre et la qualité des Parfaits qui y assistaient, ressemblaient à des synodes. On ne peut pas déterminer avec exactitude l'étendue de l'organisation qui fut mise sur pied, mais comme elle contrôlait des points fort éloignés du château, on peut penser qu'elle intéressait l'administration générale de tout le Catharisme occitan.

L'activité diplomatique de Montségur a été très considérable de 1230 environ à 1244. On y savait, par des émissaires nombreux et dévoués, tout ce qui se passait en Languedoc. Le soulèvement de Trencavel, en 1240, n'avait pas pris les chevaliers cathares au dépourvu : ils s'attendaient à ce que le vicomte parvînt jusqu'à Montségur et que, grâce à cette place, il pût assurer sa jonction avec le comte de Foix. Les relations avec le comte de Toulouse ne furent jamais interrompues, non plus, même quand son attitude, dictée par les circonstances, pouvait apparaître comme très ambiguë, voire hostile. En 1241, Raimon VII donna l'ordre à ses troupes de marcher sur Montségur et d'en faire le siège. Mais tout le monde savait, dans la forteresse, que, dans le même temps, il se préparait à entrer en lutte contre le Roi de France, à la tête d'une redoutable coalition qui, si elle avait été mieux menée, eût pu mettre fin à la domination française en Languedoc. Plus incompréhensible, en apparence, avait été son attitude en 1233, où, sur son ordre, l'un de ses bayles, Mancipe de Gaillac, châtelain de Fanjeaux, suspect d'ailleurs lui-même d'hérésie, était venu à Montségur — il y avait été fort bien reçu — accompagné de quelques sergents, et s'était emparé, sans coup férir, de Jean Cambiator et de trois Parfaits. Ceux-ci, amenés à Toulouse, y avaient été brûlés vifs. Qu'importe! Les évêques et les chevaliers pardonnaient tout, comprenaient tout. Leur seul souci était de savoir, à tout moment, « où en étaient les affaires du comte de Toulouse et si elles allaient bien ». C'est vraisemblablement à l'instigation du comte que furent organisées, à partir de la forteresse, l'expédition contre les Inquisiteurs d'Avignonet et bien d'autres, sans doute, que nous ignorons. Cela suppose des contacts fréquents entre la cour comtale et le château, sinon avec les Parfaits eux-mêmes, du moins avec les chefs militaires.

Montségur envoyait des émissaires partout, en recevait de partout. De nombreux chevaliers catalans y vinrent à plusieurs reprises, et y séjournèrent. Des Parfaits, qui vivaient à Castelbon en 1244, restaient en liaison constante avec Montségur. On y accueillait également des cathares revenant de Lombardie, qui apportaient des nouvelles de ce qui se passait dans les milieux cathares émigrés, et des Églises hérétiques d'Italie. Un jour, un Parfait remit à Bertran Marti une lettre de l'évêque cathare de Crémone. Celui-ci lui vantait la paix profonde dont jouissait son Église, et semblait l'inviter à se réfugier chez lui, si les affaires de la Secte venaient à se gâter. De fait, l'un des successeurs de Bertran Marti suivit ce sage conseil et gouverna du mieux qu'il put l'Église de Toulouse depuis Crémone et Plaisance, où il se réfugia de 1244 à 1272 environ. Nous ne savons pas dans quelle mesure les *ductores*, chargés de faire passer les cathares en Lombardie, étaient déjà sous le contrôle de Montségur. Le premier essai de réseau doit dater d'avant 1244. La Secte et le trésor cathare ont dû, dès cette époque, aider les ministres importants et particulièrement menacés à gagner l'Italie.

Les nouvelles circulaient très vite, précisément parce que beaucoup de Croyants allaient en Lombardie et en revenaient spontanément ou par ordre. On lisait les poèmes antiromains des troubadours réfugiés à la cour de Frédéric II. (Vers 1241-1242, on s'attendait à une intervention de l'Empereur germanique en faveur de Raimon VII, son allié du moment.) On s'indignait d'un *sirventès* francophile d'Uc de Saint-Circ; on applaudissait à la virulente satire de Guilhem Figueira contre Rome. Les bonnes nouvelles alternaient, il est vrai, avec les mauvaises, apportant tantôt l'espoir, tantôt le découragement. Raimon VII essaya de redonner courage aux chevaliers en faisant répandre, pendant le siège de 1244, de « fausses bonnes nouvelles »...

Jusqu'à l'époque où ils furent assiégés, les habitants de Montségur ne se sentirent jamais isolés. De puissantes forteresses tenaient encore, les châteaux des sires de Niort, la place de Quéribus. On imaginait le comte de Foix prêt à reprendre la lutte. Le puissant Bernard d'Alion n'hésitait pas à leur apporter son aide. On sortait de Montségur comme on voulait; les Parfaits allaient assister à des repas avec bénédiction du pain, à Camon et ailleurs, rendaient visite à des communautés de la région. Les villages voisins étaient autant de refuges. Même pendant le siège, tant que le petit fort de l'est resta aux mains des cathares, on put entrer dans l'enceinte et en sortir, la nuit, avec assez de facilité : Montségur demeurait largement ouvert sur l'espace et sur l'avenir...

Les problèmes de subsistance

Les évêques et les Parfaits avaient, cependant, à se soucier du ravitaillement de la place qui ne trouvait pas toujours de quoi se nourrir dans le pays environnant. En 1235, l'hiver ayant été très rude et les blés ayant gelé dans toute la région, les Parfaits connurent des jours difficiles. Deux chevaliers croyants vinrent dire au fidèle Bernard Oth de Niort « qu'ils avaient vu plusieurs Parfaits, à Montségur, mourant presque de faim ». On fit aussitôt une collecte dans les diocèses de Carcassonne et de Toulouse, et l'on réunit soixante muids de blé. L'ensemble des chevaliers de Laurac donna dix muids. Bernard Oth de Niort en fournit autant à lui tout seul.

Grâce à la vigilance de Guilhabert de Castres et de Bertran Marti, ces disettes ne se renouvelèrent plus. Des vivres arrivaient des villages amis : Villeneuve d'Olmès, Massabrac, Montferrier. La présence sur le pic de tant de consommateurs attirait maintenant des marchands, qui venaient parfois de fort loin. Comme, en principe, ils n'avaient pas le droit de vendre aux hérétiques, le marché se tenait au bas de la montagne et ils étaient censés ignorer la qualité de leurs acheteurs. Mais d'autres, plus zélés, montaient jusqu'au château et « adoraient » les Parfaits, ces clients qui payaient si bien. Les dons affluaient de partout : des agents spéciaux allaient les chercher sur place quand les donateurs ne pouvaient pas les apporter eux-mêmes. C'était surtout du blé que les Parfaits broyaient sous de petites meules, dans leurs cabanes, des légumes de toutes sortes, fèves, pois chiches, choux, lentilles, des champignons, des fruits, figues, poires, raisins, noix, noisettes, et aussi de l'huile, du miel, des fouaces, des poissons frais ou salés, des pâtés de poisson, du vin. L'arrivée des marchands, le retour des agents collecteurs entretenaient sur les pentes de la montagne un mouvement ininterrompu, et une sorte d'optimisme.

Il fallait penser aussi à stocker des vivres pour la garnison et la communauté, en prévision d'un siège qui paraissait prochain. Pour les Parfaits, on faisait provision surtout de blé et de légumes secs, de poisson salé et d'huile. Chacun d'eux recevait une certaine quantité de grains qu'il gardait dans un silo, creusé sous sa cabane. (On trouve encore, parfois, sur les terrasses de Montségur, de ces cachettes contenant du blé carbonisé.) Mais il y avait aussi, dans le château, un magasin où le blé et les légumes secs étaient conservés pour les besoins de la communauté; et, dans le charnier qui occupait le fond de la cour, on entassait des provisions de viande salée destinées aux chevaliers et aux soldats.

A partir de 1242, tout le monde, à Montségur, travailla sans arrêt à augmenter les réserves de vivres. On voyait des ânes monter les sacs de blé, les barriques de vin, jusqu'à la barbacane; chevaliers et Parfaits aidaient à décharger les bêtes, et prenaient sur leur dos les ballots et les sacs. Des traditions encore vivantes, et plus anciennes que celles que Napoléon Peyrat a inventées, se souviennent de ces charrois fabuleux : dans bien des villages de la région, on montre encore le « chemin qui allait à Montségur ».

Le trésor de Montségur

Les cathares étaient parfois obligés d'acheter par personnes interposées, de payer des services rendus. Il fallait donc que le trésor de la Secte fût pourvu abondamment. Il était alimenté par les dons, par les legs, par les dépôts. Beaucoup de Croyants donnaient aux Parfaits des sommes d'argent, des vases précieux, de l'argenterie. D'autres, qui avaient déjà perdu leur maison et leurs terres, et tremblaient de perdre aussi le petit avoir qui leur restait, le confiaient aux *questores* de Montségur. Ces dépôts étaient toujours à long terme, mais les cathares étaient toujours exacts à les rendre, dès qu'on les leur redemandait. Ils ne portaient pas intérêt. La Secte se réservait seulement le droit de les faire fructifier à sa guise pour le service du Bien. Si les héritiers d'un Croyant n'acquittaient pas le legs qu'il avait fait aux Parfaits avant de mourir, ils étaient retranchés de l'Église, à moins qu'ils ne fussent devenus vraiment très pauvres. Un hérétique de la famille de Niort avait légué ainsi cinquante sous melgoriens aux Parfaits, après avoir reçu d'eux le *Consolamentum*. Son frère, Oth de Niort, qui avait pourtant rendu au Catharisme des services signalés, ne put pas ou ne voulut pas les leur verser. Blessé lui-même peu de temps après, il demande à recevoir le *Consolamentum*. Guilhabert de Castres exigea d'abord qu'il remboursât les sommes que l'Église lui avait prêtées et le paiement du legs. Le tout se montait à mille deux cents sous melgoriens. Cela se passait en 1232, à l'époque où Guilhabert était diacre à Fanjeaux. Certains Croyants, ruinés par les confiscations, faisaient des legs conditionnels, exigibles seulement dans le cas où leurs héritiers rentreraient en possession de leur fortune. C'est ainsi que Raimon de Congost, après avoir reçu le *Consolamentum* à Montségur, légua au diacre Tavernier cent sous melgoriens, sous réserve que ses héritiers récupéreraient les biens confisqués à leur famille.

Les Parfaits n'aimaient pas voyager avec de l'argent, ni en percevoir. Les fonds étaient recueillis par les *questores* ou *depositarii* qui les gardaient par-devers eux jusqu'à ce qu'ils pussent les remettre au trésor.

On est mal renseigné sur la façon dont les cathares faisaient fructifier les dépôts. A différentes époques, ils ont placé des sommes importantes chez des banquiers toulousains ou italiens, et ils prêtaient de l'argent aux chevaliers, parfois avec intérêt, semble-t-il. Mais, la plupart du temps, ils renonçaient à cet intérêt, en échange de l'aide armée qu'ils attendaient deux. De grandes dames, Hélis de Mazerolles, par exemple, qui faisaient parfois des emprunts à la caisse des couvents de femmes qu'elles dirigeaient, ne manquaient jamais de les rembourser. Dans les années 1240, comme la guerre menaçait, que la Secte avait à faire face à d'énormes dépenses immédiates, et que les temps n'étaient pas favorables à des investissements commerciaux, la mise en défense du château de Montségur par les Parfaits fut sans doute le plus utile de leurs « placements ».

Les dépenses de la Secte étaient fort lourdes. Il fallait, parfois, payer pour faire libérer un Parfait. Alors qu'il n'était encore que diacre, Bertran Marti fut arrêté, un soir, à Fanjeaux, par le bayle, avec trois de ses Parfaits. La femme d'un certain Fournier, chez qui on les avait enfermés, courut chez un marchand, ami des cathares, qui lui remit d'un coup sept écuelles d'argent. Continuant sa quête, elle réunit ainsi trois cents sous toulousains qui servirent à payer la rançon des Parfaits. Mais la générosité des Croyants ne se manifestait pas toujours d'une façon aussi spontanée, et il fallait parfois que la Secte se substituât à eux. Elle rétribuait tout un personnel : *nuncii*, passeurs, *questores*, espions, émissaires chargés de missions dangereuses. Sans doute ces agents étaient en principe bénévoles, mais les Parfaits estimaient juste d'indemniser ceux qui couraient des risques graves, notamment en les hébergeant.

Le pays n'étant pas très sûr, les Parfaits se faisaient parfois escorter par les chevaliers de Montségur, auxquels ils louaient aussi des chevaux ou des mulets. Pour chaque mission de ce genre, ils leur versaient une indemnité, car ils ne demandaient jamais un service sans le récompenser. Pierre-Rogier de Mirepoix lui-même recevait cent sous toutes les fois qu'il escortait un Parfait; le barbier-chirurgien de Montségur en recevait cinq toutes les fois qu'il saignait Guilhabert de Castres.

Les Parfaits ne portaient jamais les armes, ne combattaient pas, ne versaient pas le sang. Ils avaient à leur service, outre les chevaliers volontaires, des mercenaires, des routiers. En plein siège de 1244, on apprit avec joie au château

que Bernard d'Alion et Arnaud de Son avaient pu recruter
vingt-cinq mercenaires pour cinq cents sous melgoriens. (En
réalité, ces soldats d'élite, commandés par Corbairo, un chef
de bande catalan, ne purent jamais pénétrer dans la place.)
Les chevaliers, sans ressources pour la plupart, étaient pratiquement entretenus, eux aussi, par la Secte. Au commencement du Carême de 1243, c'est-à-dire peu de temps avant
la capitulation, Bertran Marti distribua à tous les hommes
de la garnison de l'huile, du poivre et du sel. Les tailleurs
confectionnèrent des pourpoints pour les habiller. Tel chevalier nécessiteux reçut des gants, un chapeau; tel autre,
une tunique, un *gardacor*. En principe, les mercenaires touchaient une solde en argent : quatre cents sous toulousains
furent ainsi partagés entre Raimon de Saint-Martin, chef
d'une troupe de mercenaires, et Pierre-Rogier de Mirepoix.
Chaque sergent d'armes eut cinq sous toulousains (c'était
l'arriéré de leur solde). Pierre-Rogier de Mirepoix était lui-
même appointé comme une sorte de condottiere. Bertran
Marti lui donnait de l'huile, du sel; l'invitait à sa table,
l'habillait; il lui offrit, peu de temps avant la chute de la
forteresse, une couverture de perse verte; il lui fournissait
jusqu'à la cire pour faire des chandelles. L'Église cathare
lui faisait distribuer aussi le blé nécessaire à la nourriture
quotidienne de ses chevaliers (au moment de la reddition,
Pierre-Rogier emportera le pécule considérable qu'il avait
amassé au service de l'hérésie, et le butin provenant de ses
expéditions). C'est encore l'Église qui payait les frais néces-
sités par l'armement. Aux alentours de 1240, alors que l'on
croyait à la victoire de Trencavel, on fabriqua des armes à
Montségur : des lances, des arcs, et l'on s'en procura d'autres à
l'extérieur. L'ingénieur Arnaud de Vilar passe quatre jours au
château pour y mettre au point les balistes, dans le temps où le
comte de Toulouse en faisait le siège. Pendant le siège de 1244,
un autre ingénieur s'introduit dans la place pour construire une
machine de guerre capable de contrebattre celle que l'évêque
d'Albi avait réussi à installer à deux cents mètres du château.

Les relations entre Parfaits et chevaliers ou sergents d'armes étaient correctes, mais distantes. Les Parfaits eussent préféré vivre en paix, et ils supportaient parfois impatiemment les querelles qui s'élevaient parmi ces guerriers. Pierre-Rogier de Mirepoix, en dépit du respect tout extérieur qu'il témoignait aux Parfaits, gardait au fond du cœur son orgueil d'aristocrate. L'Église appréciait ses services, qu'elle payait, mais quand les évêques voulaient s'entretenir avec lui, ils le convoquaient chez eux. La communauté cathare entretenait le moins de rapports possible avec la soldatesque. Chevaliers et mercenaires entendaient les sermons des évêques dans la cour du château, et, pour le reste, vivaient à leur guise; ils ne devenaient de véritables « Croyants », c'est-à-dire, pour les Parfaits, des âmes à sauver, que lorsque, blessés, mourants, ils recevaient d'eux le *Consolamentum*, en exécution de la *Convenensa*.

La vie religieuse

Malgré l'agitation incessante qui régnait sur la montagne, les Parfaits continuaient à mener, entre le château et l'abîme, leur vie de méditations et de prières. Les repas qu'ils prenaient quelquefois en commun : pain, vin, noix et fruits, étaient précédés de la *bénédiction du pain*, plus solennelle à Montségur que partout ailleurs. Chaque dimanche, les sermons de Bertran Marti ou de Guilhabert de Castres avaient un grand succès et attiraient les Croyants de la région, les visiteurs de passage et même les marchands. A la veille d'une expédition dangereuse, l'évêque s'adressait spécialement aux chevaliers, stimulait leur foi, les exhortait au courage. Chaque mois avait lieu l'*apparelhamentum* ou *Servicium*. Le diacre ou l'évêque réunissait Parfaits et Parfaites, recevait leur confession publique, puis leur confession particulière, s'il y avait lieu, et leur administrait des pénitences. Les chevaliers, les sergents d'armes, leurs femmes ou leurs maîtresses pouvaient se confesser eux aussi, ou tout au moins assister à la cérémonie, et au « Baiser de Paix » qui la terminait. Certains de ces *apparelhements* prenaient, à Montségur, une importance particulière, par exemple : celui qui précédait la nuit de Noël. C'était pour les Parfaits, qui n'habitaient pas sur « le mont », une occasion de s'y rendre nombreux. En 1242, des cathares catalans vinrent de Tallemporaria et restèrent une quinzaine de jours dans le château. Les repas, pris en commun, étaient alors pleins d'animation, parce que chacun y apportait des nouvelles de son pays lointain : on y parlait des vivants et des morts, de ceux qui étaient en exil en Catalogne ou en Lombardie, mais aussi d'espérances temporelles et surnaturelles.

Les Parfaites recevaient souvent, dans leurs cabanes, quand elles en possédaient une en propre, ou dans la Maison de la Secte, leur fils, ou leurs amies Croyantes. Tous et toutes faisaient, d'abord, devant elles, les trois génuflexions du *Melhorier;* puis le fils s'abandonnait à l'émotion de retrouver sa mère; la vieille dame, au plaisir de revoir son amie d'enfance et d'évoquer avec elle des souvenirs d'avant sa vêture.

Il y avait à Montségur quelques filles qui n'avaient pas voulu se séparer de leurs mères. Elles étaient Parfaites ou aspiraient à l'être. Il pouvait arriver que l'une d'elles, peu portée à la vie mystique, s'éprît d'un chevalier, aperçu au sermon. Elle l'épousait, sans cesser, naturellement, d'être Croyante.

Les Parfaits n'oubliaient jamais que, pour importante que fût la vie mystique et contemplative, ils avaient aussi le devoir d'agir, et que leur mission consistait essentiellement à prêcher et à « consoler » les âmes. Sans doute, à Montségur, c'étaient, selon la Règle, les évêques ou les diacres qui conféraient le *Consolamentum d'ordination*, mais ils conféraient, parfois, aussi, celui des mourants. On peut même penser que l'immense prestige, dont jouissait le château auprès des Croyants, tenait en grande partie à ce que la Règle, les rites et les cérémonies y étaient observés dans toute leur exactitude et leur rigueur.

Les Croyants savaient qu'ils trouveraient à Montségur des ministres dévoués et purs (le *Consolamentum* donné par un Parfait en état de péché n'était point efficace) qui les consoleraient au moment opportun et après leur avoir imposé la longue préparation spirituelle exigée par le *Rituel*. Les Parfaits étaient assez nombreux, et disposaient de tout le temps qu'il fallait pour se consacrer à cette tâche, sans avoir à redouter l'irruption soudaine des sbires de l'Inquisition. On conçoit que tant de bons chrétiens aient voulu, pour cette raison, mourir à Montségur. Si son état physique le permettait — ils surveillaient son corps aussi bien que son âme —, les Parfaits instruisaient longtemps le malade, lui enseignaient la doctrine cathare et surtout l'abstinence. Et ils ne le consolaient qu'au dernier moment, de façon qu'il ne puisse plus retomber dans le péché. S'il est vrai que les lieux gardent quelque chose des énergies subtiles qui s'y sont manifestées, Montségur doit rayonner de lumière spirituelle, car il est sûr, quelque jugement que l'on porte sur la valeur du Catharisme, que beaucoup d'hommes et de femmes y sont morts véritablement *consolés;* c'est-à-dire dans la certitude d'avoir échappé aux ténèbres.

Rien n'était plus émouvant que l'arrivée au château, à l'aube, de ces malades qui avaient voyagé toute la nuit, portés sur des litières, à dos de mulets ou de chevaux; ils avaient craint, plus que la mort, de ne pas voir le soleil se lever sur la montagne. Beaucoup, en effet, mouraient en route. Peire Guilhem de Fogars, de la Roque d'Olmès, qui n'avait plus l'usage de la parole, dut s'arrêter à Montferrier, tout près de Montségur. Il y mourut entre les bras des deux Bonshommes qui l'accompagnaient, les yeux fixés sur le château de la Consolation.

On conférait aussi à Montségur l'ordination, c'est-à-dire le *Consolamentum* des Parfaits, aux hommes et aux femmes qui en étaient dignes. Mais ceux-là avaient dû s'y préparer depuis plus longtemps : Marquesia de Lantar, apparentée à des barons qui avaient toujours servi fidèlement le Catharisme, s'était retirée de bonne heure à Montségur; elle était, sans doute, avec Forneria, la plus ancienne de la communauté; elle ne reçut pourtant la vêture qu'en 1234, dans la maison de Bertran Marti, en présence de Corba de Pereille sa fille, et d'Arpaïs, femme du chevalier Guiraud de Ravat, sa petite-fille, alors qu'elle était déjà très âgée.

Les Parfaits et les Parfaites étaient obligés, selon la Règle, de consacrer une partie de leur temps à un travail matériel et de gagner leur vie; ils trouvaient facilement à occuper les rares loisirs que leur laissaient leurs occupations religieuses. Presque toutes les professions, tous les métiers étaient représentés à Montségur. Quelques Bonshommes cultivaient de maigres champs sur les pentes bien exposées de la montagne. Des Parfaites allaient, parfois, pêcher des truites dans le torrent qui descend du Saint-Barthélemy. D'autres cuisaient le pain (Guillelma d'En Marti avait été boulangère), faisaient la cuisine; celles-ci allaient puiser de l'eau à la citerne, lavaient les habits de la communauté, celles-là filaient la laine, cousaient des vêtements pour elles-mêmes, pour les Parfaits et pour la garnison. Elles achetaient la laine aux marchands, quand les dons en matière première n'étaient pas suffisants.

Il y avait à Montségur des maçons, des charpentiers, des armuriers, des fondeurs et même un meunier. Nous manquons seulement de renseignements sur la façon dont étaient organisés les bureaux et les services de comptabilité. Mais il est sûr qu'on pouvait facilement trouver des gens instruits parmi les Parfaits et parmi les Parfaites, dont certaines étaient femmes d'expérience et de grande culture. Plusieurs avaient dirigé des couvents : Esclarmonde, mère du chevalier Hugues de Festa, installée sur le pic depuis 1229, avait été longtemps supérieure d'une communauté de femmes à Fanjeaux.

Chevaliers et mercenaires

A côté des Parfaits, les chevaliers et les mercenaires constituaient un petit monde bien différent. Insouciants et optimistes, l'inaction leur eût pesé. La plupart avaient perdu tous leurs biens, et ils n'avaient point d'autre asile que la forteresse. Quelques-uns, peu nombreux, avaient conservé leurs manoirs en pays de Sault, et venaient à Montségur accomplir un temps de service, par loyalisme, par dévouement au comte de Toulouse, ou parce qu'ils avaient des obligations envers la Secte. Ils étaient nourris, logés, et les prises de guerre leur restaient acquises. L'affaire d'Avignonet ne fut pour eux qu'une occasion de butin. Sans mettre en doute la sincérité de leur attachement, souvent admirable, au Catharisme, on peut penser que Montségur représentait surtout pour eux l'indépendance politique et matérialisait leurs espoirs de revanche.

Comme les Parfaits, ils étaient toujours sur les routes. Montségur ressemblait au château légendaire du roi Artus, où l'on ne trouvait souvent que deux ou trois chevaliers oisifs, se morfondant à attendre l'aventure, tous les autres étant déjà partis au secours de la veuve et de l'orphelin. Tantôt il fallait escorter un évêque ou un groupe de Parfaits, les protéger, repousser un parti de brigands. Tantôt s'opposer par la force à l'arrestation d'un Croyant tout dévoué à la Secte. Ils étaient envoyés parfois en renfort clandestin dans les bourgades où l'Inquisiteur avait proclamé un « temps de grâce » : les cathares redoutaient l'effet de ces mesures parce que les lâches, qui en bénéficiaient, livraient beaucoup de noms. Sur le territoire du comté de Toulouse, les bayles, patriotes et Croyants, s'employaient, quand ils étaient énergiques, à décourager les délateurs éventuels. Pendant le Carême de 1240, l'Inquisition avait proclamé ainsi, à Conques, une « semaine de grâce », pendant laquelle les hérétiques, qui *se présenteraient spontanément et dénonceraient les autres, seraient absous moyennant des pénitences canoniques assez légères.* Le bayle de Montauriol réunit aussitôt le peuple : « Attention! lui dit-il, que personne ne s'avise de livrer un seul de nos amis à l'Inquisition : j'arrêterai aussitôt le traître, confisquerai ses biens, et le mettrai à mort! » Mais, parfois, il était utile qu'un petit contingent de chevaliers de Montségur vînt appuyer le zèle des Croyants, et, en certains cas, faire pression sur le bayle lui-même.

Les expéditions punitives et l'affaire d'Avignonet

Montségur organisa des actions défensives et punitives contre les traîtres et contre l'Inquisition, rendant coup pour coup, répondant à la terreur par le terrorisme. En 1241, Pierre-Rogier de Mirepoix alla s'enfermer dans le château de Roquefeuil, que Trencavel avait momentanément libéré, et qu'assiégeait maintenant le sénéchal de Carcassonne. La tête de Pierre-Rogier fut mise à prix, mais il parvint à s'échapper et à rejoindre Montségur. D'autres expéditions, moins importantes, furent sans doute organisées, dont l'histoire n'a pas gardé le souvenir. La plus célèbre est l'affaire d'Avignonet, qui aboutit au massacre de l'Inquisiteur Guillaume Arnaud et de tout son tribunal. Ce Guillaume Arnaud s'était attiré beaucoup de haines, en particulier celle de Raimon VII, qu'il avait, naguère, humilié à Toulouse, et celle de Pierre-Rogier de Mirepoix, qu'il avait excommunié. Le massacre fut décidé par Raimon VII et son ami Raimon d'Alfar, bayle d'Avignonet : les chevaliers de Montségur furent chargés de l'exécuter, et se montrèrent ravis de l'aubaine. Avec la complicité des bourgeois d'Avignonet, qui ouvrirent les portes du bourg, Raimon d'Alfar fit tomber les Inquisiteurs dans un piège bien préparé : les chevaliers de Montségur, qui avaient voyagé toute la nuit, les surprirent et les tuèrent dans la maison où Raimon d'Alfar les avait installés. Ils ne ramassèrent qu'un maigre butin. L'un eut

une boîte de gingembre, l'autre un cheval; celui-ci un chan-
delier appartenant à Raimon l'Escrivan, ancien troubadour
devenu archidiacre du légat; celui-là un livre qu'il revendit
aussitôt quarante sous toulousains; le dernier s'empara d'une
tunique... Pierre-Rogier, lui, n'était mû que par la haine,
très explicable, qu'il avait vouée à Guillaume Arnaud. Quand
les conjurés le rejoignirent après l'affaire, il demanda tout de
suite à l'un d'eux : « Arnaud, où est la coupe? — Elle est
brisée. — Pourquoi ne m'en as-tu pas rapporté les mor-
ceaux? Je les aurais réunis dans un cercle d'or, et dans cette
coupe j'aurais bu le vin toute ma vie. » Cette coupe, c'était
le crâne de frère Guillaume Arnaud.

Il ne paraît pas que le clergé cathare ait trempé directement dans ce massacre, que sa morale réprouvait certainement, mais il ne l'a pas empêché. En avait-il d'ailleurs le
pouvoir? C'étaient là les affaires du comte de Toulouse; et,
si les Parfaits ont peut-être blâmé les circonstances particulièrement cruelles dans lesquelles le meurtre avait été per-
pétré, ils ne pouvaient pas s'apitoyer beaucoup sur le sort des
Inquisiteurs, homicides eux aussi, qui *ayant frappé avec
l'épée devaient périr par l'épée.*

Bertran Marti avait sûrement assisté à l'entretien que
l'envoyé de Raimon d'Alfar eut avec Pierre-Rogier de Mirepoix, à Montségur, peu de temps avant la tragique expédition. L'évêque fut pris entre sa conscience de Parfait et la
raison d'État : le massacre des Inquisiteurs devait être le
signal de l'insurrection de Raimon VII contre le Roi. La
libération paraissait toute proche, mais il savait aussi que,
si les affaires du comte tournaient mal, ce serait, cette fois,
la fin de Montségur. C'est pourquoi il exigea, selon toute
vraisemblance, que Pierre-Rogier ne participât point en personne à la tuerie. Il est assez étonnant, en effet, que le chef
de l'expédition s'en soit tenu à l'écart, qu'il n'ait point
frappé lui-même Guillaume Arnaud pour lequel il éprouvait
tant de haine, qu'il n'ait point prélevé sa part du butin... En
1244, au moment de la capitulation, l'Église romaine laissera

partir Pierre-Rogier sans l'inquiéter. Elle savait fort bien qu'en cette conjoncture les chevaliers *faydits* n'avaient fait qu'exécuter les ordres du comte de Toulouse.

Le monde en miniature

Il n'y a guère qu'à Montségur, de 1230 environ à 1244, que le Catharisme a régi, selon ses lois propres, une société, peu nombreuse certes, mais semblable en tout point à la vraie, à celle du « Mélange » où le Bien se trouve juxtaposé au Mal. Si Bertran Marti montait quelquefois sur la terrasse du donjon, il pouvait contempler, à ses pieds, le petit village des Parfaits, silencieux et plein de prières, et, dans la cour du château, les campements de soldats, les baraquements des femmes, résonnant de cris, de rires, de chansons et de tous les échos des passions humaines.

Les chevaliers, ceux qui étaient Croyants et surtout ceux qui ne l'étaient pas, menaient la même vie que les chevaliers catholiques contre lesquels ils combattaient. Ils mangeaient de la viande, quand ils en avaient; du gibier, quand ils en rapportaient de la chasse; la plupart du temps, du fromage sur du pain; et, livrés tout entiers à une vie brutale, dont l'héroïsme guerrier était la contrepartie, ils ne fermaient leur cœur ni à la colère, ni à l'orgueil, ni à la luxure. Tous reconnaissaient l'autorité morale du clergé cathare, tous s'inclinaient bien bas au passage d'un évêque ou d'un Parfait, mais, se sentant incapables d'imiter leur pureté, ils s'abandonnaient aux émotions et aux passions du moment. Les querelles qui s'élevaient fréquemment entre les deux chefs militaires, le vieux Raimon de Pereille et Pierre-Rogier, son gendre, avaient causé bien des soucis à Guilhabert de Castres : elles en causaient encore beaucoup à Bertran Marti. On ignore les raisons de cette mésentente. Peut-être, des questions d'intérêt, d'héritage, de partage; mais, plutôt, l'orgueil inné de ces féodaux : chacun voulant être le seul à commander. La loi cathare imposait, dans les conflits de ce genre, le recours à l'arbitrage, et les circonstances exigeaient, plus que jamais, la concorde; les évêques parvinrent assez facilement à rétablir la paix entre le gendre et le beau-père. Mais on sait, par les textes, que leur réconciliation ne fut jamais que provisoire et de façade.

Seules les femmes de Raimon de Pereille, de Pierre-Rogier de Mirepoix et de quelques chevaliers de leur parenté ou de leur entourage étaient des épouses légitimes, ayant été mariées, vraisemblablement, par un prêtre catholique. (Corba, femme de Raimon de Pereille, ayant pris la vêture, n'habitait pas avec son mari.) Mais à Montségur, le mariage romain n'avait plus aucune signification ni aucune légalité. Quelques chevaliers et sergents d'armes avaient amené avec eux des concubines, que les scribes de l'Inquisition appellent *amasiae* (maîtresses). Les Parfaits de Montségur ne faisaient, naturellement, aucune différence entre ces concubines et les femmes mariées sous le régime romain. Il est possible, cependant, qu'ils aient procédé à des mariages « enregistrés » selon leur rite, c'est-à-dire sur simple consentement mutuel et promesse de fidélité réciproque. Ce sont peut-être ces « épouses » que les Inquisiteurs appellent *amasiae-uxores* (maîtresses-épouses). Il est curieux, de toute façon, que les termes qu'ils emploient pour les désigner mettent l'accent sur l'amour-passion. Nous ne voyons pas ce qu'ils pourraient signifier, sinon que les *uxores* étaient comme des *amasiae*, ou que les *amasiae* étaient comme des *uxores* : ou bien, ces femmes étaient *aimées de cœur*, comme les dames des troubadours, ou bien elles étaient à la fois *dames de cœur* et épouses. Ces *amasiae* n'avaient point promis de s'abstenir des plaisirs de la chair, mais on peut penser qu'elles se faisaient une assez haute idée de l'amour, puis-qu'elles n'avaient point hésité à suivre leurs « maris-amants » dans les périls et les épreuves. C'est donc peut-être à Mont-ségur que, pour la première et la dernière fois, s'est réalisée socialement, et s'est exaltée, la passion amoureuse dont les

troubadours avaient seulement adoré l'image idéale sous le
nom de *Fin'Amors*. Peut-être, comme il arrive souvent, la
vie dangereuse alluma-t-elle au cœur de beaucoup d'entre
elles un surcroît d'ardeur et de passion charnelle. Peut-être
la plupart se laissèrent-elles gagner, au contraire, à la conta-
gion mystique et à la folie d'héroïsme et de sacrifice qui saisit
les hommes et les femmes, surtout pendant les derniers jours
du siège, et voulurent-elles, comme leurs amants, mourir en
faisant « une bonne fin »... Bruna de la Roque d'Olmès,
suivit le sort de son amant Arnaud Domerc, sergent d'armes,
et fut brûlée, ainsi que Guilhelma, femme d'Arnaud Aicart.

Montségur pendant le siège

Le siège dont nous ne ferons pas le récit commença au
printemps de 1243. Jusqu'au jour où des montagnards, au
service de l'armée catholique, eurent réussi à s'emparer du
petit ouvrage de l'est qui défendait le bourg cathare et le
château lui-même — cela eut lieu, selon M. Niel, en janvier 1244 —, la vie quotidienne se poursuivit à Montségur à
peu près comme nous l'avons décrite. Les communications
étaient toujours assurées avec l'extérieur, les vivres arrivaient toujours, ainsi que des armes, des renforts. Non seulement les chemins de l'abîme étaient ouverts, mais les hommes
de Camon (l'un des villages voisins), qui servaient parmi les
assiégeants, laissaient entrer et sortir les émissaires de
Montségur. Un jour, le diacre Matheus ramena même avec
lui deux sergents d'armes porteurs d'arbalètes et de « cha-
peaux » de fer. Des feux, allumés sur les montagnes, ren-
seignaient Montségur sur les intentions, plus ambiguës que
jamais, du comte de Toulouse, et sur l'échec ou sur la
réussite de quelque entreprise secrète. Le comte faisait dire à
Pierre-Rogier de tenir bon jusqu'à Pâques... Entre-temps,
on essaierait de lever un petit contingent de mercenaires.
L'ingénieur Bertran de la Baccalaria fut sans doute envoyé

par Raimon VII, non pas seulement pour construire une baliste, mais pour exhorter la garnison à résister quelque temps encore. Dans le même temps, les émissaires du comte répandaient la nouvelle que l'empereur Frédéric II allait venir, à la tête de son armée, délivrer Montségur...

La prise de la tour de l'est et l'invasion du bourg cathare provoquèrent le reflux de plus de deux cents personnes dans la cour du château. Alors, la vie quotidienne ne fut plus qu'une succession de journées infernales. La machine de guerre de l'évêque d'Albi, installée maintenant près de la tour de l'est, lançait sur le château d'énormes boulets de pierre, qui crevaient les toits légers des baraquements, défonçaient la terrasse du donjon, arrachaient les créneaux, rendaient les courtines intenables. Tombant dans la cour étroite, où se pressait, presque au coude à coude, la foule des réfugiés, les projectiles faisaient chaque fois des victimes, interrompant les *Consolamenta*, achevant les blessés qu'on était en train de soigner, tuant les femmes qui s'empressaient autour d'eux, et tout cela au milieu des hurlements de douleur et dans le vacarme des toits qui s'écroulaient.

Les femmes, oubliant les différences de rang et de classe, n'étaient plus que des « chrétiennes ». La Parfaite, la femme du seigneur, la maîtresse du sergent d'armes, mêlées les unes aux autres, les vêtements déchirés, couvertes de sang, se dévouaient comme des saintes à panser les blessés, ou comme des démones, à servir les machines de guerre, dans la poussière qui montait des écroulements... Dans le baraquement effondré d'Azalaïs de Massabrac le sergent d'armes Arnaud de Vensa, affreusement défiguré est apporté. Ici, la fille de Bérenger de Lavelanet essaie de ranimer Raimon de Saint-Martin qui a perdu connaissance. Corba, la Parfaite, et ses filles Philippa et Arpaïs, soutiennent Guilhem de Lisle, auquel Bertran Marti va donner le *Consolamentum*, sous un auvent qui tient encore. Cris de rage, cris de mourants, cris d'effroi, et les ordres qu'on hurle! Et les grincements de la pauvre baliste, sur la terrasse aux créneaux

ébréchés, qui essaie de répondre encore par quelques jets de
pierre aux énormes boulets que lance sans arrêt la machine
géante de l'évêque d'Albi!

Dans tous les coins de la cour, on voyait les Parfaits et
les Parfaites administrer le *Consolamentum* à des chevaliers,
horriblement mutilés, à des femmes à demi écrasées. Presque
tous avaient fait le pacte de *Convenensa*, et il n'était plus
question de consoler selon le *Rituel*. Les âmes s'envolaient
sous les impositions de mains, et la porte du château n'était
plus que la porte de l'éternité. Les femmes demandaient
vite la *Convenensa*, puis revenaient servir les arbalètes de
siège, couraient extraire un blessé des décombres, risquant
elles-mêmes à chaque instant d'être frappées par un boulet.

La reddition et l'holocauste des cathares

Il y eut des pourparlers de reddition — selon Fernand
Niel — le 1er ou le 2 mars de l'an 1244. On assista alors à
une sorte de Jugement dernier. D'un côté se rangèrent ceux
et celles qui avaient décidé de mourir : tous les Parfaits et
Parfaites, au nombre de deux cents, auxquels durent se
joindre des convertis de la dernière heure. De l'autre, ceux
qui ne voulaient pas mourir, soit qu'ils eussent peur, soit
qu'ils ne se sentissent point en état d'affronter l'Éternité.
Du côté des condamnés à mort, ce fut alors une explosion
de générosité; ils distribuèrent tout ce qu'ils possédaient :
du blé, des vêtements, de l'argent, à ceux qui allaient survivre. Marquesia de Lantar laissa ses robes à sa petite-fille,
Philippa de Mirepoix. Bertran Marti donna vingt sous melgoriens à Imbert de Salas et, en outre, du sel, de l'huile, du
poivre. Un autre fit abandon à un ami de ce qui lui restait :
une braie, des souliers... Raimonde de Cuq, qui était riche,
offrit un coffre plein de blé à Guilhem Adhémar.

Peu avant la reddition, quatre hérétiques revêtus vinrent
apporter à Pierre-Rogier de Mirepoix une couverture pleine

de deniers. Jusqu'à la fin, l'Église cathare sera ponctuelle à tenir ses engagements, et elle jugeait que Pierre-Rogier l'avait bien servie. Avant de marcher à la mort, l'évêque Bertran Marti confia à Imbert de Salas une commission pour son frère, Raimon Marti : il s'agissait d'une somme de quarante sols toulousains que Montségur devait à la communauté de Fanjeaux, et au sujet de laquelle il recevrait, lui dit-il, des instructions.

Le jour même où les Parfaits devaient être brûlés, Pierre-Rogier de Mirepoix fit appeler Amiel Aicart, Hugo, et deux autres hérétiques (selon plusieurs témoignages), et les cacha dans un souterrain — vraisemblablement une galerie d'une dizaine de mètres, contemporaine du donjon primitif, dont l'entrée était dissimulée sous la citerne. Pierre-Rogier était le seul à en connaître l'existence. Les quatre hommes débouchèrent au ras de l'abîme et s'y laissèrent glisser à l'aide de cordes. Ils emportaient avec eux ce qui restait du trésor de Montségur; mais ils avaient surtout pour mission de reconnaître l'endroit où Pierre Bonnet et Matheus avaient caché la plus grosse partie de ce trésor, qu'ils avaient évacuée quelques mois auparavant et enfouie dans une forêt, disent les uns, dans une grotte du Sabarthès, disent les autres, et de la transporter dans un lieu plus sûr.

Pierre-Rogier de Mirepoix, après avoir sauvé le trésor, quitta la forteresse avec sa femme Philippa, son fils Esquieu, la nourrice d'Esquieu, son chirurgien, Arnaud Roquier, ses parents et ses amis : Arnaud-Roger de Mirepoix, Raimon de Ravat et leurs femmes. Raimon de Pereille, aussi, partit librement avec eux; Philippa et sa sœur, Arpaïs de Ravat, embrassèrent une dernière fois leur mère Corba, qui voulut mourir avec les Parfaites, et Raimonde de Cuq, dont elle avait longtemps partagé la cabane.

Après quoi, les deux cents Parfaits et Parfaites montèrent sur les bûchers. Parmi eux, étaient Marquesia de Lantar, sa fille Corba de Pereille, et sa petite-fille, Esclarmonde de Pereille...

CHAPITRE IV

RÉACTIONS CONSULAIRES
ET BOURGEOISES

La politisation du conflit religieux

Après la chute de Montségur, le Catharisme se trans-
forma, dans les villes, en une sorte de parti politique com-
prenant des bourgeois, des hommes de loi, des prêtres catholiques, des nobles et, souvent, la plupart des Consuls.
L'anticléricalisme de la bourgeoisie remontait au début du
xiiie siècle, mais, pendant les années 1280-1300, il s'affirma
avec d'autant plus de force qu'il était plus masqué. Il pro-
cédait sans doute d'une opposition sourde aux théories de
l'Église romaine en matière financière, mais aussi d'un
certain patriotisme local qui confondait alors dans la même
haine l'Inquisition et les Français; il est sûr que, déjà, les
progrès de l'esprit critique faisaient apparaître comme injus-
tifiables, non pas seulement les excès de l'Inquisition, mais
son principe même. Beaucoup d'honnêtes gens — même
parmi les membres du clergé romain — se refusaient à
admettre que Marquesia de Lantar ou Corba de Pereille,
dont la vie avait toujours été pure et courageuse, fussent
vouées à la damnation éternelle, tandis que des catholiques,
infidèles au véritable enseignement chrétien, auraient
gagné le Paradis du seul fait de leur soumission à la volonté

du Pape. La croyance dans les vertus salvatrices du *Conso-lamentum* demeurait extrêmement vive dans tous les milieux sociaux : il passait pour beaucoup plus efficace que les sacrements romains.

Carcassonne, qui est restée une ville mystérieuse, l'était encore plus à l'époque du Catharisme bourgeois. Ses hôtels sombres qui, à la veille de la Révolution de 1789, abritèrent, dans leurs caves, le secret des initiations maçonniques servaient déjà, en 1280-1290, de lieux de réunion aux Parfaits et aux Croyants : on y consolait les mourants. Le Parfait Pagès et son *socius*, Coste, exerçaient leur ministère dans le Cabardès; souvent, à la nuit tombante, ils étaient appelés à Carcassonne. Alors, dans la rue étroite et mal éclairée, la porte du notable s'ouvrait pour les laisser entrer, et se refermait aussitôt.

Ils descendaient, parfois, chez le greffier Agasse ou chez maître Pelet, qui était une sorte de relieur d'art. Ce maître Pelet, se sentant malade, avait demandé à recevoir le *Conso-lamentum* : le *nuncius* devait l'avertir de la date choisie pour la cérémonie; étant donné les circonstances et les dangers que tout le monde courait, on ne la fixait qu'au dernier moment. Un jour alors qu'il s'était rendu au bureau du sieur Agasse, pour y prendre un manuscrit que celui-ci voulait faire relier, il vit entrer deux Parfaits qui lui dirent : « Voici que sont arrivés ceux que vous attendiez. » Pelet les suivit à l'étage supérieur, où il fut consolé, en présence d'Agasse.

Les conversions dans le clergé romain et chez les Français

Dans son *Histoire de l'Inquisition*, Jean Guiraud, qui a su évoquer tout le pittoresque de cette dernière phase du Catharisme clandestin à Carcassonne, souligne que ceux qui y prenaient part étaient presque tous des bourgeois importants : *Blazy, le clerc, Paul Floris, le notaire, Pierre Gary, le boucher... En 1274, on prie le Parfait Pagès de se rendre à Carcassonne le plus tôt qu'il pourra. Il arrive* circa noctem (toujours à la tombée de la nuit) *chez le bourgeois Bernard-Raimon Sabatier. On l'introduit dans la chambre du mourant; les fenêtres sont fermées. A la lueur des cierges il distingue les parents de Sabatier, un clerc de Bagnoles, un cordonnier, quelques femmes. Tout le monde s'incline trois fois devant lui, et la cérémonie commence, toujours aussi émouvante : « Bernard-Raimon, avez-vous la volonté de recevoir le saint baptême de Jésus-Christ? »*

Un prêtre, appartenant à une famille bourgeoise de Carcassonne, Raimon Gayraud, curé de Roquefère, tomba malade en ville chez son frère, Pierre Gayraud, voisin du notaire, maître Amat; il demande à parler à un certain Bernart Fabre, de la Tourette, qui était un nuncius hereticorum. *Celui-ci monta aussitôt dans sa chambre. Lorsque les proches du curé revinrent à son chevet, après avoir dîné en ville chez un certain Escot, ils y trouvèrent encore Fabre; et ils commençaient à peine à engager conversation, quand le valet du curé fit entrer les deux Parfaits, auxquels le malade souhaita la bienvenue :* Bene veneritis vos! *Le* Consolamentum *eut lieu aussitôt, en présence de Bernart Fabre, du frère du consolé et de son* nuncius, *Chatbert; d'un marchand, Raimon Amat, du notaire Pons Amat et de son clerc, B. de Pomas...*

Ces bourgeois — hommes de loi, commerçants, notaires — se rencontraient fréquemment à l'occasion de ces *Consolamenta*, où ils considéraient comme un devoir de se rendre. A celui du notaire Pierre Marsendi, assistaient son confrère maître Amat, un clerc de Trèbes, Pierre Hugues, un fabricant de drap, Raymond de Cazilhac, un marchand de Carcassonne, Pierre de Pieusse. Ils s'y exhortaient les uns les autres à défendre leur foi; ils conspiraient. Le Catharisme exerçait encore sur le cœur et sur l'esprit de ces bourgeois, souvent fort cultivés, un ascendant extraordinaire. Le Par-

fait Pagès répandait sa doctrine dans le Cabardès, viguerie
voisine de Carcassonne, avec autant de succès que dans
la ville même. Ce ne sont pas seulement les nobles que, dans
les années 1269-1284, il ramena à la foi cathare — la dame de
Sallèles-Cabardès (en 1281), la châtelaine de Quier-tinhos
(l'une des « tours » de Cabaret), la dame de Villegly, la
veuve d'un seigneur de Sallèles, Dame Jordana, fille de
Jourdain de Saissac et femme de Girard de Capendu —, mais
aussi, ce qui est plus étonnant, les châtelains royaux, et
sans doute « français », du château de Cabaret : Égidius
de Buires, Pierre de Breuil. Ce ne sont pas seulement les
avocats, les maîtres ès lois, les notaires, les officiers royaux
de Carcassonne et du Cabardès qui assistaient à ses prédications et lui demandaient le *Consolamentum*, mais aussi
un grand nombre de prêtres catholiques : le curé de Villegly,
Pierre Albert, prêtre de Carcassonne; le curé des Ilhes, un
diacre, le vicaire de Caunes, un archiprêtre, les curés de
Pennautier, de Villardonnel, de Villemoustaussou, l'abbé de
Montolieu et un moine de son abbaye, Sans Morlane, archidiacre de Carcassonne... Le Catharisme semblait renaître
dans les milieux bourgeois avec plus de force que jamais.

Le complot de Carcassonne

Aussi les Inquisiteurs avaient-ils entrepris de mettre sur
fiches toute la bourgeoisie carcassonnaise. Les *Registres*,
enfermés dans des enveloppes de cuir, dans une tour de la
Cité qui communiquait avec la « Maison de l'Inquisition »,
étaient, comme le dit Jean Guiraud, *un épouvantail pour
tous ceux qui pactisaient avec l'hérésie : ils les empêchaient
de dormir.*

Un certain jour de l'année 1285, les Consuls Guillaume
Serra, Bernard Lucii, Arnaud Isarn convoquent chez l'official diocésain, Guillaume Brunet, un Croyant bien connu
d'eux : Arnaud Matha. Il y avait là une nombreuse assis-

tance : Guillaume Garric, l'avocat et le conseiller secret des cathares, des hommes de loi, un banquier, Raimon Estève, Arnaud Morlane, ancien bayle du comte de Foix : tout le parti hérétique. L'official prend aussitôt la parole : « Voici, messieurs, quel est l'objet de notre réunion. Vous savez que l'Inquisition conserve les dépositions des témoins dans les procès d'hérésie qu'elle intente à nos Croyants. Nous y figurons presque tous. Nous devons chercher le moyen de nous emparer de ces Registres. Ce moyen, j'ai pensé qu'Arnaud Matha pourrait nous le fournir. » En effet, un certain Lagarrigue, hérétique, relaps, ancien Parfait, avait quitté la Secte, *par un de ces revirements*, dit Jean Guiraud, *qui étaient si fréquents, au Moyen Age, chez les hérétiques et chez les catholiques*, et il était devenu l'homme de confiance de l'Inquisiteur de Carcassonne. Arnaud Matha était son parent et son ami : l'assemblée lui donna pour mission de corrompre Lagarrigue et de le ramener à son ancienne foi. Mais Lagarrigue fit la sourde oreille. Dans les semaines qui suivirent, il ne se passa pas de jours qu'on ne le convoquât chez les Consuls, ou que Matha ne le sermonnât; mais en vain. « Pourquoi tenez-vous tant à avoir les Registres? leur dit Lagarrigue. — Pour les détruire », lui répondirent les Consuls. Enfin, dans une dernière réunion, tenue en présence des principaux bourgeois et de Sans Morlane, archidiacre de Carcassonne, Lagarrigue finit par se laisser convaincre et, moyennant cent livres, promit de s'occuper de l'affaire. « Je ne puis avoir ces Registres, dit-il, que si le notaire de l'Inquisition — dont il ne voulut pas dire le nom — entre lui aussi dans le complot. J'ai donc besoin de cent autres livres que je lui verserai quand il me les aura remis. » Il fallut bien en passer par là. Les Consuls s'engagèrent à verser les deux cents livres à maître Alègre, lequel les remettrait à Lagarrigue.

Cette promesse faite, l'official et Bernard Lucii introduisirent dans la salle deux Parfaits : « Messieurs, voici les deux Bonshommes pour lesquels nous travaillons tous. »

Et aussitôt tous fléchirent le genou en disant : Benedicite, *et ils firent leur* melioramentum. *Après quoi, Matha et tous les autres conjurés se retirèrent, sauf l'official, maître Arnaud et Sans Morlane.* (D'après Jean Guiraud.)

Il ne s'agissait pas seulement de brûler les archives de l'Inquisition, mais de mettre à exécution un plan de défense beaucoup plus vaste, que les juristes du parti cathare, Pierre d'Aragon, Guillaume Roger, Guillaume Brunet, notaire de la cour de l'official, et Raymond Sans, notaire de la cour royale du bourg, avaient arrêté minutieusement, avec la collaboration du Parfait Pagès et de Sans Morlane : *On résisterait désormais aux Inquisiteurs en faisant contre eux toute une série d'appels en cour de Rome, une pour chaque fait connu, et une bonne et générale pour tous. On irait trouver tous ceux qui avaient fait des aveux aux Inquisiteurs et on les engagerait à les révoquer selon le Droit et les formes requises. Pour cela on désigna deux juristes : Pierre d'Aragon et Guillaume Roger.* (Déposition de Lagarrigue, citée par Jean Guiraud.)

L'affaire des Registres suivait son cours. Malheureusement, le notaire qui devait les livrer aux conjurés était parti en tournée avec Pierre Galand, l'Inquisiteur. On dut recourir à un agent subalterne qui ne savait pas lire, et lui adjoindre Bernard Agasse, pour le guider. Au cours d'une réunion chez maître Arnaud Matha, à laquelle assistaient le Parfait Guillaume Pagès, Guillaume Brunet, official de Carcassonne, Jourdain Ferrol, official du Razès, Sans Morlane et son frère Arnaud, Sans Morlane dit à Agasse : « Maître Bernard, une personne va nous livrer les Registres de l'Inquisition de ce pays; mais elle ne sait pas lire, il faut que vous les choisissiez vous-même et nous les apportiez. — Je le ferai volontiers », répondit Agasse. Le fidèle Agasse n'eut point à intervenir. Le complot échoua. On suppose que Lagarrigue qui, comme relaps, craignait d'être condamné à mort, dénonça toute la conspiration aux Inquisiteurs Jean Galand et Vigouroux. Cet échec ne découragea point les Consuls.

La répression n'atteignit pas les véritables chefs de l'opposition anticléricale, et les bourgeois continuèrent la lutte en la portant sur le terrain juridique et en évitant plus que jamais de lier leurs revendications à la défense de l'hérésie.

L'influence du Catharisme sur les prêtres catholiques

Tous les conjurés étaient des Croyants, mais il est très caractéristique du nouveau Catharisme bourgeois de 1280, qu'un tel complot ait pu être ourdi par un Parfait, Guillaume Pagès, assisté d'un grand archidiacre catholique : Sans Morlane. En réalité, ce sont les deux Morlane qui dirigèrent toute l'affaire. Ils appartenaient à une famille riche et considérée, qui avait vécu longtemps dans l'entourage des Trencavel et des comtes de Foix et leur était très dévouée. Arnaud Morlane était Consul de Carcassonne et curé de Pennautier. Il avait un hôtel à Carcassonne et un autre à Pennautier, où il logeait deux prêtres qui l'assistaient : Bertran de Camon et Guilhem. Mieux que son frère peut-être, il représente ces catholiques partisans du libre examen, qui, à la fin du XIIIe siècle, croyaient en Dieu, mais non point en ce qu'enseignait Rome. Une nuit de Noël, il parlait de l'Eucharistie avec son chapelain Camon, et comme celui-ci faisait des hypothèses sur la façon dont a lieu, à la Consécration, le changement de l'hostie en corps du Seigneur, Arnaud Morlane lui déclara mystérieusement : « Il existe des livres qui feraient perdre la foi aux laïques, s'ils les lisaient. Et s'ils les comprenaient, comme d'autres membres du clergé et moi-même les comprenons, ils ne croiraient pas plus que les Juifs et les Sarrasins certaines choses qui passent pour vraies. » Arnaud Morlane était déjà une sorte de calviniste, qui se réservait le droit de rejeter du Catholicisme, comme d'ailleurs du Catharisme, ce qui lui paraissait contraire à la raison ou à son système métaphysique. Seule lui restait la foi dans le *Consolamentum* : se croyant atteint d'une maladie mortelle, il se le fit administrer dans son presbytère même.

Sans Morlane, lui, était chanoine de la cathédrale Saint-Nazaire et, depuis la mort de l'évêque Gauthier, procureur épiscopal (administrateur) du diocèse, avec l'autre archidiacre : Guillaume de Castillon. C'était un grand personnage, à qui le double jeu réussit parfaitement, en raison même de la situation qu'il occupait dans la hiérarchie. L'Inquisiteur Jean Galand l'avait dénoncé au Pape Honorius IV (1285-1287) en termes extrêmement violents, l'accusant d'avoir assisté non seulement à l'hérétication de son père, mais à celle de beaucoup d'autres personnes; d'avoir favorisé les hérétiques et d'avoir tout fait pour gagner un des familiers de l'Inquisition et obtenir de lui, à prix d'argent, qu'il lui livrât les procès-verbaux du Saint-Office. *S'il n'est pas arrivé à ses fins*, ajoutait l'Inquisiteur, *son dessein n'en est pas moins prouvé par de nombreuses dépositions régulières...*

Mais Jean Galand ne réussit pas à perdre Sans Morlane dans l'esprit du Pape, qui répondit à l'Inquisiteur que les procédures avaient été irrégulières et qu'il fallait recommencer tout le procès en ajoutant au dossier un véritable rapport critique sur la foi que l'on pouvait accorder aux témoins. Honorius IV mourut le 3 avril 1287. Le nouveau Pape Nicolas IV (1288-1292), non seulement ne fit pas de procès à Sans Morlane et ne le condamna point, mais il le combla de faveurs, quoiqu'il fût fils et petit-fils d'hérétiques, et fauteur d'hérésie : il lui donna la permission de cumuler, avec la cure de Puichéric, celles — *sine cura* — de Belvianes et de Cavirac, unies l'une à l'autre. Sans Morlane se montrait, par ailleurs, d'une orthodoxie irréprochable. En 1297, il aide les Carmes à construire leur église (qui existe encore) et en 1305, il donne trois cents livres pour la restauration de celle des Augustins. Il mourut le 23 août 1311. On peut voir, dans la chapelle Sainte-Anne de l'église Saint-Nazaire à Carcassonne, la pierre tombale de ce personnage singulier, qui fut l'un des derniers cathares et le premier des catholiques « contestants », sinon « protestants ».

Les emmurés de Carcassonne et l'« Appel » des Consuls

Dans le même temps, les Consuls de Carcassonne étaient passés à l'offensive, dont le principe avait été décidé au cours de la réunion tenue chez Arnaud Matha. Le notaire Barthélemy Vézian, qui avait pris part au complot contre l'Inquisition, fut chargé de rédiger un *Appel au Pape*. La ville était déjà prête à se soulever. Anticipant avec intelligence sur nos mœurs politiques, les Consuls firent du « porte à porte » pour réunir les signatures et donner ainsi à cet appel un caractère de plébiscite. Il est probable qu'il réunit un grand nombre de voix, peut-être la « majorité ». On invita alors le peuple à se masser dans le cloître du couvent des prêcheurs où siégeait l'Inquisition et, *en présence de Jean Galand, lecture fut faite par Vézian de l'appel interjeté contre lui, ce qui encore ne manqua pas de produire une grande effervescence contre l'Inquisiteur et les Dominicains.* (D'après Mahul et Jean Guiraud.)

Le texte de l'*Appel*, d'une hardiesse extrême, est aussi d'une grande élévation de pensée. Il fait honneur aux Consuls de Carcassonne, à qui l'appui de toute la population communiquait, sans doute, un courage révolutionnaire. On nous pardonnera d'en citer de longs passages d'après Mgr Vidal et Jean Guiraud. En même temps qu'un violent réquisitoire contre Jean Galand, il offre un tableau, peut-être un peu noirci, mais sûrement exact dans l'ensemble, de la vie quotidienne des Carcassonnais emmurés.

Toute citation est supprimée. Des citoyens de noble et catholique origine, sur lesquels aucun soupçon d'hérésie ne pèse, sont incarcérés brusquement et ce n'est que dans les cachots « terribles et très graves » de l'Inquisition qu'ils apprennent, juste à temps pour en faire l'aveu, ce que le juge veut qu'ils disent. Quand on leur épargne la torture, c'est qu'on a pu les réduire en leur promettant un adoucissement de « pénitence », le jour de leur condamnation. Qu'ils parlent, c'est l'essentiel;

qu'ils s'accusent eux-mêmes! Qu'ils en accusent d'autres, ceux qu'on soupçonne ou n'importe qui! Le faux témoignage est un moindre mal et la plupart aiment mieux perdre le prochain, en se « damnant » peut-être eux-mêmes, que de rester aux mains d' « êtres pervers » qui les tourmentent...

Il y a une sorte de gradation dans les tortures infligées... Les uns languissent dans des réduits où la clarté du jour ne peut atteindre ni l'air du dehors pénétrer. D'autres sont chargés de chaînes et rivés dans des entraves au sol glacé de taudis si étroits qu'on ne peut s'y tenir debout, ni s'épargner la honte d'innombrables souillures. La nourriture, parcimonieusement distribuée, le « pain de douleurs et de tribulation » qu'on leur passe, à de très rares intervalles, empêche tout juste ces infortunés de mourir de faim.

Les plus obstinés sont appliqués au chevalet et ceux qui ne rendent pas l'âme en endurant ce supplice n'évitent souvent pas la mutilation. Dans cette prison, ce ne sont que gémissements continuels, cris de douleurs, plaintes désespérées et grincements de dents. Il faut un courage surhumain pour résister longtemps à ce régime barbare et l'on préfère se libérer en parlant, vaille que vaille...

Les parents d'un malheureux soupçonné d'être mort dans l'hérésie se voient frustrés du droit et de la consolation de venger sa mémoire. Ceux de Guillaume Marti, trompés par les convocations officielles de l'Inquisiteur, se rendirent, à l'heure dite, pour produire la défense du défunt. Jean Galand les accueillit avec un terrible visage de bête féroce (cum mala et leonina facie), les terrifia par des menaces et les congédia en prenant bonne note de leurs noms. Nul n'osa plus souffler mot du défunt et de sa cause...

Légitimement effrayés du danger qu'il y aurait à contrecarrer un tel homme, jurisconsultes et hommes de loi refusent leur concours dans les procès les plus justes.

L'iniquité a beau jeu, et la loi et l'orthodoxie sont persécutées. Une triste réputation est faite à la ville de Carcassonne. C'est une vraie diffamation dont les Consuls se montrent affectés, et

le déplorable résultat de ce régime d'oppression, c'est le décou-
ragement qui gagne les meilleurs citoyens; c'est le doute qui les
pénètre à l'égard de la religion; c'est l'émigration en masse
hors des domaines du Roi de France; c'est à brève échéance, si
le Seigneur n'y met la main, la dépopulation et la ruine.

Il était certes fort habile, de la part des Consuls, de rappeler les principes de la morale humaine et chrétienne, de
protester de leur orthodoxie et de celle de la population;
plus habile encore de souligner, à l'intention du Roi, le
dommage que causait au pays l'émigration des hommes et,
eussent-ils pu ajouter, celle des capitaux. Mais il est évident
aussi que leur *Appel* s'inspirait d'un nouvel état d'esprit
qu'il serait difficile de ne pas mettre en rapport avec un certain progrès des idées morales, sinon des mœurs individuelles.
Sans nul doute, la révolte consulaire était inspirée par le
Catharisme, mais non point seulement par lui. Les vrais
chrétiens, les honnêtes gens étaient tous d'accord pour
condamner l'Inquisition, et le syncrétisme religieux, ou philosophique, dont nous avons parlé plus haut, jouait maintenant en faveur des idées de tolérance et de liberté. D'autres
mouvements « spirituels » commençaient à se faire jour, et
il est intéressant de constater que les émeutes qui éclatèrent
peu de temps après à Carcassonne et dans les villes voisines,
et qui aboutirent à Carcassonne à libérer les prisonniers de
la *Mure*, furent suscitées par un Franciscain : Bernard Délicieux.

L'*Appel* fut adressé au prieur des Prêcheurs (les Dominicains) de Paris, qui désignait alors les Inquisiteurs de
France : il y était demandé la révocation de Jean Galand.
Copie en fut transmise à la Curie romaine, au nom de la
commune de Carcassonne. Les Consuls y formulaient le
vœu que l'Inquisition fût confiée aux évêques ou plutôt aux
administrateurs de l'Église de Carcassonne, *pour la gloire*
de Dieu, l'exaltation de la foi catholique, la conservation de la
juridiction de l'ordinaire et la sauvegarde de la dignité épis-
copale. Et ils les suppliaient de procéder eux-mêmes à l'Inqui-

sition en s'entourant de juristes, de religieux et autres personnes craignant Dieu, et en s'aidant du conseil d'experts (consilium prudentum) *et de tous ceux qui, dans le passé, avaient travaillé avec zèle à l'extirpation de l'hérésie.* (Cité par Mgr Vidal.)

L'un des vicaires capitulaires, que les Consuls demandaient comme Inquisiteur et défenseur de la foi, n'était autre que Sans Morlane, le principal instigateur du complot de 1284-1285. Ce qui ne signifie pas nécessairement qu'ils voulaient saboter l'office inquisitorial, mais qu'ils considéraient cet homme — qui n'était vraisemblablement ni cathare ni catholique, au sens que les fanatiques donnaient à ces deux termes — comme le seul capable de rétablir la concorde, dans la justice et la charité chrétiennes.

La Papauté s'alarma sans doute de ces résistances bourgeoises et consulaires et de l'esprit d'indépendance qu'elles manifestaient. Elle ne tint aucun compte des justes revendications des Consuls et du peuple. Et les choses continuèrent comme par le passé. Honorius IV ordonna même *de poursuivre les personnes qui poussaient leur téméraire audace jusqu'à vouloir de toutes leurs forces empêcher l'exercice de l'Inquisition confiée à Jean Galand* (5 novembre 1285). Plusieurs hérétiques furent condamnés. Sans Morlane ne fut nullement inquiété.

La vitalité du Catharisme bourgeois dans l'ensemble du Languedoc

Nous avons beaucoup parlé de Carcassonne et de son parti cathare et bourgeois, parce que, grâce à Jean Guiraud, l'histoire des événements qui ont eu lieu dans cette ville est mieux connue, peut-être, que ceux qui se sont déroulés dans les cités voisines, surtout quant à leur incidence sur la vie de tous les jours : conspirations dans les hôtels bourgeois, *consolamenta* secrets, complots consulaires, appels au peuple et émeutes. (Il n'existe pas non plus de documents plus précis, en ce qui concerne le sort réservé aux emmurés, que l'*Appel* des Consuls de Carcassonne.) Mais les mêmes phénomènes sociaux, les mêmes réactions consulaires et bourgeoises se produisirent, entre 1285 et 1287, à Castres, à Cordes, à Limoux, à Albi et ailleurs. On assista, à cette époque, dans ces diverses villes, à la formation d'un véritable parti politique, et même à une sorte de fédération de partis, puisque les Consulats se concertaient et se prêtaient un mutuel appui.

C'est que les bourgeois des villes « cathares » n'étaient nullement ralliés, quoi qu'on en ait dit, au pouvoir royal. Ils l'ont bien montré en 1305 à Carcassonne et à Limoux. Non point qu'ils fussent hostiles par principe à la domination française : ils l'auraient sans doute acceptée sans arrière pensée si le Roi les avait débarrassés de l'Inquisition dominicaine, et avait obtenu qu'elle fût confiée, comme par le passé, aux évêques. Après tout, uniquement soucieuse de se livrer à ses fructueuses opérations commerciales, tout entière occupée à défendre ses franchises contre les féodalités seigneuriale et ecclésiastique, la bourgeoisie devait voir dans le Roi de France le protecteur naturel de son indépendance; les intérêts du Roi et ceux de l'Église n'étant pas toujours liés. Dès 1280, les Consuls de Carcassonne s'étaient plaints à Philippe le Hardi des excès commis par l'Inquisition; sans grand résultat, semble-t-il. Nous avons vu qu'une copie de l'*Appel* de 1285 fut envoyée à Philippe le Bel. Il est certain que le Roi prit en considération ces protestations répétées des Consuls : il envoya ses enquêteurs presque chaque année en Languedoc, où ils étaient chargés de surveiller d'assez près la conduite de l'Inquisition. En 1291, le sénéchal de Carcassonne reçut l'ordre de ne plus emprisonner personne à la demande des Inquisiteurs, à moins que ce ne fussent des hérétiques notoires. Peu de temps après, le Roi se réserva même le droit de faire juger par des « hommes capables » les personnes qui étaient poursuivies à la demande des Inquisiteurs sur de légères apparences d'hérésie. Comme l'a bien vu

Jean Guiraud, le Roi ne supprimait pas l'Inquisition, mais il prétendait soumettre l'exécution de ses sentences à un examen préalable opéré par ses légistes. C'est, au fond, tout ce que demandaient les bourgeois du parti cathare qui se pliaient à tous les dehors de l'orthodoxie — surtout, naturellement, les membres du clergé catholique — et qui savaient qu'ils échapperaient à toute enquête portant sur les faits et non sur les « intentions ».

Mais l'Inquisition ne perdit rien de sa puissance et ne changea point ses méthodes. D'autant plus que le développement du parti hérétique contribuait à revigorer le Catharisme doctrinal, et donnait aux Inquisiteurs un nouveau prétexte pour intervenir avec plus de rigueur encore. Car, sans nul doute, l'hérésie gagnait maintenant toute la bourgeoisie. En 1283 Raimon Boffinhac rencontra à Albi son ami, maître Pelet de Carcassonne. Le soir, ils dînèrent chez maître Isarn Ratier, avec Bernard Fenasse, financier d'envergure. Ils durent surtout parler d'affaires. N'empêche que lorsque arrivèrent les deux Parfaits, qui logeaient chez un autre bourgeois d'Albi, Aimeric de Foissens, ils se levèrent avec le plus grand respect, et firent le *melioramentum* devant eux. Cet Aimeric de Foissens était vraiment un Croyant, et non point seulement un ennemi de l'Église : il vénérait les Parfaits. Lorsqu'il apprenait qu'ils étaient chez maître Bernard Not, à Carcassonne, il leur faisait envoyer des fruits et du vin. Ce même jour, après le dîner chez Isarn Ratier, il les emmena chez lui, où eut lieu une nouvelle réunion d'amis, avec *melioramentum* et sermons.

A Albi, comme dans les autres villes languedociennes, ce sont les bourgeois, les juristes, les banquiers, les marchands qui montrent le plus de dévouement à l'hérésie et d'attachement aux Bonshommes.

La visite du Roi et l'affront de Carcassonne

C'est peut-être au moment où le Roi, qu'alarmaient le départ de tant de ses sujets et la fuite des capitaux langue-dociens vers la Lombardie, était peut-être sur le point d'imposer à l'Inquisition des mesures pacificatrices, qu'une mauvaise affaire vint tout gâter. Soulevée par les prédications enflammées de Bernard Délicieux, frère mineur (Franciscain), la population de Carcassonne envahit les cachots de l'Inquisition aux cris de : « A mort les traîtres! » et libéra les détenus. Pendant quelque temps, la ville fut aux mains des insurgés. Le représentant du Roi, Pecquigny, pour apaiser les esprits, fit conduire les prisonniers de la *Mure* dans les cachots du Roi, à la cité, les soustrayant ainsi à l'Inquisition, tout en sauvegardant les droits de son roi. Il fut aussitôt excommunié. Les mêmes soulèvements eurent lieu à Albi, à Cordes, à Castres.

Philippe le Bel quitta Toulouse, où il s'était rendu, dès les premiers jours de février, pour aller à Carcassonne. Il était sans doute animé des meilleures intentions. Les Consuls reçurent le Roi dans la ville en fête, ornée de guirlandes et de banderoles, aux acclamations des bourgeois et de tout le peuple. L'attitude, trop fière peut-être, du Consul Élie Patris lui déplut. « Roi de France, se serait-il écrié, retournez-vous; regardez cette malheureuse ville qui est de votre royaume et que l'on traite si durement! » et il lui montrait, du haut de la cité, la ville qui s'étendait à leurs pieds, le couvent des frères prêcheurs et la *Mure*. Le Roi ordonna brutalement qu'on écartât le Consul. « Détachez les drapeaux et les banderoles! cria Élie Patris au peuple; enlevez à la ville sa robe de fête, car ce jour est un jour de deuil! »

Philippe le Bel savait-il déjà que Bernard Délicieux et les Consuls de Carcassonne et de Limoux avaient eu une entrevue avec l'Infant de Majorque, Fernand, et lui avaient offert la souveraineté de l'ancienne vicomté des Trencavel? « Ce que Philippe n'a pas voulu faire, aurait dit le jeune prince, sera fait par Fernand. » La cour quitta brusquement Carcassonne et se rendit à Béziers. Les Consuls coururent après le Roi et la Reine pour leur offrir deux coupes d'argent. La Reine accepta gracieusement le vase, mais le Roi refusa le sien, et ne voulut même pas voir les Consuls; et, arrivé à Montpellier, il leur fit rendre la coupe offerte à la Reine.

Le Roi de Majorque n'avait pu que condamner l'attitude imprudente de son fils. Il l'avait désavoué publiquement et giflé, puis s'était hâté de tout révéler au Roi de France. Quant aux Consuls de Carcassonne, ils essayèrent de fomenter, à l'occasion d'une solennité religieuse, une nouvelle insurrection, mais ils ne purent s'emparer de la cité et du sénéchal. Ils furent arrêtés et condamnés. Élie Patris, Aimeric Castel, Barthélemy Clavaire, Pierre-Arnaud de Guihermi, Bernard de Marselhe, Guilhem Delpech, Guilhem de Saint-Martin, Pons de Montolieu et six autres notables de Carcassonne furent attachés chacun à la queue d'un cheval, traînés vifs dans les rues de la ville jusqu'aux potences, et là, pendus dans leurs robes consulaires.

Les quatre Consuls de Limoux et trente-six bourgeois ou notables de cette ville furent jugés à Carcassonne et exécutés pour la plupart (fin novembre 1305). Carcassonne fut frappée d'une amende de trente mille livres. Albi, qui ne s'était pas soulevée, fut condamnée à payer mille livres au sénéchal de Carcassonne. Philippe le Bel leva, par la suite, cette dernière amende, et commua quelques peines de mort en détention perpétuelle.

CHAPITRE V

LES DERNIERS CATHARES

L'émigration

Les Consuls de Carcassonne avaient bien souligné, dans leur *Appel* au Pape, l'une des conséquences les plus désastreuses de la terreur inquisitoriale : le dépeuplement de certaines régions occitanes. Sans doute en avaient-ils exagéré, à dessein, l'importance. Mais il est certain qu'après la chute de Montségur (1244) et dans les dernières années du XIIIe siècle, beaucoup de gens qui ne se trouvaient plus en sécurité dans leur patrie se réfugièrent en Catalogne, en Sicile, à Raguse, en Dalmatie, en Corse, et surtout en Lombardie. Les Parfaits et les évêques avaient abandonné leurs diocèses pour maintenir tant bien que mal, à l'étranger, l'unité morale de la Secte et une organisation administrative toute théorique, puisqu'elle était sans contacts directs avec les fidèles. Leur départ eut de graves retentissements sur la vie religieuse de ceux qui étaient restés. Tandis que chez les bourgeois instruits, les hommes de loi et beaucoup de clercs catholiques, le Catharisme se transformait en une sorte de franc-maçonnerie à tendances « gibelines », dans le peuple, il se réduisait à quelques théories, plus ou moins déformées, et à la recherche superstitieuse du salut par le *Consolamentum*. Les Parfaits qui demeuraient en Occitanie n'avaient plus, sauf exceptions, la haute sagesse et la culture de leurs prédécesseurs du début du siècle, ou même des années 1230-1240. Ils ne recevaient plus l'enseignement d'évêques aussi éclairés que le furent, à Montségur, les Guilhabert de Castres et les Bertran Marti. Et ceux qui, comme le Parfait Pagès, en 1285, auraient pu rivaliser avec eux de science et de dévouement, n'étaient plus assez nombreux pour instruire à leur tour les Croyants : ils suffisaient à peine pour remplir convenablement l'office de « consolation ». C'est de Lombardie que venait — ou revenait — la lumière. Le Parfait Authier, homme remarquable à bien des égards, n'entreprit de ranimer le Catharisme dans le comté de Foix, au XIVe siècle, qu'après avoir fait un long séjour en Italie, et s'y être fait initier à la véritable doctrine dualiste par les évêques émigrés.

Le Catharisme en Italie

Les cités italiennes, jalouses de leurs libertés, n'avaient jamais montré beaucoup d'empressement à faire appliquer chez elles les édits des Papes et des Empereurs contre les hérésies. La République de Gênes fut même frappée d'interdit en 1256, pour avoir refusé de les introduire dans ses lois constitutionnelles. Ce sont surtout les villes de Gênes, Pavie, Milan, Mantoue, Crémone qui attirèrent et fixèrent les cathares méridionaux. Florence et Rome beaucoup moins. Mais il y eut des réfugiés isolés, ou des petits groupes de réfugiés, dans presque toutes les contrées d'Italie, où, sauf exception, on ne se livrait pas à la « chasse aux cathares », et où la délation était beaucoup moins en honneur qu'en Languedoc. Il est difficile d'évaluer le nombre des émigrés occitans, sans doute assez élevé, et de déterminer leur origine sociale. Il y a eu parmi eux des gens de toutes conditions, mais sans doute une majorité de commerçants et d'artisans. Les nobles, dans l'ensemble, n'émigraient pas, à

moins que leur tête n'eût été mise à prix. Ils préféraient
prendre le maquis chez eux, se nourrissant de l'espoir qu'ils
finiraient par recouvrer leurs châteaux. Cependant, en 1244,
beaucoup de défenseurs de Montségur partirent pour la
Lombardie : le Catalan Arnaud de Bretos, Aymeric et
Pierre Girberge, Arnaud Mestre et de nombreux sergents
d'armes. Ceux qui avaient pris une part active au massacre
d'Avignonet se hâtèrent aussi de quitter le Languedoc. C'est
ainsi que Pierre de Bauville, après avoir fait le marchand,
aux foires de Lagny en Champagne, où il entra en rapport
avec des commerçants italiens, se décida à passer en Italie.
Le comte de Toulouse et Raimon d'Alfar tenaient, semble-
t-il, autant à l'éloigner qu'à le mettre à l'abri. Il s'arrêta à
Coni, qui était, selon l'expression des Inquisiteurs, un « nid
d'hérétiques »; il y retrouva Bertran de Quiders, qui avait
participé, lui aussi, au meurtre des Inquisiteurs et s'était
exilé « par ordre ». Celui-ci confia à Bauville que Raimon VII
lui avait donné de l'argent pour son voyage et qu'il conti-
nuait à subvenir à ses besoins. « J'ai bien envie, lui dit
Bauville en riant, de vivre à tes dépens, puisque tu vis
toi-même aux dépens du comte! »

Il n'eut pas besoin de son aide : c'était un marchand et un
homme d'affaires avisé. Il monta un magasin à Pavie et fit
du commerce dans toute la Lombardie, prêtant parfois de
l'argent à ses compatriotes dans le besoin. Il dirigea même
un *hospicium*. Ses voyages le mettaient en contact avec les
autres cathares émigrés qui vivaient, comme lui, du commerce ou d'un petit artisanat. En 1240, il visita à Coni une
communauté d'hérétiques toulousains qui travaillaient le
cuir dans une boutique qu'avaient louée Guillaume Porreire,
du bourg neuf de Toulouse, et sa femme Béatrice de Monte-
totino. Il y avait là un ancien marchand de draps, un coute-
lier, deux paysans de la région de Carcassonne et deux Parfaits qui exerçaient parmi eux leur ministère, en toute liberté.
Les émigrants faisaient les métiers les plus divers : ils étaient
boulangers, fogaciers, pâtissiers, tisserands, fabricants de

tamis, ou bien boutiquiers, marchands, banquiers. Les uns
isolément, et chacun pour son compte; les autres groupés
au sein de petites « colonies », formant autant de communautés religieuses où ils pouvaient pratiquer leur culte. Ils
logeaient dans des maisons qu'ils louaient ou achetaient :
les colonies possédaient parfois un ou plusieurs immeubles,
acquis à frais communs. Les Parfaits exerçaient aussi un
métier; en outre, ils recevaient de leurs Croyants des sub-
sides, des donations et des legs. Plusieurs d'entre eux avaient
les moyens de vivre sur un pied convenable et même d'entretenir un domestique. Les jugements sur la Lombardie et les
Lombards ont, naturellement, beaucoup varié. Des Languedociens revenaient chez eux amers et désabusés, n'ayant pas
réussi à s'acclimater en Italie, ni à y faire fortune; mais la
plupart, semble-t-il, appréciaient le climat de liberté qui y
régnait, et reconnaissaient presque tous que, « pourvu que
l'on y travaillât, on n'y était jamais inquiété pour les opinions religieuses que l'on pouvait professer ».

La fidélité des Croyants

A partir des années 1260-1280, le besoin de reprendre
contact avec les Parfaits, et avec la vie spirituelle du Catharisme, devint quasiment irrésistible chez un grand nombre
de Croyants, qui désiraient recevoir le *Consolamentum* des
mains de leurs ministres exilés.

*Bonet de Sanche, des environs de Castelnaudary, voulait
aller en Lombardie pour y être consolé, et il cherchait un compagnon de voyage. Guillaume Raffard lui dit : « Je vous accom-
pagnerais volontiers. Mais je n'ai pas assez d'argent pour
accomplir un si long voyage, et je n'ai pas encore vendu mes
vaches. » Ce Raffard avait sans doute beaucoup de suite dans
les idées, car, quelque vingt ans après, il était toujours aussi
désireux que Bonet de Sanche de recevoir le* Consolamentum
en Italie. Et il avait toujours des vaches à vendre. « Un jour,

cependant, il n'y tint plus : il partit pour Montpellier, poussant devant lui son troupeau de vaches, et il finit par trouver un acquéreur. Le voilà donc en Lombardie. A Pavie, il descendit, avec son guide Pierre Maurel, chez un certain Pierre de Montagut, qui se faisait appeler Béranger. Ils y demeurèrent trois mois. Enfin, il parvint à Sermione, qui était l'un des centres les plus importants de l'hérésie, et là il put réaliser son rêve : il reçut le Consolamentum, *auquel il aspirait depuis plus de vingt ans, de Bernard Olive, évêque de Toulouse, d'Henri, évêque de l'Église de France et de Guillaume Pierre de Vérone, évêque de Lombardie. Furent consolés en même temps que lui : Pons Olive, frère du consécrateur et Guillaume Bonet, du pays de Mirepoix, l'ancien seigneur de Scaupont. Olive, l'évêque de Toulouse, reçut de Raffard tout l'argent qu'il portait, sauf trente tournois blancs qui lui furent laissés pour le voyage de retour. Cela se passait en 1272.* » (Doat, cité par Jean Guiraud.)

Beaucoup de Languedociens vendaient ainsi tout ce qu'ils possédaient et partaient à l'aventure, sans trop se soucier des êtres chers qu'ils laissaient dénués de ressources. Guilhem ne pensait même plus à ses enfants. Le « passeur » — homme sans doute charitable et sage — refusa de le prendre : « Vos enfants, lui dit-il, ont besoin de vous. » Les maris quittaient leurs femmes, les femmes leurs maris; les uns et les autres, quelquefois, avec soulagement, mais se promettant de revenir ou de se retrouver là-bas. Les femmes n'étaient pas les moins promptes à s'enthousiasmer pour la Lombardie. Stéphanie de Châteauverdun abandonna ou vendit tous ses biens et suivit en Italie le Parfait Prades-Tavernier. Souvent, elles se groupaient, mettant leurs ressources en commun, pour payer le passeur et partaient, sous la conduite d'un Parfait ou d'un Croyant éprouvé. On eût dit qu'elles se dirigeaient vers la Terre promise...

Il est vrai que, quelquefois, ces départs coïncidaient avec des fugues amoureuses ou s'accompagnaient de tentations qui n'avaient rien de mystique : *Béatrice de Planissoles était seule, un soir, dans son château, quand l'intendant, Raimon Roussel, qui lui faisait depuis longtemps une cour pressante, vint lui proposer de l' « accompagner » en Lombardie. Elle était déjà séduite par l'aventure, mais un peu hésitante : « Le Seigneur, lui dit Roussel, n'a-t-il pas déclaré que l'homme devait quitter père, mère, fils et filles pour le suivre? — Comment pourrais-je quitter, lui répondit Béatrice, mon mari et mes enfants? — Il vaut mieux, dit gravement Raimon Roussel, quitter un mari et des fils qui ne vivent qu'un temps que d'abandonner Celui qui vit éternellement et nous donne le Royaume des Cieux. — Mais comment nous rendrons-nous auprès des bons chrétiens? Dès que mon mari s'apercevra de notre fuite, il se mettra à notre poursuite et il nous tuera. — Nous attendrons qu'il ait quitté le château pour quelque affaire. — Et de quoi vivrons-nous? — Quand nous serons là-bas, les Bonshommes s'occuperont de nous. — Mais je suis enceinte! Que ferai-je de l'enfant, si je pars avec vous chez les bons chrétiens? — S'il naît au milieu d'eux, cet enfant sera un ange. Ils en feront, au nom du Christ, un saint et un roi, car, n'ayant pas fréquenté les gens de ce monde, il sera sans péché; et ils pourront l'instruire parfaitement dans leur religion, puisqu'il n'en aura pas connu d'autre. »*

Les circonstances voulurent que Béatrice s'aperçût vite que son intendant ne désirait que passer quelques jours seul avec elle. Elle se fâcha. L'intendant quitta le château et Béatrice ne partit pas pour la Lombardie, pas plus, d'ailleurs, que Raimon Roussel.

Les mouvements de fonds

Il y a toujours eu un réseau de passeurs chargés de guider les émigrants vers la Lombardie. Peut-être les Parfaits de Montségur avaient-ils confié l'organisation d'un premier système de relais, de refuges et d'auberges à des Croyants absolument sûrs, rétribués par eux. Vers la fin du XIIIe siècle des *ductores hereticorum*, agissant pour leur propre compte, semble-t-il, mais en liaison étroite avec la Secte, se faisaient payer pour grouper et accompagner les émigrés qui se rendaient en Lombardie ou qui en revenaient. Ils se chargeaient également de faire passer des lettres et de l'argent d'un pays dans l'autre. *Un certain Peytavi, de Sorèze, fit remettre ainsi au Parfait Pierre Delmas, qui lui avait demandé ce service, dix marcs sterling, produits par le change de sous toulousains. Cet argent était destiné aux cathares de Lombardie. Une autre fois, le même Peytavi, qui jouissait évidemment de la confiance des hérétiques, dit à Arnaud Terrier, de Sorèze, que s'il voulait faire un envoi en Lombardie, ce serait facile. Il alla parlementer avec deux Parfaits, revenus depuis peu de ce pays, et que d'ailleurs Arnaud lui-même et son beau-frère, Jean Brun, de Durfort, avaient vus quinze jours auparavant. L'entretien eut lieu à Font-Audier, « au-dessus du moulin d'Arnaud » — c'était quelques jours avant les vendanges de 1276 — et les Parfaits acceptèrent de se charger de la commission.* (Doat, cité par Jean Guiraud.)

Les opérations financières étaient relativement aisées. Les *ductores* ou *nuncii* remettaient aux Parfaits italiens des sommes qu'ils gardaient en dépôt jusqu'à l'arrivée des émigrés, qui les leur réclamaient : *Adelaïs envoya ainsi à Crémone cent sous toulousains, qu'elle devait toucher à son arrivée. Par la suite, ayant renoncé à son voyage, elle donna ordre de verser cette somme à sa mère Aycelina qui, hérétique revêtue, habitait en Lombardie.* (Doat, cité par Jean Guiraud.) En certains cas, les cathares s'adressaient aux changeurs ou aux banquiers de la Secte; et c'est alors à l'aide de véritables lettres de change que les fonds étaient transférés.

Aventures et dangers des voyages clandestins

Les passeurs suivaient naturellement l'itinéraire le moins fréquenté : la voie lombarde. Selon M. Dupré-Theseider,

il passait par le Var et les Alpes-Maritimes, puis par Nice
et le col de Tende, pour descendre par Roccavione dans la
plaine de Cuneo-Coni. Une autre voie, plus commode, tra-
versait le col de Larche et aboutissait, elle aussi, à Coni.
Les hérétiques pouvaient, en se mêlant aux pélerins, aux
marchands qui l'empruntaient, passer inaperçus.

Il y avait des *ductores* italiens et des *ductores* français. Ils
procédaient presque toujours à un véritable « ramassage ».
Par exemple, un groupe dirigé par Pierre Maurel, eut, une
fois, pour point de départ Saint-Martin-la-Lande. Les voyageurs furent logés chez une femme affiliée à la Secte, dans
une maison retirée à l'extrémité du village, pendant que
Pierre Maurel allait chercher les autres hérétiques : trois
femmes et un enfant (des femmes allant rejoindre leurs
maris; car, d'ordinaire, les couples ne voyageaient pas
ensemble). On se mit en route pour Béziers, où quatre autres
personnes se joignirent à la caravane. *Par Beaucaire, ils
allèrent en Lombardie, s'arrêtant d'abord à Achonia où ils
demeurèrent chez une femme de leur pays. C'étaient souvent
des femmes qui tenaient les « refuges » : elles étaient en même
temps aubergistes et recevaient d'autres voyageurs, de façon à
ce que les hérétiques n'y fussent point remarqués. Pierre Maurel,
entre-temps, avait changé de nom, et se faisait appeler Pierre
Gailhard. De là, ils se rendirent à Asti où ils trouvèrent un
frère de Pierre Maurel nommé Bernard, puis à Pavie où ils
descendirent chez un Lombard nommé Raymond Galterio. Là,
s'arrêta un tisserand de leur compagnie. Poursuivant leur
voyage, ils allèrent à Mantoue où ils rencontrèrent deux hommes
de Limoux, dont un tisserand, puis à Crémone, à Milan, et
revinrent à Coni d'où ils regagnèrent la France et Castelnaudary. C'était en 1271-1272.* (Doat, 25, pp. 17-20.)

Ces voyages n'étaient pas sans périls. Les agents de l'Inquisition surveillaient les allées et venues des commerçants,
des pèlerins. Tel marchand de bœufs poussant devant lui
son troupeau, tel colporteur avec ses ballots de marchandises,
tel bourgeois en riche équipage, était un hérétique déguisé,

dont ils possédaient la fiche. Et ils ne manquaient pas de flair ni de perspicacité. Que d'aventures et de mésaventures! Que de voyages tragiquement interrompus! Une servante de Graulhet, dénoncée à l'Inquisition comme ayant amené un Parfait chez sa maîtresse pour la consoler, voulut fuir en Lombardie avec le fils de cette dame, Pierre de Palajac : elle fut arrêtée à Arles, et, ramenée à Toulouse, y fut brûlée.

Quand on avait échappé à tous les policiers de l'Inquisition, on courait encore le risque d'être pillé par des voleurs. En 1273, un beau garçon de Toulouse, Aymeric, arrive chez le passeur Étienne Hugue, à Roquevidal, accompagné d'une jeune Anglaise et d'une dame hérétique qui lui avait demandé la permission de voyager avec eux. Hugue les met tous trois sur le chemin de la Lombardie. Mais voici Aymeric qui revient tout nu : à la première auberge, on lui a volé tout son argent, tous ses vêtements; on lui a volé l'Anglaise et même l'autre femme... Grâce à Dieu, il a pu s'échapper!

Au demeurant, *ductores* et *nuncii* se montraient fort habiles, changeant de noms et de déguisements, ne logeant pas chez eux mais chez des amis sûrs, donnant rendez-vous à leurs clients dans des lieux déserts ou dans des cabanes écartées, les faisant prévenir par des émissaires; bref, s'entourant de toutes les précautions possibles.

Il fallait que l'absence des Parfaits fût vraiment ressentie comme de nature à compromettre le salut de l'âme, pour que les Croyants consentissent à courir de tels risques et à faire de tels sacrifices pour les retrouver. Parfois, comme le dit fort justement E. Dupré-Theseider, si l'évêque ou le diacre ou les Parfaits ne venaient pas d'eux-mêmes en Languedoc, on allait les chercher en Lombardie. Les Parfaits ne se dérobaient jamais à ce devoir : *Un négociant d'Albi, Bertran de Montégut, s'était mis en tête de réapprovisionner de Parfaits l'Albigeois. Il donna à un passeur, nommé Marescot — ou Mascoti — trente-cinq tournois blancs pour aller en Lombardie chercher le Parfait Raimon Andrieu et le lui ramener à Albi. S'il ne le trouvait pas, il devait, à tout prix, lui en*

*procurer un autre. Après un voyage assez mouvementé, Mares-
cot revint en Occitanie. Il amenait à Bertran de Montégut,
non point Raimon Andrieu, qu'il n'avait pu découvrir nulle
part, mais un Parfait italien, Guillaume Pagano. Bertran de
Montégut en marqua sa joie et reçut chez lui ce Parfait.*

*Dans le même temps, deux autres riches bourgeois d'Albi :
Bertrand et Guiraud Golfier, avaient eu la même idée que
Bertran de Montégut, et ils avaient chargé Bernart Fabre,
tailleur albigeois émigré à Gênes, de leur envoyer des Parfaits.
Fabre en trouva à Visone, non loin d'Acqui. Mais on ne sait
s'ils purent arriver jusqu'à Albi.* (Déposition de Marescot,
1297.)

*L'apostolat de Pierre Authier et la pratique de l'« En-
dura »*

Il faut rattacher à l'émigration cathare en Lombardie,
parce qu'il en est une conséquence, ce que M. Manselli a
appelé « l'énorme incendie provoqué par un seul homme ».
Cet homme s'appelait Pierre Authier. Il était parti pour la
Lombardie en 1296, avec son frère, abandonnant sa ville
d'Ax (Ariège), où il était notaire considéré. Après avoir passé
quatre ans en Italie, il revint, en 1300, dans le comté de
Foix, avec la ferme volonté d'y combattre Rome et d'y
ressusciter l'Église cathare. Cet ancien légiste du comte de
Foix Roger-Bernard III était fort instruit et, en Lombardie,
au contact des Bonshommes, il avait encore perfectionné
ses connaissances. Il se mit à parcourir le pays, de nuit et
de jour, prêchant en tous lieux, visitant les châteaux et les
chaumières, ouvertement ou clandestinement, réorganisant
l'Église cathare, s'enhardissant jusqu'à se montrer à Toulouse et tenant partout en échec la police secrète de l'Inquisition. Il finit, pourtant, par être capturé, et il monta sur le
bûcher le 9 avril 1311. Son frère Guillaume, son fils Jacques
et plusieurs de ses disciples furent brûlés, également, peu

de temps après. Leur disparition marque vraiment la fin du Catharisme occitan.

L'action de Pierre Authier ne changea pas grand-chose aux mœurs des cathares de l'Ariège ni à leur vie quotidienne, sinon qu'elles furent plus pénétrées de mysticité : il y eut davantage de *Consolamenta* clandestins, de prêches dans les maisons amies, au milieu d'un redoublement d'alarmes, et peut-être, un resserrement de la fraternité hérétique, se traduisant par un afflux plus large de contributions volontaires, et surtout par la réorganisation d'un contre-terrorisme destiné à paralyser en partie les délateurs et les traîtres. Le malheur des temps suscitait, par ailleurs, un ascétisme héroïque; et l'on admet communément que c'est sous l'influence de Pierre Authier et de ses fidèles, que se répandit, dans le comté de Foix, la pratique de l'*Endura*.

L'*Endura*, ou renoncement à la vie, est tout à fait dans l'esprit de la mystique cathare, et même dans celui de toutes les religions qui enseignent que le « vouloir-vivre » enchaîne l'âme à la chair satanique, dans le cycle des réincarnations et, par conséquent, l'empêche de se libérer. Nous ne savons pas pourquoi on en fait reproche aux cathares. Le « suicide » par amour de l'Être, par amour de la *vraie vie* et par haine de la vie (c'est, faut-il le rappeler? celui de Werther et de nombreux sages indiens) n'a jamais été considéré par les « spirituels » comme un crime contre l'individu, ni comme une offense faite à Dieu, puisque c'est pour se fondre à lui qu'on renonce à vivre...

Il est possible que Pierre Authier ait connu des exemples d'*Endura* en Italie, et qu'il en ait été frappé. On sait qu'en 1275, lorsque Bauville était à Pavie, on lui raconta qu'un hérétique occitan, qui s'était évadé des prisons de l'Inquisition, venait de se mettre en *Endura*. De toute façon, elle n'a fait son apparition en Languedoc qu'à l'époque assez tardive où il pouvait être tentant de se laisser mourir pour échapper aux tortures et au bûcher.

Au temps de Pierre Authier, les Parfaits ne l'imposaient

pas à leurs Croyants. Quand on insinue qu'ils transportaient les *consolés* dans leurs hospices pour les surveiller et les faire mourir, contre leur gré, d'inanition, on les calomnie sans preuves. La vérité, c'est que des Croyants ayant reçu le *Consolamentum* choisissaient *librement* de se laisser mourir. On ne voit pas pourquoi, vieux, malades, et parvenus sans doute à un haut degré de détachement, ils n'auraient pas préféré à une douloureuse et courte survie, la fin de tous les malheurs sur cette terre et dans l'Éternité. *Des malades*, écrit Rainier Saconi, *qui ne pouvaient plus dire le* Pater, *aimaient mieux mourir d'inanition que de pécher, et ils demandaient à ceux qui les servaient de ne plus les alimenter.* (On péchait mortellement si, une fois consolé, on ne disait pas le *Pater* avant de manger.) Mais ils avaient surtout la crainte de retomber *dans les autres péchés* et d'affronter à nouveau la vie sans s'être préparés, comme les Parfaits, à s'en détacher par l'ascétisme. Le *Consolamentum des mourants* ne résumait pas, comme le *Consolamentum d'ordination*, les résultats d'une longue initiation ascétique. C'est pourquoi il n'était valable que pour ceux qui allaient mourir. Et le fait même qu'ils pouvaient à peine avaler était le signe, aux yeux des Parfaits, qu'ils n'y survivraient pas longtemps.

L'*Endura* a toujours été, cependant, exceptionnelle, et même mal vue de nombreux Croyants. Si les Parfaits n'ont jamais empêché les malades de retomber dans le péché en mangeant et en buvant du vin — ils ne leur permettaient que de l'eau fraîche — il est évident qu'ils ne pouvaient que les exhorter à se débarrasser le plus tôt possible de la vie. Il eût été étrange qu'ils leur conseillassent de rester au pouvoir de Satan, alors qu'ils étaient déjà hors de son atteinte.

Seule une *Endura* longue, celle que le malade commençait très tôt, alors que ses forces n'étaient pas encore épuisées, passait pour avoir le pouvoir d'anéantir le « vouloir-vivre » et d'exalter le « vouloir-être ». Elle était, de toute façon, plus méritoire que celle du moribond qui ne devait qu'à sa faiblesse, et aux circonstances, de ne point retomber dans le péché. On connaît le cas d'un malade, nommé Sabatier, qui resta sept semaines entières en *Endura;* et celui d'une femme de Coustaussa qui, après avoir quitté son mari, reçut le *Consolamentum* dans le Sabarthès, se mit en *Endura*, et ne mourut qu'au bout de douze semaines de jeûne. Les cathares n'avaient pas tort de considérer ce mépris stoïque de la vie comme la preuve même que le Croyant s'en était déjà complètement libéré. Il existait, d'ailleurs, comme l'a bien vu Jean Guiraud, une autre sorte d'*Endura*, consistant à s'abstraire de la vie par une perte presque complète de la sensibilité, et même de la conscience, et à réduire ainsi l'existence « personnelle » au minimum. La femme d'un seigneur de Puylaurens, Berbeguera, alla voir, par curiosité, un Parfait qui était dans cet état et qui lui apparut comme la merveille la plus étrange : depuis fort longtemps, il était assis sur sa chaise, immobile comme un tronc d'arbre, insensible à ce qui l'entourait...

A la fin du xiiie siècle et au début du xive, il n'en est plus jamais ainsi : les Parfaits ne donnent le *Consolamentum des mourants* qu'à ceux qui sont vraiment mourants. Dès que les Croyants l'ont reçu comme une grâce, assez imméritée, ils ont tout intérêt à ne pas en perdre le bénéfice en prolongeant leur vie de quelques jours ou de quelques heures. C'est pourquoi les Parfaits déclarent, très logiquement, que lorsqu'un chrétien a été reçu, à ces conditions, dans leur Ordre, il ne doit plus manger ni boire — sauf de l'eau fraîche — *et que ceux qui se laissent dépérir ainsi, en refusant de manger, sont des saints de Dieu.*

Quelquefois, il est vrai, les Parfaits se trompaient sur le degré de résistance du malade, qui faisait alors, malgré lui et malgré eux, une *Endura* longue. Un certain Guillaume, très malade, se met en *Endura* et, contre toute attente, vit encore quinze jours; de même qu'une femme de Montaillou, que l'on croit condamnée, et qui résiste plus de deux semaines. Naturellement, les malades n'étaient pas toujours aussi impatients de sauver leur âme. Bernard Arquié, qui

devait avoir un solide appétit, déclare aux Parfaits qui lui
conseillaient l'*Endura* : « Je veux vivre jusqu'à la fin! —
Qu'il en soit fait selon votre volonté! » lui répondirent les
Parfaits.

L'*Endura* posait de nombreux cas de conscience aux
familles. Une bonne femme se met en *Endura*, après avoir
été consolée. Mais au bout de cinq à six jours, elle se sent
mieux et réclame à manger. Sa fille, Croyante sincère, ne
veut lui donner que de l'eau, comme l'ont prescrit les Parfaits. La mère se met à crier, à l'insulter : « Je me moque,
dit-elle, de ce qu'ils racontent : je veux manger! » Et sa fille,
fort embarrassée, finit par lui donner ce qu'elle demande.

Ailleurs, c'est Arnaud, le frère d'une consolée, qui veille
lui-même à ce qu'elle ne mange pas ou qu'elle ne boive que
de l'eau. Un jour, deux jours se passent. Au troisième, la
pauvre femme demande à Arnaud de lui donner de la nourriture : « J'ai très faim. » Arnaud lui fait plutôt mauvais
visage. « Vous n'avez même plus la force d'avaler, lui
dit-il. — J'ai faim, répète-t-elle; je ne puis plus résister! »
Alors Arnaud se laisse attendrir : il dit à Blanche, sa sœur,
de la faire manger, et elle lui apporte aussitôt du pain, de
la viande, du vin, que la mourante mange et boit de bon
appétit, perdant allégrement le bénéfice du *Consolamentum*.

En d'autres cas, c'est le contraire qui se produit : tout le
monde, dans la famille paysanne, est d'avis qu'il faut nourrir
les vivants et les mourants. On n'y a pas accueilli de bon
cœur les conseils des Bonshommes, ni la volonté expressé-
ment formulée de la consolée. Les femmes qui entourent et
veillent la mourante voudraient qu'elle parle, qu'elle mange.
Elles essaient de lui faire absorber du bouillon de porc salé,
mais elles n'arrivent même pas à lui faire boire de l'eau; la
malade serre farouchement les mâchoires. Elle resta ainsi
deux jours; à la troisième nuit, comme l'aurore paraissait,
elle trépassa.

Évidemment, on ne peut pas empêcher les mauvaises
langues de dire partout que le fils ou la fille ont mis en

Endura leur vieille mère, contre son gré, pour se débarrasser
d'elle. « Si la pauvre Bernarde était « si malade que ça »,
pourquoi n'a-t-on jamais vu ni entendu sa fille pleurer? Ce
n'est pas étonnant : le gendre s'est arrangé pour avoir tous
ses biens. » Certes, dans ce monde du « Mélange » et du
« Terrible », où le Diable excelle à faire tourner au Mal les
meilleures choses, nous ne jurerions pas que de pareils crimes
n'aient jamais été commis; mais les Parfaits eussent été les
premiers à les flétrir. Une femme infidèle conseille à son mari
de se mettre en *Endura* pour le salut de son âme. « Que
non pas! dit le pauvre homme, c'est à Dieu de me tuer, s'il
veut. Pour moi, je me laisse vivre! »

Abâtardissement du Catharisme

On assiste dans ces premières années du xive siècle à de
graves déviations de la morale et surtout du dogme cathare.
La Règle était, à supposer qu'on voulût renoncer au *Consolamentum des mourants*, non point de ne rien manger du tout,
mais de ne manger que du poisson ou des légumes, après
avoir dit le *Pater*. La mère d'Arnaut pouvait parler et dire
le *Pater*. Il n'était pas indispensable de lui servir de la
viande. On voit maintenant des paysans suivre, de-ci, de-là,
de grossières aberrations : une voisine conseille vivement à
une jeune mère dont l'enfant, âgé de deux ou trois mois, est
très malade, de le mettre en *Endura*, c'est-à-dire de ne plus
lui donner le sein. La mère refuse. « S'il meurt, dit-elle,
Dieu l'accueillera. — S'il était reçu par les Bonshommes,
reprend la voisine, il serait mieux accueilli encore : il rede-
viendrait un ange de Dieu... » La mère ne fit pas consoler
l'enfant, et c'est elle qui eut raison, selon le Catharisme
véritable.

Ici, c'est le mari qui souhaiterait que sa fille en bas-âge,
Jacoba, reçût le *Consolamentum des mourants* et fût ren-
voyée à Dieu. Mais la mère s'indigne et, malgré la défense

de son mari, s'obstine à donner le sein à l'enfant, qui vécut encore un an et mourut. Les Parfaits revirent cette femme et lui dirent : « Vous êtes une mauvaise mère : vous avez donné à votre fille un inutile sursis d'un an, et vous avez compromis, pour un instant de vie temporelle, ses possibilités de salut éternel. » Où est la vérité ? Qu'est-ce que la vérité ? N'empêche que ces Parfaits auraient eu bien besoin d'aller s'instruire en Italie : le Catharisme interdisait de donner le *Consolamentum* à des enfants, et surtout de leur imposer l'*Endura*.

En dépit des efforts méritoires de Pierre Authier et de ses disciples, le Catharisme continua à s'affaiblir et à se corrompre. Nul n'aurait pu, désormais, retarder sa fin. Les derniers Parfaits, beaucoup moins instruits que Pierre Authier, mêlaient leurs conceptions personnelles, souvent confuses ou contradictoires, à des superstitions grossières et au peu qu'ils avaient retenu de la tradition authentique : Bélibaste était un rêveur indépendant.

La doctrine même des deux Principes, réduite maintenant à l'antagonisme « visible » du Bien et du Mal, n'est plus comprise de personne et, privée de son arrière-plan ésotérique, ne peut plus l'être. On commence à affirmer que c'est le Dieu bon, et non point le Diable, qui fait « fleurir et grener la nature » : déviation doctrinale lourde de conséquences, car si le monde n'est pas tout mauvais, ce n'est pas le Diable qui l'a fait. Pierre Authier lui-même n'est plus capable d'expliquer autrement que par la présence des Bonshommes sur la terre l'existence du bien qui s'y trouve, oubliant que le dualisme classique rendait compte d'une façon plus claire du mélange des deux natures. En réalité, le dualisme mitigé et le monisme catholique éliminent maintenant le dualisme absolu, sans, cependant, ruiner complètement l'idée que ce monde-ci, absurde, chaotique et injuste, est soumis au Prince des Ténèbres.

Le *Consolamentum*, il est vrai, conserve encore tout son prestige, parce qu'il correspond à une symbolique merveilleusement agencée dont les effets se font sentir, immédiatement et puissamment, sur l'imagination et sur l'esprit. Les sacrements de l'Église romaine mettront longtemps, en Languedoc, à se relever de la désaffection qu'ils avaient encourue, et peut-être méritée, au temps où le Catharisme proposait aux spirituels une voie de salut plus pure et plus efficace. Par ailleurs, les données sur lesquelles s'exerce la problématique cathare : négation du libre arbitre, amoindrissement du rôle joué par le Christ « humanisé » et, par voie de conséquence, rejet du dogme de la Présence réelle dans l'hostie, nécessité de la Grâce pour obtenir le salut, vont marquer désormais l'évolution de la pensée religieuse. Encore deux cents ans, et elles reparaîtront dans le Calvinisme.

Le Catharisme s'est lentement désagrégé : il a été absorbé par chacune de ses composantes, au fur et à mesure qu'il les libérait. Il est passé dans les doctrines très diverses qui l'ont utilisé et assimilé, et dont il n'est plus de notre sujet de suivre le long cheminement. « L'Esprit entre et sort », disaient les Bonshommes. Si le Catharisme médiéval n'est plus maintenant qu'une aventure historique, ses constantes qui, en tant que schémas mythiques, conditionnent plus qu'on ne le croit la pensée humaine, inspirent toujours des morales réformatrices et des mouvements libérateurs. Et il en sera vraisemblablement ainsi jusqu'à la fin du Temps.

CONCLUSION

Les survivances du Catharisme

Le mythe de la « Tradition ininterrompue », le mythe du « Passé dans le Présent » sont entrés aujourd'hui dans la songerie quotidienne : on voudrait « voir » des cathares. On cède malgré soi à l'attrait qu'exercent les filiations inimaginables. Que l'on nous présente, à Raguse, une jeune femme appartenant à la plus vieille famille patarine de la cité, nous nous surprenons à chercher sur son visage le reflet de sept siècles d'hérésie. Et qui n'a fait le rêve de pénétrer, à la nuit tombante, dans quelque ferme perdue de l'Ariège, où l'on donnerait encore le *Consolamentum* aux mourants, et où l'Ancien lirait encore à haute voix l'Évangile de Jean dans un manuscrit du xiiie siècle transmis de père en fils? Aucun échec ne décourage les chercheurs du Trésor de Montségur, puisqu'ils ne veulent qu'en poursuivre sans fin le mirage.

En réalité, il ne subsiste rien du Catharisme tel qu'il a été vécu. Où le trouverait-on? chez les protestants? On nous a signalé, à maintes reprises, notamment dans les Cévennes, des familles de paysans qui, nous disait-on, se souvenaient d'avoir été cathares. Et peut-être, au xvie siècle, leurs membres avaient-ils conscience de continuer, en effet, une religion plus ancienne; peut-être même demeuraient-ils fidèles, en pleine conscience, à la mémoire de leurs ancêtres brûlés par l'Inquisition. Certes, il est incontestable que beaucoup de descendants des hérétiques du XIIIe siècle ont embrassé le Calvinisme pour se venger de Rome, mais, quoi qu'en aient écrit les auteurs protestants du XVIe siècle, dans leur zèle à se chercher des ancêtres spirituels dans l'évangélisme cathare, les deux doctrines diffèrent profondément. Et les traumatismes sociaux subis par les protestants aux XVIe et XVIIe siècles ont été si douloureux en eux-mêmes qu'ils leur ont fait oublier les malheurs de leurs pères : le folklore du Désert a recouvert le folklore de Montségur.

Quelquefois, les mots ont changé de sens et égarent les amateurs de Catharisme. Un de nos amis, voyageant dans l'Ariège, fit monter un jour dans sa voiture deux paysans qui se rendaient, lui dirent-ils, à la ferme voisine, « porter la consolation ». Ils allaient, en réalité, « consoler » la famille, et non le malade, qui d'ailleurs était mort. Quelquefois « consolation » signifie, peut-être en souvenir du *Consolamentum*, Extrême-Onction. Elle n'a, évidemment, plus rien de cathare. L'action de l'imposition des mains est encore sentie comme bénéfique par beaucoup d'habitants de nos campagnes, mais c'est une action toute physique. Et lorsque des médecins affirment avoir rencontré, au chevet d'un malade, avant ou après la visite du prêtre, deux hommes qui l'assistaient dans son agonie, il s'agissait de guérisseurs ou de sorciers, et non point de Parfaits. S'ils ont imposé les mains au mourant, c'était pour alléger ses souffrances.

Il est d'ailleurs très difficile de savoir dans quelle mesure une tradition catholique s'est substituée à une tradition cathare du même genre. Nous avons toujours soupçonné que le respect particulier que les Ariégeois, et beaucoup d'autres Occitans, portent au pain bénit, et surtout l'usage magique qu'ils en font dérivent de leur ancienne fidélité aux rites cathares des années 1300. Mais qui dira si le fragment de pain bénit que l'on découvre aujourd'hui entre deux piles de draps, dans l'armoire paysanne est cathare ou catholique?

Les vieilles Languedociennes savent par cœur beaucoup de prières hétérodoxes, parmi lesquelles nous avons souvent cherché les traces de celles que les Bonshommes avaient enseignées aux Croyants, pour remplacer le *Pater* qu'ils ne devaient point dire. La plupart sont d'inspiration catholique. Cependant, le folkloriste Urbain Gibert a entendu, dans un village de la Haute-Ariège, une femme très âgée lui réciter le début de la prière bien connue : *Paire Sant, Dieu dreyturier dels bons esprits.* C'est le seul vestige, authentique, du Catharisme, que nous connaissions. Cette femme, naturellement, n'avait pas conscience de dire une prière hérétique.

Le folklore ne se souvient pas de mythes spécifiquement cathares, à l'exception du conte de la « tête d'âne » — dont nous avons parlé plus haut (un lézard sort de la bouche d'un dormeur et entre dans le crâne desséché d'un âne) — qui a été utilisé au XIVe siècle par les Parfaits, pour montrer que l'esprit était séparable du corps; et de celui de sainte *Mercredi*, conte d'origine bogomile, où l'on voit une « sainte » se venger cruellement des ménagères qui font la lessive ce jour-là. Mais, en Occident, sainte Mercredi a pris les traits aussi redoutables de sainte Agathe, qui joue le même rôle qu'elle, et représente le même jour interdit.

Il ne reste plus la moindre trace de la croyance cathare que l'âme mettait trois jours à se libérer du corps et qu'il fallait l'assister avec ferveur pendant tout ce temps-là. Mais, jusqu'à la fin du XIXe siècle, on a enlevé une tuile du toit pour que l'âme puisse s'échapper plus facilement, tradition qui appartient au Catharisme décadent. On est étonné de voir que le folklore de Montségur, recueilli fidèlement par Mme Tricoire, ne conserve aucun souvenir direct du Catharisme médiéval. En revanche, le romantisme français et le néo-romantisme allemand l'ont enrichi d'un grand nombre de légendes — en rapport avec Esclarmonde de

Foix ou le Graal — qui ne procèdent en aucune façon du Catharisme historique.

Le langage n'a conservé que peu de mots se rapportant à l'hérésie. Encore sont-ils, pour la plupart, péjoratifs. Un *patarinage*, assemblée de patarins, c'est aujourd'hui une réunion de gens grossiers et criards. *Patarinejar* signifie : vagabonder, gueuser. *Bougre* (Bulgare) est devenu une insulte depuis le XVIe siècle (le Bougre est un sodomite). Quant au juron : *Doble dius* (double Dieu), auquel Mistral donnait une origine dualiste, il n'est pas plus cathare que *Mila Dius* n'est « païen ». Nous ne connaissons aucun proverbe du Moyen Âge qui reflète une opinion cathare, sauf : *Fais du bien à tout le monde — Mais davantage à ceux de ta foi.* Encore n'est-il pas sûr que cette « foi » ne soit pas celle des catholiques. Quant au proverbe qui fit condamner au *Mur* le pauvre Arnaud de Savinhan : *On a toujours vu, on verra toujours — Homme coucher avec la femme d'autrui,* il est évident qu'il exprime la persistance de la paillardise, et non point l'éternité du monde.

Serons-nous plus heureux avec les objets, en retrouverons-nous de cathares? On prétend que le bonnet (de nuit) que portaient les hommes au siècle dernier, et qu'on appelle *boneta de catàri*, procède de celui dont les Parfaits se couvraient la tête. C'est possible; que le *topin*, ou marmite, appelé *patarinon* dans la région de Moissac, serait un souvenir de celui que les Parfaits portaient toujours avec eux, parce qu'ils ne voulaient pas se servir de pots dans lesquels on aurait fait cuire de la viande. C'est possible, et même à peu près sûr. On doit reconnaître que tout cela est fort peu de chose. Quant aux recherches effectuées dans la symbolique populaire, elles se révèlent plus décevantes encore. Le pentagone a absolument disparu des décors géométriques, sauf en tant qu'il est contenu dans l'étoile à cinq branches. Mais cette dernière est si largement répandue dans tout l'art folklorique européen qu'il est impossible de la tenir pour un symbole exclusivement cathare. L'ancre, la colombe figurent sur des stèles funéraires des XVIIe et XVIIIe siècles, ainsi que toutes les variétés de croix (croix en tau, croix grecques, croix « de Toulouse », etc.). Elles appartiennent autant au Christianisme primitif qu'au Catharisme. Ce qui n'exclut point, en certains cas, une origine cathare. S'il était assuré que la célèbre croix huguenote, la colombe du Saint-Esprit, ait fait vraiment son apparition en Languedoc et qu'elle ait succédé à la colombe cathare, il faudrait la considérer comme la plus remarquable des survivances « hérétiques » dans le Midi de la France.

La non-violence et le fanatisme de Montségur à nos jours

Beaucoup d'hommes, assurément, ont été de trop. Beaucoup de vies ont été inutiles. Quand l'Histoire ne porte que sur des individus, elle ne présente que l'image du chaos moral, le mélange du Mal et du Bien. A quoi ont servi les vies de douleur et de dévouement, dont nous avons essayé de retracer le bref passage en ce monde? Peut-être à rien du tout. Et quel jugement pourrions-nous porter sur elles? Il est vraiment trop difficile de sonder les cœurs dont plus de sept siècles nous séparent. Aussi bien, ne nous risquerons-nous pas à condamner la furie homicide des Inquisiteurs; pas plus que l'exaspération criminelle des chevaliers qui les ont massacrés à Avignonet. Les uns et les autres ont cru obéir au Dieu du Bien : ils n'ont pas vu clairement où était le Mal. Mais si le Mal n'était pas incompréhensible, il ne serait pas le Mal... Notre livre n'a voulu que le « donner à voir »...

Tout ce que l'on peut dire, c'est que si l'Histoire ne recommence jamais, les fanatiques, eux, se recommencent toujours, et même avec une constance qui surprend : ce sont les mêmes actes, ce sont les mêmes paroles. Aux mots que prononce Raimon d'Alfar, après le massacre de l'Inquisiteur

Guillaume Arnaud : « *Esta be, esta be* (Cela va bien, cela
va bien)! », font écho ceux du duc de Guise, trois cents ans
plus tard, après l'assassinat de Coligny : « Bien commencé,
bien commencé! » Au « geste » de Pierre-Rogier de Mirepoix, réclamant le crâne de Guillaume Arnaud pour y boire
son vin, répond celui de Catherine de Médicis, envoyant au
Pape la tête embaumée de Coligny (le Pape ordonna aussitôt une procession pour fêter cet heureux événement). Les
vrais spirituels, non plus, n'ont jamais beaucoup varié dans
leur comportement : ils aiment mieux se laisser tuer que
tuer.

Que s'il existe des « lois de l'évolution » de type théo-
logico-providentiel — ou de type marxiste —, il est évident qu'elles ne peuvent être saisies que projetées sur les
grands nombres et sur de très longues durées. Et peut-être
se réduisent-elles alors — quelle que soit la nature de leurs
conditionnements — à un « mouvement » des idées morales.
Nous apprécions, d'ordinaire, ce mouvement par référence
au dernier moment de l' « évolution », au moment présent,
ce qui n'est point illégitime, à condition toutefois que l'on
considère ce Présent comme provisoire et relatif lui aussi,
et qu'on n'aille pas l'ériger en absolu sous prétexte qu'il est
notre présent. De ce point de vue nous trouvons assez naturel
que l'on approuve, par exemple, l'émancipation de la femme
telle qu'elle s'annonce — timidement — au XIIIe siècle; plus
naturel encore que l'on condamne l'Inquisition, nous voulons dire *toutes les Inquisitions*...

La vie quotidienne d'innombrables cathares n'aura de
signification que tant qu'il existera des Inquisiteurs pour
allumer des bûchers, et des hérétiques pour s'y sacrifier à
l'Esprit. C'est sous ce rapport seulement qu'ils demeurent,
les uns et les autres, d'actualité. Les victimes présentes
rejoignent celles du passé; les ressuscitent. A chaque persécution ce sont les mêmes bourreaux, les mêmes martyrs qui
se *réincarnent*. En vérité, les vies éphémères des hommes
circulent dans l'Homme.

INDEX DES PRINCIPAUX PERSONNAGES

BÉATRICE DE LA GLEISE : Fille de Philippe de Planissoles, seigneur de Caussou (Ariège), Béatrice épousa Béranger de Roquefort, puis Othon de la Gleise, seigneur de Dalou, et fut deux fois veuve. Elle eut une vie aventureuse. Après avoir été violée dans son château, elle devint la maîtresse d'un curé maudit; connut des sorcières, des ruffians passionnés de métaphysique. Comme elle ne croyait qu'à l'amour, aucun de ses amants ne réussit à lui faire perdre la foi romaine qui se réduisait sans doute pour elle à quelques formules creuses. Pour faire une fin, elle devint sur ses vieux jours la concubine « légale » d'un curé espagnol, Barthélemy. Condamnée au *Mur* le 8 mars 1321, elle fut remise en liberté le 4 juillet 1322, avec Barthélemy, mais elle dut porter les croix doubles.

BÉLIBASTE : Guillaume Bélibaste, le dernier Parfait, est né à Cubières (Aude). Il tua un berger, sans doute au cours d'une rixe, en eut du remords, et se fit initier au Catharisme par Philippe d'Alairac. Arrêté une première fois, il s'évada de la *Mure* de Carcassonne et se réfugia en Catalogne, à Lérida, où il vécut en fabriquant des peignes de tisserand, puis à Morella, où nous le trouvons à la tête d'une petite communauté d'émigrés occitans.

Un traître au service de l'Inquisition, Arnaud Sicre, réussit à capter sa confiance, l'attira à Tirvia et le fit arrêter. Ramené à Carcassonne en août 1321, Bélibaste fut jugé et brûlé à Villerouge-Termenès (Aude) dont le château appartenait à l'archevêque de Narbonne, son seigneur temporel.

BERNARD DÉLICIEUX : Né à Montpellier en 1260, entré dans l'Ordre de saint François en 1284, il subit l'influence des idées de Joachim de Flore et de Pierre-Jean Olive. Il eut le courage de s'élever contre les abus de l'Inquisition et, à Carcassonne, il fomenta des émeutes populaires qui aboutirent à la libération des hérétiques détenus à la *Mure*. Il avait sûrement trempé dans le complot ourdi par les Consuls de Carcassonne et de Limoux pour chasser les Français et remettre le gouvernement de la vicomté à Ferdinand, infant de Majorque (1304).

Bernard Délicieux fut emprisonné. Gracié en 1307, il fut accusé à nouveau, en 1313, d'avoir entravé l'action inquisitoriale et même d'avoir tenté d'empoisonner le Pape. (Ses juges, l'évêque Jacques Fournier et l'évêque de Saint-Papoul (Aude) ne retinrent pas ce second chef d'accusation.) Il n'en fut pas moins exclu de son Ordre en 1318 et condamné à la prison perpétuelle (mais dispensé de fers). Il mourut en 1320.

BERTRAN MARTI : Ce Parfait était originaire de Tarabel (Haute-Garonne). Nous ignorons tout de sa famille vraisemblablement très modeste. Il assiste en 1226 au Concile de Pieusse, est élu diacre en 1230 et succède vers 1239 à Guilhabert de Castres comme évêque cathare du Toulousain.

De 1229 à 1237, il prêche en Lauragais, surtout à Fanjeaux et à Laurac, mais aussi à Limoux, à Dun (Ariège) et dans beaucoup d'autres villes ou châteaux, ranimant partout la foi cathare, « consolant » chevaliers et vilains.

A partir de 1238, il se fixe à Montségur où il fait figure de maître spirituel et aussi d'organisateur, de chef politique. Son activité diplomatique a été surtout intense de 1240 à 1244. Il mourut sur le bûcher le 16 mars 1244.

FOLQUET DE MARSEILLE : Folquet ou Foulque de Marseille appartenait à une famille de commerçants génois installés à Marseille. Pendant la première partie de sa vie il se livra lui-même au commerce, tout en cultivant la poésie. Touché par la grâce, il se fit moine en 1201, devint abbé du Thoronet (entre Brignoles et Draguignan) puis, en 1205, évêque de Toulouse. *Par la foi que je vous dois*, dit la *Chanson de la Croisade*, *à ses actes, à ses paroles, à son attitude, il semble qu'il soit plutôt l'Antéchrist que le messager de Rome.*

Il mourut le 25 décembre 1231. Dante, dans son *Paradis*, l'a placé au ciel de Vénus (chant IX, 67-142).

GUILHABERT DE CASTRES : Le plus célèbre des Parfaits d'Occitanie. Peut-être était-il noble et « de » Castres. Son frère Isarn et ses deux sœurs entrèrent comme lui dans les Ordres cathares.

Il résidait en principe à Fanjeaux (Aude) où il possédait une maison. En 1204, il « console » Pierre-Rogier de Mirepoix, le père du futur défenseur de Montségur. La même année, il donne la vêture à Esclarmonde, sœur du comte de Foix, en présence d'une nombreuse et noble assistance. Il affronte, en 1207, Pierre de Castelnau, légat romain, au colloque de Montréal. En 1226, il est présent au Concile cathare de Pieusse où Benoît de Termes est désigné comme évêque du nouvel évêché du Razès.

Guilhabert de Castres a consacré toute sa vie à la prédication et à l'office de consolation. De 1211 à 1230, il est toujours sur les routes, parcourant en tous sens son diocèse idéal. On le signale à Mirepoix, à Castelnaudary, à Labécède, à Toulouse.

C'est sans doute vers 1232 qu'il prit la décision de faire de Montségur le centre administratif et religieux de la Secte. Il s'installa au château qu'il ne quitta plus que pour de brèves missions. Il mourut peu de temps avant le siège de 1243.

GUILHEM MONTANHAGOL (1229-1258) : D'origine toulousaine et ayant presque toujours vécu à Toulouse, ce troubadour fut le protégé de Raimon VII et de Jacques V d'Aragon. Il assista à la plupart des événements qui mirent fin à l'indépendance méridionale. Dans ses poèmes, il défendit avec ardeur la cause du comte de Toulouse et combattit l'oppression religieuse qui, en condamnant le luxe féminin, la prodigalité chevaleresque et l'amour, devait tarir la poésie occitane. Cette double protestation contre la domination française et le pouvoir ecclésiastique est exprimée dans une forme modérée et élégante, et n'en a que plus de force.

Il semble avoir passé quelques années à la cour d'Alfonse X de Castille.

JACQUES FOURNIER : Né à Saverdun (Ariège), Jacques Fournier, d'abord profès de Cîteaux à l'abbaye de Boulbonne, puis maître en théologie de l'Université de Paris et abbé de Fontfroide, fut élevé en 1317 au siège épiscopal de Pamiers (transféré au siège de Mirepoix en 1326). Fait cardinal, il devint pape en 1334 sous le nom de Benoît XII.

Esprit remarquable à tous égards, Jacques Fournier fut dans son diocèse un inquisiteur compétent, consciencieux, incorruptible. Le Registre où il faisait consigner les procédures et les interrogatoires, qu'il dirigeait lui-même, nous a été conservé. Publié en 1965 par J. Duvernoy, il donne une foule de renseignements précieux sur la vie et les croyances des derniers cathares du comté de Foix.

LOBA DE PENNAUTIER : Loba, de son vrai nom : Orbria (la Louve de Pennautier), était la fille de Raimon, seigneur de Pennautier (Aude), dit Lobat. Elle avait épousé un seigneur parier (coseigneur) de Cabaret (Lastours, Aude), probablement Jourdain de Cabaret, frère de Pierre-Rogier de Cabaret.

Cette dame fut dans les années qui précédèrent la Croisade de 1209 l'idole de la petite cour qui réunissait à Cabaret le comte de Foix (Raimon-Roger, « le comte roux »), Bertran de Saissac, Pierre-Rogier de Mirepoix, Aimeric de Montréal et les troubadours Peire Vidal et Raimon de Miraval. Il n'est pas certain qu'elle ait été Croyante, mais tous ses amis étaient cathares ou membres du parti cathare.

PEIRE CARDENAL : Ce poète, l'un des plus grands du Moyen Age, est né vers 1180 au Puy-en-Velay, d'une famille noble. Il abandonna la chanoinie de sa ville natale où l'avait placé son père pour suivre sa vocation poétique. Le détail de sa vie nous est très peu connu. Il prit rang de bonne heure parmi les Occitans de l'entourage du comte de Toulouse qui n'acceptaient ni la domination française ni celle des clercs. Dans ses éloquentes et vigoureuses satires, il a fustigé l'indignité du clergé et le relâchement des mœurs. S'il n'a pas été cathare, il a eu la réputation de l'être et il a subi l'influence des théories hétérodoxes. Certains de ses poèmes répandus dans le peuple ont alimenté la propagande anticléricale.

Il fournit une longue carrière et mourut presque centenaire vers 1274.

RAIMON VI, COMTE DE TOULOUSE (de 1194 à 1222) : Bien qu'il eût fait prudemment sa soumission à l'Église romaine, Raimon VI ne put éviter d'entrer en conflit avec Simon de Montfort qui convoitait ses domaines. Vaincu à la bataille de Muret (12 septembre 1213) où son allié Pierre d'Aragon trouva la mort, il perdit son comté dont Simon de Montfort reçut l'investiture.

Cependant son fils, « le jeune comte » (le futur Raimon VII) porte la guerre en Provence, assiège et prend Beaucaire. En 1217, Raimon VI pénètre en triomphateur dans Toulouse soulevée contre les Croisés. Simon de Montfort essaie vainement de reprendre la ville où le jeune comte est entré à son tour. Le 25 juin 1218, Simon de Montfort est tué.

En juin 1219, le prince Louis, fils de Philippe Auguste, envahit le Languedoc. Il prend Marmande mais échoue devant Toulouse et s'en retourne (1219) : « désolant échec », dira le pape Honorius III.

Quand il mourut, en 1222, Raimon VI, brillamment secondé par son fils Raimon VII, avait reconquis tous ses domaines.

RAIMON VII, COMTE DE TOULOUSE (de 1222 à 1249) : Raimon VII dut faire face à la nouvelle croisade royale. Louis VIII prend Avignon (1226) et établit deux sénéchaux à Beaucaire et à Carcassonne. Mais il meurt à Montpensier sans avoir pu conquérir Toulouse.

Raimon VII ne crut pas cependant pouvoir continuer la lutte contre la Monarchie française : il signa avec Louis IX la paix de Paris, ou *traité de Meaux-Paris*, le 12 août 1229. Raimon garde Toulouse mais perd le Languedoc oriental et le Languedoc septentrional. Et il est stipulé qu'à sa mort ses biens passeront à sa fille Jeanne qui épousera Alphonse de Poitiers, frère du Roi.

Raimon VII essaya toute sa vie d'éluder par la ruse ou par la force les clauses désastreuses du traité de Meaux. Il ne réussit pas à s'emparer de la Provence, qui ira à Charles d'Anjou, frère de Louis IX. En 1240, le fils de Trencavel tente de prendre Carcassonne : il est vaincu et se soumet. En 1241, Raimon VII, aidé par tout le Midi et par les Anglais, se révolte à son tour : les Anglais sont battus à Taillebourg (1243). Raimon VII, le comte de Foix et le vicomte de Narbonne font la paix. Montségur, l'un des derniers refuges des cathares est pris et ruiné (1244). Quéribus, autre citadelle cathare, tombe en 1255. Enfin, en 1258-1259, l'Aragon, puis l'Angleterre renoncent à leurs prétentions sur les provinces méridionales.

Raimon VII meurt en 1249.

En 1271, le 21 août et le 24 août, la comtesse Jeanne et le comte Alphonse de Poitiers meurent *sans enfants*. Le Roi de France devient comte de Toulouse. Il gouverne le pays avec quatre sénéchaux.

RAIMON-ROGER TRENCAVEL : Vicomte de Béziers, Carcassonne, Albi et Nîmes, il n'avait que vingt ans lorsque Simon de Montfort, après avoir pris et saccagé Béziers (22 juillet 1209), vint l'assiéger dans Carcassonne. Les Croisés s'emparèrent de lui par un lâche guet-apens et occupèrent la ville que ses habitants terrorisés avaient abandonnée (15 août 1209). Trencavel mourut peu de temps après, sans doute empoisonné, au fond du cachot où Simon de Montfort l'avait fait jeter.

RAIMON-ROGER, COMTE DE FOIX (de 1188 à 1223) : Il passa presque toute sa vie à lutter contre Simon de Montfort et contre Gui de Lévis, son lieutenant. Il fut un des plus brillants capitaines de son temps. En 1211, il défait à Montgey (Tarn) un corps de six mille croisés allemands; le 12 septembre 1213, il combat à Muret aux côtés de Pierre d'Aragon et du comte de Toulouse. Il participe en juin 1218 à la défense de Toulouse contre Simon de Montfort (qui est tué au cours du siège). En 1219 enfin, il prend part à la bataille de Bazièges où son intervention assure la victoire de Raimon VI. En 1223, il avait recouvré la totalité de ses domaines. Il mourut la même année.

RAIMON DE MIRAVAL : Ce troubadour, né vers 1135, était seigneur de Miraval (Aude). Il fut le protégé de Pierre II d'Aragon et l'ami du comte de Toulouse; et il jouit d'une grande célébrité auprès des dames et des seigneurs du Cabardès dans les années qui précédèrent la Croisade. En 1209, Simon de Montfort lui enleva son petit château de Miraval.

Il mourut vers 1216, probablement en Espagne où il avait suivi le comte Raimon VI dépossédé de ses États. Il a laissé une quarantaine de poèmes presque tous consacrés à l'amour.

ROGER-BERNARD Ier, COMTE DE FOIX (de 1148 à 1187) : Ce fut un prince peu belliqueux. En 1175 il avait marié sa fille Esclarmonde à Jourdain de l'Isle, vicomte de Gimoez. Celle-ci, devenue veuve en octobre 1200, adhéra aussitôt au Catharisme et reçut le *Consolamentum* à Fanjeaux des mains de Guilhabert de Castres (1204). Retirée à Pamiers, elle se fit, au dire de Pierre des Vaux-de-Cernay, la propagandiste zélée des idées cathares.

ROGER-BERNARD II, COMTE DE FOIX (de 1223 à 1241) : Ce prince continua la lutte contre le fils de Simon de Montfort, Amaury, et le chassa de toutes les places qu'il possédait dans le comté. Mais quand Louis VIII, à qui Amaury avait cédé ses droits, eut pris la tête de la nouvelle croisade, Roger-Bernard comprit qu'il ne pourrait pas lui résister longtemps. En octobre 1226, le Roi vint à Pamiers où évêques et seigneurs lui jurèrent fidélité. Le 16 juin 1229, dans l'Église de Saint-Jean de Verges, Roger-Bernard fit à son tour sa soumission à Louis VIII et à l'Église.

Par son mariage avec Ermessinde de Castelbon, il avait ajouté à ses domaines la vicomté de ce nom située en Catalogne : il y protégea les hérétiques. Excommunié par l'évêque d'Urgel, il dut comparaître à Pamiers devant le tribunal de l'Inquisition. Il fut absous et réconcilié à l'Église (1241). Il mourut la même année à l'abbaye de Boulbonne, où ses ancêtres étaient enterrés, en habit de religieux.

BIBLIOGRAPHIE SOMMAIRE

Nous avons surtout utilisé les ouvrages suivants, qui fournissent sur la vie quotidienne des cathares un grand nombre de faits significatifs :

BELPERRON, P. : *La Croisade contre les Albigeois.* Plon, Paris, 1942.

DELARUELLE, E. : *La Ville de Toulouse vers 1200, d'après quelques travaux récents.* Cahiers de Fanjeaux, nº 1 : *Saint Dominique en Languedoc.* Privat, Toulouse, 1966.

DOSSAT, Y. : *La Société méridionale à la veille de la Croisade albigeoise.* Revue du Languedoc, nº 1. Albi, janvier 1944.

DOSSAT, Y. : *Les Cathares dans les documents de l'Inquisition.* Cahiers de Fanjeaux, nº 3 : *Cathares en Languedoc,* Privat, Toulouse, 1968.

DOSSAT, Y. : *Les Cathares au jour le jour.* Cahiers de Fanjeaux, nº 3.

DUPRÉ-THESEIDER, E. : *Le Catharisme languedocien et l'Italie.* Cahiers de Fanjeaux, nº 3 : *Cathares en Languedoc.*

DUVERNOY, J. : *Le Registre d'Inquisition de Jacques Fournier* (1318-1323). 3 volumes. Bibliothèque méridionale, Privat, Toulouse, 1965.

DUVERNOY, J. : *L'Inquisition à Pamiers.* (Choix de textes tirés du *Registre d'Inquisition de Jacques Fournier,* traduits et présentés.) Privat, Toulouse, 1956.

DUVERNOY, J. : *Les Albigeois dans la Vie sociale et économique de leur Temps.* Annales de l'Institut d'Études occitanes, Actes du colloque de Toulouse, années 1962-1963. Toulouse, 1964.

GUIRAUD, J. : *Histoire de l'Inquisition au Moyen Age.* Tome 1, Paris, 1933. Tome II, Paris, 1938.

HIGOUNET, C.-M. : *Le Milieu social et économique languedocien vers 1200.* Cahiers de Fanjeaux, nº 2 : *Vaudois languedociens et Pauvres catholiques.* Privat, Toulouse, 1967.

NIEL, F. : *Montségur, Temple et Forteresse des Cathares d'Occitanie.* Allier, Grenoble, 1967.

ROCHE, D. : *L'Église romaine et les Cathares albigeois.* Éditions des Cahiers d'Études cathares. Arques (Aude), 1937.

Schmidt, C. : *Histoire et Doctrine de la Secte des Cathares ou Albigeois*. 2 volumes, Paris-Genève, 1849.

Wolff, P. : *Histoire de Toulouse*. Privat, 1958.

PHILOSOPHIE ET MORALE DU CATHARISME

Liber de duobus principiis (un traité néo-manichéen du XIIIe siècle) : Le *Liber de duobus principiis*, suivi d'un fragment de *Rituel cathare*, publié par A. Dondaine. O.P.; Istituto Storico Domenicano, Santa Sabina, Roma, 1939.

Un traité cathare inédit du début du XIIIe siècle d'après le *Liber contra Manicheos* de Durand de Huesca, par Christine Thouzellier. Spicilegium sacrum Lovaniense, Louvain, 1964.

Une somme anticathare : Le *Liber contra Manicheos de Durand de Huesca*, texte inédit, publié et annoté par Christine Thouzellier; Spicilegium sacrum Lovaniense, Louvain, 1964.

Borst, A. : *Die Katharer*. Stuttgart, 1953.

Koch, G. : *Frauenfrage und Ketzertum im Mittelalter*. Berlin, 1962.

Nelli, R. : *Écritures cathares* (la totalité des textes cathares traduits et commentés). Planète, Paris, 1968.

Nelli, R. : *Dictionnaire des Hérésies méridionales*. Privat, Toulouse, 1968.

Nelli, R. : *Le Phénomène cathare*. Privat, P.U.F., 1968.

Nelli, R. : *Le Musée du Catharisme*. Privat, Toulouse, 1966.

Roche, D. : *Études manichéennes et cathares*. Éditions des Cahiers d'Études cathares, Arques (Aude), 1952.

Thouzellier, Ch. : *Catharisme et Valdéisme en Languedoc à la fin du XIIe siècle et au début du XIIIe siècle*. P.U.F., 1966.

HISTOIRE DE LA CROISADE

La Chanson de la Croisade albigeoise, traduite du provençal par Eugène Martin-Chabot. 3 volumes. Les Belles-Lettres, Paris, 1960-1961.

Belperron, P. : *La Croisade contre les Albigeois*. Plon, Paris, 1942.

Oldenbourg, Z. : *Le Bûcher de Montségur*. Gallimard, Paris, 1959.

TABLE DES MATIÈRES

Achevé d'imprimer le 28 septembre 1970
dans les ateliers de l'Imprimerie Floch, Mayenne (9836).
Dépôt légal : n° 2803. — 4e trimestre 1970.
23. 12. 1696. 04

LA VIE QUOTIDIENNE

ANTIQUITÉ

EN ÉGYPTE, par Pierre Montet.

A BABYLONE ET EN ASSYRIE, par G. Conteneau.

DANS L'INDE ANCIENNE, par J. Auboyer.

AU TEMPS D'HOMÈRE, par Émile Mireaux, de l'Institut.

EN GRÈCE AU SIÈCLE DE PÉRICLÈS, par R. Flacelière.

CHEZ LES ÉTRUSQUES, par J. Heurgon.

A ROME, par Jérôme Carcopino, de l'Académie française.

A POMPÉI, par Robert Étienne.

A CARTHAGE, par G. et C. Charles-Picard.

EN PALESTINE AU TEMPS DE JÉSUS, par Daniel-Rops, de l'Académie française.

EN GAULE, par Paul-Marie Duval.

EN GAULE AU TEMPS DES MÉROVINGIENS, par Charles Lelong.

MOYEN AGE

AU TEMPS DE SAINT LOUIS, par Edmond Faral, de l'Institut.

AU TEMPS DE JEANNE D'ARC, par Marcellin Defourneaux.

DES MUSULMANS AU MOYEN AGE (DU Xe AU XIIIe SIÈCLE), par Aly Mazahéri.

A BYZANCE AU SIÈCLE DES COMNÈNES, par Gérard Walter.

DES AZTÈQUES A LA VEILLE DE LA CONQUÊTE ESPAGNOLE, par Jacques Soustelle.

AU TEMPS DES DERNIERS INCAS, par L. Baudin, de l'Institut.

EN CHINE A LA VEILLE DE L'INVASION MONGOLE, par J. Gernet.

TEMPS MODERNES

a) en France

EN FRANCE AU TEMPS DE LA RENAISSANCE, par Abel Lefranc, de l'Institut.

AU TEMPS D'HENRY IV, par Philippe Erlanger.

AU TEMPS DE LOUIS XIII, par Émile Magne.

AU MARAIS AU XVIIe SIÈCLE, par Jacques Wilhelm.

SOUS LOUIS XIV, par Georges Mongrédien.

DES COMÉDIENS AU TEMPS DE MOLIÈRE, par Georges Mongrédien.

DES MÉDECINS AU TEMPS DE MOLIÈRE, par François Millepierres.

EN FRANCE A LA FIN DU GRAND SIÈCLE, par Jacques Saint-Germain.